LA POSSÉDÉE
DE SHAWONABE

Robert C. Wilson

LA POSSÉDÉE
DE SHAWONABE

Traduit de l'américain
par
Brice Matthieussent

Domino

Photographie de la couverture : François Dumouchel
Studio Dumouchel et Lefebvre inc.

LES ÉDITIONS DOMINO LTÉE
(Division de Sogides Ltée)
955, rue Amherst, Montréal
H2L 3K4
tél. : (514) 523-1182

Distributeur exclusif pour le Canada :
AGENCE DE DISTRIBUTION POPULAIRE INC.
(Filiale de Sogides Ltée)
955, rue Amherst, Montréal
H2L 3K4
tél. : (514) 523-1182

Pour M'man et P'pa.

I

MUSH QUA TAH

1.

La route poussiéreuse traçait un étroit sillon à travers la forêt. En ce milieu de matinée de juillet, le soleil n'atteignait pas encore ses ornières. Le sol était froid.

A chaque pas, le sable humide s'éparpillait en minuscules fragments. Laborieusement, l'homme clopinait sur le chemin, ses doigts boudinés serrés autour de la poignée de cuir tachée de sa mallette. Tout paraissait calme à ses oreilles inexpertes. Tandis qu'il progressait sur la route sablonneuse, une brise à peine perceptible transportait son odeur devant lui.

A quelques centaines de mètres, deux ours noirs se levèrent tout à coup sur leurs pattes arrière ; l'un était légèrement plus grand que l'autre. Leurs têtes bougèrent lentement de gauche à droite et leurs narines frémissantes humèrent l'air. L'odeur était reconnaissable entre toutes. Et elle devenait sans cesse plus forte.

La femelle posa doucement ses pattes avant sur le sol. Puis son compagnon fit de même. Dans leur mémoire, cette odeur était associée au danger, un danger qu'ils avaient souvent fui auparavant. Mais quelque chose leur disait que, cette fois-ci, c'était différent ; les ours restèrent immobiles.

Les pieds de l'homme devinrent moites ; ils glissaient dans les chaussures trop grandes. Des grains de sable irritaient ses orteils. La route ne lui avait jamais semblé aussi longue, mais jamais auparavant il n'avait été contraint de la parcourir à pied.

La route locale 621 suivait le tracé d'un vieux sentier indien, entre la ville de Mackinaw et Wabanakisi, comme de nombreuses routes qui sillonnaient la région de l'annulaire de la moufle dessinée par le lac Michigan. Mais les Indiens n'avaient pas tracé leurs pistes selon les conceptions des autoroutes modernes : le sentier, et plus tard la route, décrivait une courbe compliquée autour de l'étendue sauvage qui longeait grossièrement la côte nord-ouest de la péninsule inférieure.

La Forêt d'Etat de l'Arbre Crochu formait sur la carte d'état-major une tache verte irrégulière qui couvrait plus de 90 000 hectares. C'était presque partout un vaste domaine vierge de pins et de chênes, de rivières et de lacs, hachuré par des pistes forestières oubliées que pouvait à la rigueur emprunter une jeep ou une chenillette à neige. Presque tout le monde évitait les raccourcis en terre battue, mais James Davis conduisait sa Buick comme si elle possédait quatre roues motrices.

Quand il avait décidé de se rendre de bonne heure à la Cour du comté de Mackinaw pour défendre un client, il savait qu'il ne serait pas à l'heure à Wabanakisi pour le procès McCutcheon. Mais comme ses honoraires étaient élevés, il se disait que son retard serait excusé. Il n'avait pourtant pas prévu qu'à Mackinaw, son adversaire prendrait l'affaire aussi légèrement que lui-même l'affaire McCutcheon.

Déjà en retard, il quitta le parking en trombe dans un nuage de poussière. A vingt-cinq kilomètres au sud de Mackinaw, la route 621 obliquait vers l'ouest pendant plusieurs kilomètres avant de revenir vers Wabanakisi. Au lieu de suivre la 621 sur la droite, Davis prit un raccourci de terre battue qui lui avait toujours fait gagner de précieuses minutes entre les deux villes.

La voiture cahotait et dérapait sur la route inégale ; Davis alternait coups de frein et d'accélérateur. Au plus profond du moteur, les pistons cognaient dans les cylindres brûlants. Un voyant rouge s'alluma sans qu'il s'en aperçût au-dessus du compteur de vitesse et un claquement métallique s'amplifia sous le capot. Un palier mal lubrifié était porté au rouge, les tiges du piston absorbaient les à-coups. Mais le grippage augmentait.

Davis appuya à fond sur l'accélérateur quand la Buick s'enfonça dans une dépression sableuse. Une bielle se brisa avec un claquement sec. Le piston se libéra violemment du vilebrequin et, de toute sa puissance, vint heurter le capot. La détonation métallique se répercuta bruyamment sur les troncs d'arbres innombrables et se glissa sous la peau tendue de Davis.

La voiture endommagée obliqua vers le bas-côté. « Saloperie ! » éructa Davis en frappant le tableau de bord. Il jeta rapidement un coup d'œil dans le rétroviseur, à la recherche d'un autre véhicule. Il n'aperçut aucun nuage de poussière, s'extirpa de derrière le volant et sortit de la voiture. Il vit à sa montre qu'il avait déjà une heure de retard pour le procès de neuf heures. Il saisit sa mallette posée à côté de lui et se mit à marcher sur la route poussiéreuse. Elle ne devrait pas tarder à croiser la 621, se dit-il. Et là, il arrêterait une voiture.

Bien que la forêt fût maintenant plus distincte, Davis restait aveugle aux détails des troncs d'arbres sombres et des sous-bois touffus qui longeaient la route. Ses yeux étaient rivés devant lui, sur la lueur du tunnel. Dans son esprit, une forêt en valait une autre. Toutes se ressemblaient.

Aussi calmes que la surface des mares de vase noire sous les cèdres, les ours distinguaient l'odeur du danger des centaines d'odeurs concurrentes et se concentraient sur sa proximité. Leurs corps poilus et volumineux restaient immobiles, attentifs.

Davis marchait d'un pas décidé ; il desserra son nœud de cravate. Des gouttes de sueur brillantes se rassemblaient entre les tendons contractés de son cou. Sourd aux bruits subtils qui sortaient de la forêt, obnubilé par le rythme haletant de sa propre respiration, Davis enleva sa veste de sport et la lança sur son épaule en la retenant d'un doigt recourbé. Sa chemise trempée collait à son dos.

Il s'arrêta et scruta la route poussiéreuse. La grand-route demeurait invisible.

L'odeur étrangère cessa de se déplacer. Leur instinct poussait les ours à s'enfuir, à courir se réfugier au fond de la forêt. Mais quelque chose d'aussi primaire et de plus impératif les obligeait à ne pas bouger.

Davis leva les yeux vers le feuillage des arbres. Au-dessus de lui, les feuilles des chênes s'agitaient nerveusement dans une brise croissante. Il frissonna, puis fut secoué d'un tremblement involontaire. Il remua la tête, ses bajoues frémirent, comme pour se débarrasser d'un malaise insinuant.

C'était le procès. Il fallait absolument que ce fût le procès, se dit-il. Ce malaise lancinant, cette tension au ventre, c'était la même que celle de ce matin, au réveil. Le trac ordinaire précédant chaque procès, essaya-t-il de se convaincre.

Davis fit un pas incertain. Puis un autre. Il lutta pour garder l'équilibre, ses genoux craquèrent. La chair de poule disparut lentement de sa peau, mais l'inquiétude persista.

Les ours se déplacèrent avec précaution entre les cèdres rapprochés ; leurs lourdes pattes se posaient doucement sur le sol couvert de mousse. L'étroite clairière était proche. Les ours avançaient silencieusement.

L'air sifflait dans la gorge sèche de Davis. La salive semblait coagulée contre ses lèvres. Il jeta un regard anxieux vers les bois. Les peurs enfantines, se dit-il pour essayer de calmer sa nervosité. Devant lui, la route se mettait à plonger. A gauche, le talus restait escarpé, mais à droite, le sol descendait à partir de la piste et les chênes cédaient la place au vert olive des cèdres coniques.

L'odeur étrangère emplissait les narines des ours. Au fur et à mesure que se rapprochait sa source, leur peur augmentait. La femelle s'écarta de son compagnon et marcha contre le vent. Dans les branches basses entremêlées, surplombées par la voûte impénétrable des cèdres, ils étaient parfaitement invisibles de la clairière.

Le profond silence des basses terres touffues lui écorchait les oreilles. Davis traversa un nuage de moustiques et sentit la piqûre douloureuse d'un taon sur sa nuque. Il essaya de le chasser de la main qui tenait sa veste, mais le taon esquiva l'attaque maladroite et continua de bourdonner autour de sa tête, comme pour se moquer. Davis se mit à trotter sur quelques mètres. Sa poitrine se gonflait.

Les ours se dirigeaient vers la clairière. Ils ne se voyaient pas, mais connaissaient leurs positions respectives. Devant, à travers les arbres, leurs mauvais yeux distinguaient une silhouette qui se déplaçait le long du ruban de lumière.

Un bruit interrompit les pulsations du silence. Davis prit conscience d'un lourd piétinement sur sa droite. Il s'arrêta pour scruter les branches mortes. Rien. Pourtant, le martèlement continuait. Une branche se brisa ; son craquement sec résonna dans la tête de Davis, qui se retourna et accéléra son allure, ses pieds traînant sur le sable de la route.

Les ours sentirent que l'intrus avançait plus vite. Maintenant, il était entre eux. Dans la clairière, mais entre eux. Abandonnant toute prudence, ils sortirent à découvert.

Les bruits étaient réels. On ne pouvait s'y tromper : des pas pesants. Davis avançait en titubant, ses jambes noueuses s'abattaient sur le sol meuble. Qu'est-ce que c'est ? hurlait son esprit. Le sang se ruait à ses tempes. Son cœur battait la chamade dans sa poitrine. Soudain, il comprit : on le suivait !

Le sol meuble se terminait abruptement à l'endroit où commençait le passage à découvert. Les griffes incurvées de l'ours s'enfoncèrent dans la pente raide du talus. Il se hissa sans effort jusqu'au sommet.

Davis jeta un regard de côté. La sueur salée lui brouillait la vue. La forêt lumineuse lui fit l'effet d'un éclair blanc. Une forme sombre pénétra dans son champ de vision. Il essaya d'accommoder. La forme se déplaçait. Elle devint plus nette, mais son esprit ne comprenait toujours pas.

Tête baissée, gueule ouverte, l'ours marcha délibérément jusqu'au milieu de la clairière. Un sifflement rauque s'échappait de sa gorge. Un épais filet de salive descendait de ses dents acérées et dégoulinait jusqu'à terre.

Davis semblait cloué au sol, les yeux fixés sur la forme qui approchait. C'est impossible. Les ours sont timides, ils ont peur de l'homme.

Mais la peur ne troublait plus les décisions du mâle. Bien que l'odeur du danger fût presque insupportable, son esprit restait calme. Un désir soudain le traversa et le sang se rua dans ses veines.

Davis pivota lentement. Pas de mouvement brusque. La voiture. Retourner à la voiture. L'ours protège son territoire. Il ne me poursuivra pas. Il ne quitta pas la bête des yeux en se retournant et commença à s'éloigner en regardant par-dessus son épaule. L'ours ne modifiait pas son allure. Davis détourna les yeux à contrecœur. Vers le nord. Revenir à la voiture.

« Non ! » Le halètement de Davis se transforma en cri de terreur. Une autre forme noire. Un autre ours !

La panique s'empara de son esprit. Il se retourna vivement. L'ours était toujours là. Ils s'approchaient. Sa veste glissa entre ses doigts et tomba à terre. Il vacilla vers le rebord de la piste. Le talus descendait en pente raide. Il aventura un pied tremblant, puis l'autre. Davis s'élança dans la pente. Ses genoux se raidirent et se bloquèrent au bas de la pente ; il tomba.

Elle s'échappait ! La créature avait disparu. Les ours déchaînèrent toute la puissance de leurs muscles et s'élancèrent à la poursuite de leur proie.

Davis se releva. Il sentait la terre trembler sous le poids des bêtes en marche. Il trébucha vers les fourrés, le sol mou semblait retenir ses chaussures. Sa mallette s'ouvrit au bas du talus et ses papiers se répandirent alentour.

Des grognements furieux accompagnaient les ahanements. L'intrus se dirigeait tout droit vers leur royaume. Leur territoire !

Des brindilles pointues égratignaient son visage. Davis agitait violemment les bras en essayant de se frayer un chemin à travers les branches entremêlées. Il s'enfonça davantage dans le marais et les cèdres.

Leurs pattes raidies, les ours dégringolèrent au bas du talus. La silhouette dressée disparaissait parmi les arbres. Mais elle ne pouvait se cacher nulle part.

La boue noire semblait aspirer ses chaussures. Davis se jeta en avant. Des racines tordues, couvertes de mousse glissante, mettaient son équilibre en péril. Le martèlement était juste derrière lui !

Les ours se mirent à charger à travers les cèdres, nullement gênés dans leur course effrénée par les branches fragiles. A quelques mètres seulement, une forme se débattait avec des mouvements incohérents.

Impossible de s'échapper ! hurlait son esprit. Grimper. Je dois grimper ! Davis se rua vers une branche basse. Elle se brisa dans ses mains. Il se rua vers une autre, qui tint bon. Ses muscles douloureux luttèrent pour le hisser. Lentement, son corps quitta le sol en se trémoussant. Ses poumons en feu lui semblèrent se déchirer.

Les ours se précipitèrent sur leur proie qu'ils voyaient pendre sans protection.

Un rugissement éclata dans la tête de Davis. Il explosa sous les frondaisons suffocantes des cèdres.

Il tenta de lever les pieds, mais ils étaient pris dans un étau. La douleur poignarda le haut de sa jambe gauche. Il sentit une énorme pression lui broyer les os. Davis cria.

L'ourse secoua son cou puissant. Davis tomba avec un bruit sourd. L'ourse lâcha le pied avec un grognement guttural. Davis essaya de s'éloigner en rampant, mais avec la rapidité de l'éclair, une patte avant le frappa au côté. Le craquement de ses côtes brisées éclata dans ses oreilles.

Davis se retourna sur le dos. Les mâchoires hérissées de couteaux d'ivoire bavaient de fureur et grondaient. Un réflexe lui fit serrer les bras pour protéger son corps, mais les gueules des ours réagirent encore plus vite et se ruèrent sur lui.

Une douleur sourde monta de ses blessures, envahit sa poitrine en l'engourdissant. S'étendant encore, elle émoussa les hurlements qui jaillissaient du fond de la gorge de l'homme. Puis, aidé par les mâchoires d'acier, l'engourdissement gagna le cerveau. Au bout d'un moment, seuls troublèrent le calme de l'Arbre Crochu les grognements et les reniflements des carnivores célébrant leur festin.

A travers les cèdres touffus, le soleil atteignit et réchauffa la route ; en séchant, le sable commença à s'effriter, grain à grain, faisant disparaître les empreintes de pas.

2.

Axel Michelson marchait vers son bureau. Il avait beau être bien préparé au procès, aucune préparation ne semblait pouvoir venir à bout de cette nervosité particulière, une nervosité due à l'attente et au long labeur. L'appréhension qui précédait un procès avec jurés était toujours la même. Le juge, le sténographe et l'huissier ne posaient pas de problème, car leurs actes étaient toujours prévisibles. Par contre, les jurés introduisaient de nouvelles variantes dans le jeu.

Une tasse de café noir fumait sur le bureau de Grace quand Axel entra dans la salle d'attente. « Vous avez déjà eu deux appels téléphoniques ce matin », lui dit-elle en manière d'accueil.

« J'en devine un », répondit Axel en reprenant son souffle.

« Mme James a appelé pour me dire ce que sa peau de vache de bientôt ex-mari a fait hier soir. »

« Exact pour celui-là. »

« Et le second provient d'une couturière affolée qui veut intenter un procès à la Compagnie de Machines à Coudre Oligopoly parce qu'un de leurs produits douteux a perdu la tête et s'est mis en devoir de lui coudre les doigts ensemble. »

« Quelle imagination ! Savez-vous que vous devez être une célébrité pour qu'on fasse appel à vous en cas d'urgence ? » plaisanta Grace.

« Mais je suis une célébrité. Vous n'avez pas vu mon nom dans le *Times* de Bay City, dans l'article sur la forêt domaniale ? Un sacré truc. Une affaire de première importance pour l'environnement. »

« Si, mais j'ai remarqué qu'ils l'avaient de nouveau mal orthographié. » Grace rit, espérant détendre Axel avant le procès.

Grace connaissait bien le pincement de cœur qui précédait une nouvelle affaire avec jury. Elle avait travaillé dix ans comme secrétaire juridique, avant même qu'Axel ne devînt avocat, et elle connaissait procureurs et juges sur le bout des doigts. C'est précisément à cause du caractère d'Axel qu'elle l'avait choisi comme nouvel employeur voici deux ans, à la mort de Samuel Hetcham.

Deux étés auparavant, à l'occasion de son divorce, elle avait rencontré Axel Michelson pour la première fois. Mr. Hetcham lui avait indiqué le nouveau procureur de Wabanakisi, ancien associé d'une compagnie juridique de Detroit, qui avait besoin de clients. Il l'avait certes guidée avec compétence à travers le labyrinthe des procédures légales, mais bien plus que son habileté professionnelle, c'est son humanité qui avait impressionné Grace. Car elle avait estimé impossible de dialoguer rationnellement avec son mari séparé comme l'avait fait Michelson, tout en minimisant l'amertume due au divorce et en tenant ses deux filles à l'écart.

Grace saisit un exemplaire plié du *Free Press* de Detroit et le tendit à Axel. « Je crois que l'éditorial va vous remonter le moral. »

« Ah ? » Michelson haussa les sourcils, le procès McCutcheon soudain oublié. Il prit le journal et pénétra dans son bureau. Il s'assit dans son fauteuil tournant, s'adossa et chercha la page de l'éditorial dans la deuxième partie du journal.

Soudain, il se redressa et étala le journal à plat sur son bureau. Ses yeux parcouraient rapidement un article dans le coin supérieur gauche, intitulé « L'Arbre Crochu Face à la Hache ». Exactement ce qu'il avait espéré depuis qu'il avait intenté un procès, au nom de la tribu Ottawa. Un des grands quotidiens de l'Etat avait enfin pris position contre toute opération immobilière dans la Forêt d'Etat de l'Arbre Crochu. Ce qu'impriment les journaux n'est pas censé influer sur les décisions de justice, mais Michelson savait que le Juge fédéral Frank Moss lirait cet éditorial. Et il était ravi.

Mais l'affaire ne serait débattue que la semaine suivante. Le procès intenté par Arnold McCutcheon pour blessure devait commencer très bientôt et Axel savait qu'il ne pouvait se payer le luxe d'un manque de concentration. Pas avec James Davis comme adversaire et défenseur renommé des Compagnies d'Assurances.

Onze mois auparavant, pendant une grosse averse du mois d'août, alors qu'Arnold descendait rapidement l'escalier de bois de la Chambre de Commerce de Wabanakisi, une marche s'effondra. Sa jambe s'enfonça à travers le bois pourri pour s'empaler sur un gros clou rouillé qui véhiculait probablement cinquante années d'infections diverses. Au vu de la note du docteur, de celle du chirurgien, et compte tenu de sa propre douleur, Arnold estima qu'il méritait plus de deux mille dollars de dédommagements. Et son avocat avait décidé qu'un jury serait sûrement de son avis.

Axel fit claquer les fermoirs de sa mallette. Alors qu'il se levait, son image se refléta une demi-douzaine de fois dans les étagères en verre derrière son bureau. Comme le bâtiment, les étagères ne faisaient pas leur âge.

Construit en 1903, l'Immeuble Salling-Hanson avait été le quartier général d'une des plus florissantes sociétés de bois de construction, en plein milieu de ce qui était à l'époque le plus beau site de pins blancs du monde. On retrouvait le bois de la Société Salling-Hanson à travers tout le pays, dans de nombreux bâtiments remarquables construits vers la fin du XIXe siècle. On raconte que pour son immeuble personnel, le vieux Hanson choisit lui-même les arbres à abattre et veilla à ce que les panneaux de bois ne présentent pas de nœud disgracieux. Peu importait que les murs dussent être peints, — Mr. Hanson adorait la perfection au moins autant que le bois.

Pour Rasmus Hanson, le bois de construction n'avait rien d'une vocation. Mais comme de nombreux Danois immigrés aux Etats-Unis dans les années 1860, il fut attiré par la « fièvre verte » du Michigan jusqu'aux camps forestiers du Nord glacé.

En peu de décades, le site — qu'on avait cru inépuisable — de pins blancs et rouges au nord du Michigan se transforma en désert. L' « or vert » qui était à l'origine de la ruée avait permis à certains d'amasser des fortunes considérables, dix fois plus importantes que celles sorties de l'or californien. Quand tout fut terminé, certains Danois comme Rasmus Hanson prirent leur retraite et vécurent de leurs rentes, alors que d'autres, tel Oscar Michelson, abandonnèrent les longs baraquements des camps d'hiver pour essayer de cultiver le sol sablonneux. Des incendies gigantesques ravagèrent la campagne balayée par le vent et détruisirent les récoltes cultivées à grand-peine sur un sol anémié. De nombreux fermiers descendirent vers les grandes villes du Sud, où l'argent gagné avec le bois de charpente finançait une croissance industrielle exceptionnelle. Des années plus tard, certains de leurs descendants retournèrent vers le nord. La beauté pittoresque des nouvelles forêts et des lacs limpides en attirèrent bon nombre vers le comté de Wabanakisi. Mais c'est une raison encore plus impérative qui poussa Axel Michelson à s'y installer : son mariage avec une descendante du Chef Shoppenaw, qui avait jadis dirigé la tribu des Ottawas de l'Arbre Crochu.

Bien que n'étant plus les seuls à vivre dans la région, les Ottawas constituaient malgré tout quarante pour cent de la population du comté, dont la moitié habitait la petite réserve située à plusieurs kilomètres au nord de la ville. Personne ne savait exactement où, mais la réserve avait autrefois abrité le village indien le plus important du Michigan septentrional. Les Ottawas l'avaient fondé en 1742, cent ans après que leur tribu avait été chassée par la guerre et repoussée vers l'ouest par la Confédération Iroquois des Cinq Nations.

Un énorme pin blanc dont la cime oscillait au gré des vents d'ouest marquait le nouveau territoire des Ottawas. L'arbre servait de repère aux Indiens qui traversaient les eaux agitées du lac à bord de leurs fragiles canoës en écorce de bouleau. Les Ottawas baptisèrent cette région wau-go-naw-ki-sa, « le pays de l'arbre crochu ». De même que la forme anglicisée du nom Ottawa désignant le site, l'arbre crochu survécut, miraculeusement préservé des coupes des bûcherons.

Il était plus de neuf heures, mais Axel n'était pas pressé de descendre l'escalier latéral de l'Immeuble Salling-Hanson. Le tribunal était à deux pas. Son bureau se trouvait au nord du quartier d'affaires qui, avec ses deux bâtiments, constituait le centre de Wabanakisi. Les boutiques et les bureaux de la grand-rue qui donnaient vers l'est surplombaient un plan incliné qui aboutissait au lac Muhquh Sebing. Certains magasins avaient une entrée en sous-sol, à partir d'une bande d'herbe qui les séparait du lac.

Le vieux quartier résidentiel de Wabanakisi s'étendait sur un kilomètre vers l'ouest, derrière la grand-rue. Au-delà de la dernière rangée de maisons à charpente de bois se trouvait une couronne verte d'arbres et de sous-bois touffus. Cette étroite bande de terres sauvages recouvrait une petite dune de sable qui descendait jusqu'à l'immense lac Michigan.

Un étroit canal reliait le lac Michigan au lac Muhquh Sebing et traversait la grand-rue dans la partie nord du quartier d'affaires. La grand-rue enjambait le canal grâce à un pont à bascule qu'il fallait relever pour laisser passer le mât de tous les voiliers de vingt-deux pieds et plus. A cette époque de l'année, les villas qui bordaient le lac Muhquh Sebing étaient habitées par leurs propriétaires de Detroit ou de Chicago, et le petit pont à bascule était aussi souvent ouvert que fermé.

Tout en se dirigeant vers le Bâtiment officiel du Comté, Axel regardait sur sa gauche entre les magasins. Le soleil formait des taches argentées sur les rides du lac et se réfléchissait au hasard des vagues scintillantes. Le lac Muhquh Sebing ne faisait jamais plus de cinq kilomètres de large, mais s'étendait sur vingt-cinq kilomètres de long. « Muhquh » et « Sebing » étaient les noms ottawas de « ours » et « lac », choisis par les Indiens à cause du grand nombre d'ours noirs qui avaient jadis régné sur la région avant la venue de l'homme blanc. Les premiers colons blancs exterminèrent le muhquh et ajoutèrent un « lac » redondant à l'expression « Muhquh Sebing ».

Michelson monta rapidement les marches du Bâtiment officiel du Comté, une bâtisse d'une laideur extrême — une sorte de forteresse écrasée dotée d'une énorme tour monstrueuse bardée d'aluminium, la pièce centrale. Le souvenir de l'ancien tribunal qui s'élevait jadis au même endroit rendait la vue de cette construction encore plus insupportable.

La lourde porte en chêne de la salle d'audience s'ouvrit sans bruit. « La chaleur était tellement forte », disait Harry Forstyk, le greffier, « que le sable de la plage s'était transformé en verre. »

« Vraiment ? » demanda Mme McCutcheon, interloquée.

« Non. Bien sûr que non », interrompit Axel en marchant vers le bureau de l'huissier. « C'était la glace qui recouvrait les lances d'incendie. »

« Qu'est-ce que tu en sais ? » le provoqua Harry. « Tu n'étais pas là. »

« Non, mais Charley Moozganse y était, et sa version des faits est sensiblement différente de la tienne. »

« Moozganse ! Ce plouc de " mouse " était tellement rond cette nuit-là, que l'alcool qu'il trimbalait dans ses veines aurait pris feu comme de l'essence s'il s'était approché de l'incendie. T'a-t-il raconté comment j'ai sauvé la ville en empêchant le feu de s'étendre ? »

« Je ne m'étais pas rendu compte que la ville était en danger. D'après ce que j'ai compris, le vieil hôtel Muhquh

Sebing se trouve au bord du lac, à cinquante mètres du bâtiment le plus proche. »

« On ne m'appelle pas Bouche d'Incendie pour rien, non ? »

« Evidemment », reconnut Axel, qui choisit de ne pas rétorquer que Harry avait gagné ce surnom à force de raconter son histoire à qui voulait l'entendre. « Alors, et Davis ? Il est arrivé ? »

« Les pingouins ont-ils besoin de patins à glace ? Pour l'instant, il n'a que vingt minutes de retard. Je lui donne encore une demi-heure. »

Ce laps de temps pourrait se révéler utile, se dit Axel — l'occasion de calmer son client autant que lui-même. Tandis qu'il s'installait aux côtés des McCutcheon devant une table couverte de formica, Harry se dirigea lentement vers une porte au fond de la salle d'audience, portant l'écriteau « Jury ».

Debout dans l'étroit couloir qui séparait son chenil du dispensaire pour animaux, Janis Michelson regardait par la fenêtre.

Ses yeux suivaient les ébats de trois garçons qui jouaient avec les chiens dans l'enclos derrière le bâtiment, mais ses pensées se tournaient vers Axel, vers le procès qu'il commençait. Elle se sentait tendue, préoccupée ; elle partageait l'appréhension qu'elle savait être celle de son mari. Le début est toujours le plus difficile, pensa-t-elle. Elle se dit qu'elle se sentirait mieux à l'heure du déjeuner.

La porte d'entrée claqua bruyamment, couvrant le son de la cloche annonçant l'arrivée de quelqu'un. Janis pénétra dans la salle d'attente et eut l'impression qu'il n'y avait personne. C'est alors qu'elle remarqua la petite queue de cheval châtain de la fille de Grace, dont la tête arrivait à peine à hauteur du comptoir.

« Marcy ! Qu'est-ce que tu as là ? »

« Mon serpent est malade, madame Michelson. C'est une femelle et je l'ai apportée à côté, mais le docteur Routier m'a dit de vous la montrer. »

« Ah bon ? » fit Janis en s'accroupissant à côté de la petite fille. « Laisse-moi lui jeter un coup d'œil. »

Marcy lui tendit un bocal en verre au fond duquel était lovée une couleuvre. « Vous allez la guérir, n'est-ce pas ? »

« Je vais essayer. » Janis dévissa le couvercle en fer-blanc, percé de petits trous, et sortit la couleuvre du bocal. « Comment s'appelle-t-elle ? »

« Gertrude. »

Janis tenait le serpent devant ses yeux sombres et d'un doigt caressait sa tête rayée. Le serpent de quarante centimètres était à peine plus long que les épais cheveux noirs de Janis. « Gertrude me paraît en bonne santé. Pourquoi crois-tu qu'elle est malade ? »

« Parce qu'elle ne veut rien faire. Elle reste là, immobile, dans son bocal. »

« Oh, il n'y a aucune raison de s'inquiéter, Marcy. Gertrude n'est pas malade. Elle se comporte comme n'importe quel serpent enfermé dans un bocal. »

« Mais elle n'a absolument rien mangé depuis que je l'ai trouvée. Ça fait trois jours. Elle va mourir de faim. »

« Que lui donnes-tu à manger ? »

« Des gâteaux secs. »

Janis sourit. « Je ne crois pas que les serpents aiment les gâteaux secs. »

« Mais avec du sucre ? »

« Non, même avec du sucre. » Janis tint le serpent au-dessus du bocal ouvert et le remit dedans, la queue la première. « Mon grand-père me disait souvent qu'un animal sauvage n'est un animal que parce qu'il est libre. Si on le met en cage, il dépérit, ce n'est plus un animal mais un objet, exactement comme les brindilles ou l'herbe sèche que tu as mises au fond de son bocal. »

« Vous croyez que c'est ce qui est arrivé à Gertrude ? »

« Oui. »

« Alors je devrais peut-être la remettre en liberté ? »

« C'est sûrement la meilleure chose à faire, Marcy. Je suis sûre que Gertrude recommencerait à se comporter comme un vrai serpent. »

Marcy se pencha et embrassa tendrement Janis. « Le

docteur Routier avait raison. Il savait bien que vous sauriez quoi faire. »

D'un geste agacé, le juge Wilfred T. Jensen fit claquer son stylo sur le bloc-notes. La sonnerie de l'horloge électrique venait de se déclencher. Dix heures. S'arrêtant au milieu de sa phrase, il repoussa son fauteuil du bureau et se leva avec une agilité surprenante pour ses soixante-seize ans.

Il sortit de son cabinet et entra dans la salle d'audience, les pans de sa toge noire déboutonnée volant derrière lui. « Monsieur Michelson junior », déclara-t-il.

Axel leva les yeux de la table de l'huissier. « Bonjour, monsieur le Juge. »

« C'est réellement une fort belle journée, et ça me fend le cœur de la gâcher ici, avec toutes ces perches et toutes ces carpes qui n'attendent que d'être pêchées. Pourquoi ce retard ? »

Axel jeta un rapide coup d'œil à sa montre. « Nous attendons toujours Davis. » Il dit cela sur un ton d'excuse, bien qu'il n'y fût pour rien.

« Et il n'a même pas téléphoné, monsieur le Juge », ajouta Harry Forstyk. « Les jurés commencent à s'impatienter, entassés comme ils sont dans leur salle. »

« Je les comprends parfaitement, mais nous n'y pouvons pas grand-chose. » Les bras de Jensen esquissèrent un geste d'impuissance accompagné d'une envolée de manches. « Axel, j'ai lu l'article dans le *Free Press* de ce matin. Quelles sont les dernières nouvelles pour l'Arbre Crochu ? »

« Le Juge Moss de Bay City a accepté notre demande d'interdiction temporaire. L'audience concernant l'arrêt préliminaire doit avoir lieu la semaine prochaine. »

« Vous savez, le type de Lansing qui a accordé ces permis de construire dans la forêt domaniale est une sacrée andouille. » Jensen se pencha contre le rebord de son banc. « Je vous souhaite bonne chance. Je chasse là-bas depuis que je suis gamin, je n'aimerais vraiment pas qu'on abîme cette forêt. »

« Nous sommes presque tous d'accord là-dessus, monsieur le Juge », fit remarquer Arnold McCutcheon. « Mais les choses bougent dans le comté. Avec tous les nouveaux arrivants de la ville, les priorités se sont modifiées. Les habitants de la forêt sont déjà touchés. On rencontre moins de cerfs, moins d'ours, moins de tout. »

« J' suis pas sûr qu'il y ait moins d'ours », dit Harry. « Il paraît que de nombreux campeurs prétendent en avoir vu la nuit. Les ours ont peut-être quasiment disparu il y a trente ans, mais ils sont de retour. L'interdiction de chasser dans les années soixante y est sûrement pour quelque chose. »

« Peut-être sont-ils plus malins maintenant », avança Jensen.

« Pas impossible. De toute façon, ça devrait faire une bonne chasse en novembre. »

Axel secoua la tête. « Chasser le cerf, je comprends cela. Ou le chevreuil, qui fait un dîner succulent. Mais pourquoi l'ours ? Qui a jamais mangé de la viande d'ours ? »

Harry gloussa. « Moi j'en mange. Ce qui fait déjà une personne. »

« Ça ne m'étonne pas d'un vieux boucanier comme toi. Ce n'est d'ailleurs pas la première fois que tu te singularises. »

« Et même si je n'en mangeais pas, je n'en continuerais pas moins à les chasser, rien que pour le plaisir. Et ce n'est pas parce qu'ils sont plus timides qu'un gamin en culotte courte et qu'ils détalent à la vue d'un homme, qu'ils ne peuvent pas te tuer d'un simple coup de patte. »

« Sûrement, Harry », répondit Axel. « Mais tu sais aussi bien que moi qu'une bonne moitié des ours du coin se font tuer alors qu'ils dorment dans leur tanière. Je ne crois pas que tirer sur un animal en hibernation soit une preuve de vaillance. »

« D'accord, Axel, d'accord. Tu ne surprendras jamais Harry Forstyk en train de traquer un ours qui hiberne dans sa tanière. »

Le Juge Jensen les interrompit. « Ça fait plaisir à entendre, Harry. Mais si maintenant, vous traquiez Davis pour le ramener ici par la queue ? »

« Je peux essayer, monsieur le Juge, mais je n'ai jamais été très fort pour traquer ce genre de gibier. »

La voiture de patrouille noir et blanc se dirigeait vers le nord sur la route sinueuse. Le shérif adjoint Brockington tenait nonchalamment le volant de la main droite, son coude gauche dépassant par la fenêtre ouverte. Après une nuit blanche, ses muscles étaient détendus et engourdis.

Brockington avait effectué le quart de deux heures du matin et avait terminé son travail depuis une demi-heure. Mais il avait promis à Jerry Shank de le remplacer pendant quelques heures. Cette fois-ci, c'était le dentiste. Jerry avait toujours une bonne raison à invoquer, au moins une fois par semaine. Mais Brockington s'en moquait, aussi longtemps qu'il avait ses après-midi à lui. Car il consacrait tous ses après-midi à ses fils. Travailler de deux heures à dix heures chaque matin ne l'amusait guère, mais c'était pour lui le seul moyen d'être avec ses enfants pendant l'été.

Ses deux aînés faisaient maintenant partie de la même équipe et les matches du Championnat junior commençaient cet après-midi. En défense et sur la butte, ils étaient les cracks de l'équipe. Brockington sourit en pensant à l'année suivante, car son fils cadet pourrait alors marcher sur les traces de ses aînés.

Brockington n'était pas loin de croire qu'il était le meilleur des trois.

Comme d'habitude, la route de comté 621 était à peu près déserte. Mais Brockington n'était pas pressé. Il allait uniquement à Mackinaw pour transmettre une assignation en justice, après quoi il pourrait rentrer chez lui.

3.

« Okay, Harry. Bon. Préviens le juge que je fais surveiller la route. Au fait, j'ai justement une voiture dans les parages. »

« Merci, shérif. Si entre-temps il arrive ici, je vous rappelle. »

Luke Snyder raccrocha et pivota vers le radio émetteur. Il

appuya sur le bouton du micro et appela la voiture de patrouille.

« Ici Brockington », fit une voix métallique.

« Dave, je viens d'avoir un appel. Où es-tu ? »

« Je viens de déposer les papiers chez le shérif ; je sors actuellement de la ville. »

« Bien. On vient de me signaler une disparition et j'aimerais que tu t'en occupes. Un avocat. Il est censé avoir quitté Mackinaw vers neuf heures trente pour se rendre au tribunal de Wabanakisi. Il n'est toujours pas arrivé et j'aimerais que tu cherches sa voiture sur le chemin du retour. Ça ne t'ennuie pas ? »

Brockington regarda l'horloge digitale du tableau de bord. Onze heures trente-deux. Plus que deux heures avant le match.

« Dave ? Ecoute, je sais que tu as travaillé toute la nuit. Si tu préfères rentrer, j'enverrai quelqu'un d'autre. »

« Non, shérif. Pas de problème, je peux m'en occuper. Je vais surveiller les bas-côtés de la route et je m'arrêterai au bar de Hingman. Il y est peut-être passé. »

« Jette aussi un coup d'œil aux cabanes le long de la route. Il s'y est peut-être arrêté. »

« Compris. Quelle est la marque de la voiture ? » Brockington sortit un calepin de sa poche.

« Buick bleue *Le Sabre* », dit Snyder en lisant ses notes. « Immatriculation : TKB 123. Il s'appelle Davis. James Davis. »

Brockington reposa le micro sur le tableau de bord et s'enfonça dans son siège. Ce n'était que le premier match, pensa-t-il. S'ils ne le perdaient pas, il y en aurait d'autres. Et avec ses gamins dans l'équipe, ils ne pouvaient pas perdre.

Michelson marchait dans le bureau vide de Grace ; ses talons claquaient sur le plancher en bois. Assis à une table en face de celle de Michelson, un jeune homme d'une vingtaine d'années était penché au-dessus d'une pile de livres. Ses cheveux noirs qui descendaient jusqu'aux épaules lui cachaient la moitié du visage. Il griffonna rapidement quelque chose sur un carnet jaune avant de lever les yeux. « Salut, Ax. Comment va le procès ? »

« Au point mort, Larry. Davis n'est pas venu », répondit Axel.

« Il n'est pas venu ! C'est vraiment gros, même de sa part. »

« Je suis certain qu'il aura une bonne excuse, cette fois-ci. On pense que sa voiture est tombée en panne quelque part entre ici et Mackinaw. Le shérif fait des recherches en ce moment même. »

« Quelle poisse. Encore un retard. »

« Tout va peut-être bien marcher, après tout. Et si le procès est repoussé après la semaine prochaine, nous aurons le temps de nous concentrer sur l'interdiction. »

« Oui. J'aurais besoin d'un peu d'aide pour faire une recherche. »

Michelson éclata de rire. « Je t'avais bien dit que travailler pour moi cet été ne serait pas du gâteau. Et après tout, les étudiants en droit de deuxième année doivent adorer faire des recherches... »

« Ouais, mais n'oublie pas que je ne travaille qu'à mi-temps. »

« Je me contente d'essayer de t'inculquer quelques notions juridiques. » Axel haussa les épaules. « Il faut que je réussisse à joindre ma femme, ensuite nous parlerons de ton problème. »

Michelson orienta le téléphone pour l'amener près de lui, devant son bureau. Au chenil, c'est Leslie Routier qui lui répondit : « Non, monsieur Michelson », dit-elle. « Aujourd'hui, elle est retournée chez elle de bonne heure. Elle était malade. Vous ne saviez pas ? »

« Non, je ne me souviens pas. J'ai été très occupé... » Axel parlait tout en réfléchissant. Elle ne lui avait pourtant pas semblé malade. « Merci, Leslie, je vais l'appeler à la maison. » Il composa un autre numéro et attendit. A l'autre bout de la ligne, le téléphone sonna six fois, sept. Pas de réponse. Axel retira le récepteur de son oreille. Il entendait quelqu'un monter l'escalier.

Ted Hiller léchait les gouttes de sueur qui ourlaient sa lèvre supérieure en entrant dans le bureau. Michelson l'accueillit avec une poignée de main. « Content de te voir, Ted. »

« Merci, Axel. J'avais envie de passer te dire bonjour », dit Hiller. Ses paroles faisaient vibrer ses joues flasques.

« La visite d'un plombier aussi occupé que toi n'est sûrement pas fortuite », dit Axel pour en savoir plus.

« Non, bien sûr », grommela Hiller. « Tous les yeux sont fixés sur toi depuis un petit moment, alors je me suis dit que je passerais pour voir si ça modifie ton opinion. »

Les deux hommes faisaient environ un mètre quatre-vingt-cinq, mais Hiller regardait la poitrine d'Axel. Ses courts cheveux noirs auraient pu être aussi raides que ceux de Larry s'il les avait laissés pousser, mais sa coupe de cheveux constituait un autre reniement de son héritage. Comme la plupart des Ottawas, Ted s'était enrichi au rythme de la croissance du Michigan du Nord. Pourtant la majorité des Indiens, surtout ceux qui vivaient dans la réserve, étaient loin d'avoir le niveau de vie de la moyenne bourgeoisie.

Michelson s'appuya sur le bureau de Grace et croisa les bras : « Mon opinion n'a guère changé. Et la tienne ? »

Hiller le regarda droit dans les yeux. « Cette interdiction peut causer un tort considérable à la ville. Alors que le nouveau plan de développement prévoit la construction de maisons et l'arrivée d'énormément de gens. » Hiller fit une pause pour laisser à Michelson le temps de répondre. Mais Axel restait impassible. Il préférait laisser Hiller s'enferrer. « Tu sais parfaitement que les commerçants ont bien du mal à joindre les deux bouts chaque année, surtout que la plupart des gens s'en vont quand le froid arrive. Et je peux te le dire, les commerçants ont vraiment hâte de voir ces nouvelles maisons se construire. »

« Il me semble, Ted », commença Axel en prenant des gants pour ne pas blesser son ami, « que dans notre région, les commerçants ne constituent pas la majorité de la population, et je crois aussi... non, je peux vraiment t'assurer que personne n'a envie de voir de nouveaux habitants s'installer ici. »

« Tu as peut-être raison, Axel, mais tu sais aussi bien que moi que ce sont les hommes d'affaires qui détiennent les richesses dans le secteur. C'est un fait digne d'être pris en considération par un jeune avocat qui a peut-être l'ambition de devenir un jour sénateur de son Etat, ou juge. » Il était beaucoup plus direct que Michelson ne s'y attendait, si bien qu'Axel en fut un moment décontenancé.

Profitant de l'hésitation de son interlocuteur, Ted continua : « Ecoute, je me moque comme de l'an quarante du développement de cette région. Bon, d'accord, c'est moi qui dois m'occuper de la plomberie des nouvelles maisons, mais bon sang, j'ai déjà trop de travail en ce moment. Je veux simplement te prévenir que tu n'as pas tellement la cote, depuis que tu as déposé ce projet d'interdiction. »

« D'abord, il ne s'agit pas d'une interdiction, mais simplement d'un arrêt préliminaire, applicable pendant dix jours seulement, à moins que je réussisse à convaincre le juge de procéder à une interdiction définitive. Et deuxièmement, je ne crois pas avoir d'autre choix que de poursuivre cette affaire en utilisant tous les arguments juridiques possibles. Mes clients, vois-tu, la tribu Ottawa, ont un intérêt vital à conserver intacte la forêt de l'Arbre Crochu. Quand ils ont fait don de toutes les terres du voisinage au gouvernement américain, y compris l'emplacement de cette ville, en échange de cette minuscule réserve, le gouvernement a promis de laisser en friche les terres qui entourent leur réserve. Un traité leur accorde le droit perpétuel de chasser sur ce territoire et leur garantit son inviolabilité. »

« Je sais tout ça, Axel. Je suis moi-même un Ottawa. Et il n'y a rien au monde dont je sois plus fier que de mon patrimoine culturel. Mais le développement de cette zone est susceptible d'aider mes frères de la réserve encore plus que les commerçants. De plus, je peux t'affirmer que là-bas, aucun Indien ne vit uniquement de la chasse dans la forêt. »

« Je ne parviens pas à comprendre », rétorqua Axel, « en quoi la construction d'une flopée de maisons en toc bardées d'écriteaux " Propriété Privée " pourrait aider les Indiens. Et puis il y a aussi le simple fait de vouloir préserver les arbres. L'Arbre Crochu est l'une des dernières zones sauvages de cet Etat, en tout cas de la péninsule méridionale, et je ne connais que toi qui veuilles la détruire. »

« Mais je ne veux pas la détruire », répondit Hiller, exaspéré. « Il est absolument hors de question de raser au bulldozer toute la forêt. Nom de Dieu, la forêt domaniale couvre cinquante mille hectares, à moins que ce ne soit cent mille ? Tout ce que veulent les promoteurs ne dépasse pas quarante mille hectares. »

« Excuse-moi, Ted, mais je ne suis pas un partisan de la théorie du moindre mal. Nous avons déjà cédé trop de terrain. Chaque nouvel empiètement, non seulement rogne d'autant la forêt, mais augmente le contact du monde sauvage avec l'homme. Et tu sais que nous sommes champions pour saccager les soi-disant parcs naturels, dès qu'ils se trouvent à portée des canettes de bière. »

« Allez, Axel », grogna Hiller, « sois raisonnable. La nature restera toujours la nature. Personne ne pourra jamais pénétrer au fin fond des bois. »

« Oh, mais si. Il y aura davantage de motos tout terrain et de chenillettes à neige qui fonceront dans des coins jusque-là inaccessibles et colleront une peur bleue aux cerfs, aux ours, à toutes les bêtes. Et ça aboutit à quoi ? Elles sont obligées de s'enfoncer davantage dans la forêt, ce qui réduit leur terrain de chasse comme une peau de chagrin. Certains animaux ne mangent plus à leur faim et tôt ou tard, nous découvrons qu'une espèce a bel et bien disparu. »

Hiller grimaça. « De mon point de vue, je n'aime voir un ours que mort. »

Larry éclata de rire sur le seuil de la porte. « Tu sembles croire qu'un ours n'est à sa place que chez toi... devant ta cheminée, mais tu oublies peut-être que les gens de ta tribu tenaient l'ours pour leur cousin. »

« Ouais, j'ai oublié tout ça. Comme j'ai oublié que les manitous contrôlent le monde et que les étoiles sont les villages d'âmes du ciel. »

« Tu as de la chance de t'adresser à Larry, et non à son grand-père », fit Axel.

Hiller haussa les épaules ; c'était son premier geste spontané depuis qu'il était entré. « Les croyances de Charley Wolf sont tombées en désuétude pour la même raison qui va vous faire perdre ce procès : le Progrès. Je l'ai déjà dit, le progrès est inévitable. »

« Tu sais quoi, Ted ? J'ai bien peur qu'en fin de compte tu aies gain de cause. Mais je te garantis que je vais tout mettre en œuvre pour que ce ne soit pas le cas. »

Hiller se dirigea vers la porte. « Je m'aperçois que j'ai perdu mon temps à essayer de te faire entendre raison. »

« Pas du tout. Je suis content que tu aies quitté tes W.C. bouchés pour me faire une visite. Appelle-moi quand tu veux, si tu désires parler de la protection de la forêt. »

« Oh, tu peux compter sur moi, Axel. La Chambre de Commerce va essayer d'intervenir au nom des sociétés *Sunrise Land* et *Home*. »

« Parfait. Notre rôle de défenseurs des opprimés ne nous en ira que mieux. »

Sur le point de partir, il ajouta : « Transmets mes amitiés à Janis. »

Tandis que le bruit des pas de Hiller diminuait dans l'escalier, Axel se tourna vers Larry. Le souci se lisait sur son visage. La perspective d'un deuxième adversaire, un adversaire bénéficiant du soutien d'une partie de la communauté, rendait leur tâche encore plus ardue.

Le shérif adjoint Brockington fit un signe de tête à la femme qui se tenait dans l'embrasure de la porte, tout en enclenchant la marche arrière. La puissante Dodge de la police rugit et s'engagea lentement sur le chemin de terre.

Personne ne s'était arrêté chez elle ce matin, avait affirmé Mme Weaver, mais en rejoignant la route 621, Brockington ne songeait pas à Davis. Il songeait au visage ouvert de la femme, à sa pâleur causée par les heures solitaires passées dans les bois. Elle aurait aimé qu'il restât. Ses yeux l'avaient quasiment supplié.

Après la maison isolée, la route serpentait, l'asphalte gris craquelé ressemblant au lit d'une rivière à sec. Brockington conduisait lentement ; ses yeux perçants étaient à l'affût des flaques d'huile fraîches ou des empreintes de pneus dans le gravillon du bas-côté. On n'avait pas vu Davis à la cabane de Carriway ; il ne s'était pas arrêté chez Hingman pour demander de l'aide. Et Brockington savait qu'entre chez Mme Weaver et Wabanakisi, il n'y avait pas d'autre bâtiment susceptible d'attirer l'attention d'un automobiliste en difficulté. Il se dit que Davis avait dû réussir à rejoindre la ville. Pourtant, dans ce cas, il se serait rendu au tribunal. Même Davis n'aurait pas eu le culot de faire attendre un jury.

Quelques kilomètres plus loin, dans un virage qui obliquait vers le sud, une piste de terre battue faisait une échancrure dans le mur de la forêt. Brockington ralentit et examina la piste. Rien de spécial. Exactement comme au nord de cette piste en terre battue.

Brockington engagea sa voiture sur le bas-côté de la route et s'arrêta. Ses doigts tambourinaient sur le volant en plastique tandis que ses yeux scrutaient la route 621, déserte en direction de Wabanakisi. Plus que vingt-cinq kilomètres. Il regarda les chiffres lumineux affichés sur l'horloge du tableau de bord. Midi vingt. Il avait juste le temps de déjeuner sur le pouce chez lui avant le match.

Brockington reprit la route, mais au lieu d'accélérer vers la ville, il fit décrire une large courbe à la voiture de patrouille, lui fit passer un profond nid de poule en bordure de la 621, juste devant la piste en terre. Le chemin s'élargissait ou se rétrécissait en s'engageant dans la forêt. Des touffes clairsemées d'herbe sauvage poussaient entre les ornières creusées par les pneus, comme pour prouver leur détermination à résister aux jeeps et autres véhicules qui empruntaient régulièrement cette piste.

De chaque côté, les hauts chênes blancs protégeaient la piste du vent. Brockington eut soudain l'impression de comprendre que leurs feuillages mêlés pouvaient engloutir un homme en un clin d'œil.

La route se mit à descendre doucement, mais sur la gauche la pente était plus abrupte. Au fur et à mesure que le paysage changeait, la végétation se transformait. Quelques dizaines de mètres plus loin, on ne rencontrait plus que des cèdres blancs, dont les troncs serrés et les branches entremêlées formaient une barrière infranchissable.

Brockington roulait lentement en examinant les fourrés profonds de la forêt de cèdres. Au printemps, la quasi-totalité du sol couvert de mousse sombre était submergée par quelques centimètres d'eau stagnante noire et froide. Mais en juillet, la mousse recouvrait d'un tapis élastique les racines des cèdres.

La piste montait de nouveau ; les cèdres laissaient le terrain aux chênes. Une sueur poisseuse se mit à imbiber la chemise de Brockington, car la voiture n'était pas climatisée. Il baissa la fenêtre jusqu'à mi-hauteur. L'ombre enveloppait la route ; l'après-midi, le soleil était arrêté par les arbres qui, à gauche, poussaient sur un monticule.

Au sommet du monticule, une forme noire tressaillit, soudain en alerte. L'ours venait d'entendre un bruit inhabituel. Mais sa mauvaise vue l'empêchait de discerner la voiture noir et blanc entre les arbres, à quelques dizaines de mètres. L'ours était pourtant conscient de sa présence et il renifla vigoureusement l'air en quête d'un indice qui lui permettrait de savoir à quoi il avait affaire.

De l'autre côté du monticule, Brockington mit sa main en visière pour protéger ses yeux éblouis par l'éclat du soleil. Il mit quelques secondes avant de remarquer la Buick bleue *Le Sabre*. Brockington arrêta sa voiture au milieu de la piste en terre, presque à hauteur de la Buick. Il sortit un calepin à spirale de la poche de sa chemise et compara l'immatriculation de la voiture à celle qu'il avait notée. Le numéro de la Buick correspondait à celui de la voiture cherchée.

Brockington ressentit une amère satisfaction et sortit de sa voiture. Il s'approcha de la Buick en essayant de deviner ce qui clochait. Il s'accouda à la porte du conducteur et examina la voiture vide. Un trousseau de clés pendait de la direction. Brockington se glissa derrière le volant et mit le contact. Il regarda le niveau d'essence monter régulièrement. Quand il dépassa le signe « 1/2 », Brockington coupa le contact, enleva les clefs de la direction et les glissa dans sa poche. Puis il jeta un coup d'œil par-dessus son épaule vers le siège arrière, frotta sa main sur le tissu du siège avant et se pencha pour examiner attentivement le plancher. Rien d'anormal. Pas de signe alarmant.

Le shérif adjoint sortit de la voiture et claqua la porte. Il fit le tour de la Buick par acquit de conscience, tout en se disant que les éventuelles empreintes de pas de Davis seraient invisibles dans le sable fin. A l'avant de la Buick, Brockington glissa les doigts dans une fente verticale entre le capot et la calandre. Mais la clenche refusait de jouer. Il mit un genou à terre et pencha la tête jusqu'au sol pour tenter d'examiner le moteur par en dessous. Incapable de voir quoi que ce soit, il se dirigea vers sa voiture de patrouille tout en déboutonnant l'étui de son revolver. Il posa celui-ci sur le siège avant, puis détacha la lampe torche fixée sous le tableau de bord.

L'ours venait de traverser l'étroite clairière et se dirigeait lentement vers le bruit. Il marchait droit dans le vent et la faible brise était porteuse d'une odeur reconnaissable entre toutes. De hautes fougères trilobées tombaient silencieusement derrière lui et formaient comme un sillage dentelé d'innombrables vrilles vertes.

Brockington s'allongea sur le dos et se glissa sous l'avant de la voiture de Davis. Dans la lumière de sa lampe torche, il voyait maintenant que la clenche du capot était légèrement tordue. Il sortit une paire de menottes de la poche arrière de son pantalon et s'en servit pour redresser la tige de métal. Le shérif adjoint sortit de dessous la voiture, roula sur le ventre et se releva. Il glissa la main dans la fente et cette fois-ci, la clenche joua. Brockington leva le capot et se pencha sur le moteur. Il fut soulagé de constater qu'une tige de piston avait lâché.

Brockington se retourna, mit ses mains en porte-voix et cria « Davis ! ». Il avait une voix puissante. Son malaise s'était dissipé. Brockington cria de nouveau, plus fort. Pas de réponse. Brockington retourna à sa voiture pour poser la lampe torche sur le siège à côté de son revolver, puis partit sur la route.

L'ours s'immobilisa quand il sentit que sa proie se déplaçait. Ses yeux rougeoyaient comme s'il faisait nuit sous l'intrication des ronces. Des mèches hirsutes de fourrure maculée de taches brunes pointaient sur son museau et sa poitrine comme un collier d'épines. L'ours se concentrait uniquement sur les déplacements de l'odeur. Il était seul, maintenant. Sa compagne dormait dans leur tanière de cèdres morts.

Brockington allait et venait d'un côté à l'autre de la route, inspectant soigneusement les bas-côtés à l'affût du moindre indice. Avec ce soleil brûlant qui tapait sur les arbres, les sous-bois ressemblaient vraiment à une serre. Brockington mit les mains autour de sa bouche et appela de nouveau « Davis! » plusieurs fois. Seul l'écho lui répondit.

Dans les fourrés, à dix mètres de la clairière, l'ours distinguait l'animal dressé sur ses pattes arrière. Les bruits ne le gênaient pas. Il les avait déjà entendus. Et comme auparavant, ce serait facile. Tout serait terminé en un rien de temps. Les griffes acérées de l'ours se plantèrent dans la poussière.

Les buissons remuèrent à gauche de Brockington. Il fit deux pas rapides vers la source du bruit. Il ne voyait rien, mais il sentait une présence dans les fourrés. Les feuilles bruissèrent soudain : un animal invisible tentait de se libérer. Brockington voulut dégrafer l'étui de son revolver. Il n'était pas là !

Une forme sombre surgit des fougères et des ronces. Brockington leva son bras devant son visage tout en trébuchant à reculons. La bête était à découvert. Brockington entendit un battement d'ailes assourdissant et aperçut l'éventail marron et blanc d'une queue qui prenait son envol. Chassé de son nid, le faisan battait l'air vigoureusement pour s'éloigner de l'intrus.

Décontenancé, l'ours essaya de deviner la cause de ce bruit imprévu et sombra dans la confusion. Il fit demi-tour et s'enfonça rapidement dans les bois.

Cloué sur place, Brockington regarda le faisan disparaître au-dessus de la cime des arbres. Il mit un bon moment avant de sourire nerveusement. De retour à la voiture, il ouvrit la portière et s'assit sur le siège en vinyl. Il saisit le micro et appela Wabanakisi. « Ici Brockington. Je suis en bordure de la 621, à vingt-cinq kilomètres environ au nord de la ville. J'ai localisé la voiture de Davis, mais impossible de mettre la main sur lui. »

« La voiture est-elle en état de rouler ? » demanda la voix du shérif à travers le haut-parleur.

« Non, je crois qu'il a coulé une bielle. Il faudrait envoyer un dépanneur pour enlever la voiture. »

« Okay. Donne-moi ton emplacement exact. » Brockington

s'exécuta. « Tu ne sais pas où il a bien pu aller ? » continua la voix.

« Il doit s'être dirigé vers le sud, vers la 621. Il a peut-être trouvé une voiture. »

« Probablement. Tu n'as rien remarqué d'anormal ? »

« Non. J'ai pris le chemin par le sud et je n'ai rien vu. »

« Parfait, Dave. Retourne sur la 621 et attends le dépanneur. Je t'en envoie un immédiatement. »

Brockington répondit qu'il avait compris et raccrocha le micro. Tandis qu'il rejoignait la 621, il essaya vainement de dominer sa déception. Il allait sûrement manquer tout le match.

4.

Janis Michelson écrasa la motte de terre entre ses doigts et en jeta les fragments vers le sol. Puis elle lança une mauvaise herbe sur un tas de plantes récemment arrachées. Faisant une pause pour s'essuyer le front du dos de sa main sale, elle contempla le petit carré de son potager. Trois rangées de maïs hauts de soixante-dix centimètres longeaient le jardin au nord. Parmi les autres légumes, identifiés par des sachets de graines fixés à des tuteurs, poussaient des radis, des oignons, des laitues, des courges et des tomates.

Tout en observant ses plantes, Janis songeait à sa première tentative pour faire pousser des plantes, quand elle avait neuf ans, dans un carré de deux mètres sur deux alloué par sa mère dans son propre potager. Janis imaginait sa mère entretenant ce premier jardinet, vêtue de peaux de daim soigneusement cousues, ses cheveux tressés en deux longues nattes. Sa mère n'avait que rarement porté l'habit traditionnel Ottawa, mais Janis se souvenait toujours d'elle ainsi.

D'habitude, sa mère l'appelait Mtigwah Jeegwung. Il n'y avait pas d'expression comparable en anglais. Cela signifiait littéralement « fougère nouvelle », mais au-delà de sa fonction descriptive, le terme évoquait la beauté, l'innocence, l'émotion. Les Ottawas disposaient de nombreux mots pour désigner les fougères qui recouvraient le sol de leur forêt, chacun définissant une forme, une espèce ou un âge bien précis. Mtigwah Jeegwung signifiait bien davantage que « fougère nouvelle ». L'expression recouvrait la souplesse et la fragilité de la pousse, le vert pâle, presque blanc, de la tige pourpre, les douces courbes des vrilles naissantes et les minuscules dentelures de la feuille encore recroquevillée au sein du bourgeon.

Janis s'agenouilla pour se reposer et s'imagina aux pieds de sa mère, dans ce premier potager ; l'Indienne lui disait : « Ma petite Mtigwah Jeegwung, tes ancêtres ont vécu sur cette terre depuis un temps incommensurable. Ils lui appartenaient. Comme je lui appartiens. Et comme toi aussi, tu lui appartiens. » Janis écoutait sa mère lui raconter inlassablement l'histoire de leurs chefs courageux, de leurs puissants manitous, ou les histoires drôles de leur peuple.

Sa mère mourut après le quatrième jardin de Janis et depuis lors, chaque été, Janis cultivait un petit arpent de terre. Cultiver la terre était sa manière de se souvenir de sa mère, de son passé. Janis se demanda ce qu'elle ressentirait si une petite mtigwah jeegwung était accroupie à ses côtés pour écouter ses propres histoires et anecdotes. Mais le chenil l'occupait trop et Axel travaillait beaucoup ; il ne restait pas de temps pour cela.

Comme ils avaient emménagé dans leur maison neuve l'automne dernier, c'était le premier été que Janis cultivait ce terrain. Ils avaient fait construire leur villa sur un terrain de cinq hectares que Janis avait hérité de son père. Ce terrain appartenait à sa famille depuis 1894 ; les Blancs en avaient fait don aux Ottawas pour les dédommager de leurs propres empiètements sur l'Arbre Crochu. Le traité initial prévoyait que la forêt d'Etat serait propriété indienne, mais sous la pression d'une population blanche de plus en plus nombreuse, le traité fut « amendé » et l'on autorisa les colons et autres bûcherons à chasser et à pêcher dans l'Arbre Crochu, en échange de quoi une bande de terrain fut isolée du reste de la forêt et partagée entre les Indiens. Presque toutes les parts redevinrent rapidement propriété de l'Etat, comme l'avaient d'ailleurs prévu les rédacteurs de l'amendement, à cause d'impôts non payés. Mais la famille de Janis avait gardé son titre de propriété ; elle-même et son mari étaient maintenant les seuls habitants à des kilomètres à la ronde. La forêt les entourait presque de toute part.

Janis se releva et frotta la terre humide de ses genoux. Elle se sentait beaucoup mieux maintenant. Sa nervosité matinale avait disparu. Sa tension s'était dissipée. Elle savait que la solitude de son jardin lui ferait du bien. Et son plan avait réussi.

Dans sa voiture arrêtée au milieu de la grand-rue, Axel attendait patiemment que le pont à bascule fût presque à la verticale. Deux petits voiliers regagnaient l'abri du lac intérieur après une sortie. La portion de chaussée relevée semblait aussi fragile qu'une porte à claire-voie, et les poutres métalliques trop faibles pour supporter le poids des voitures.

Dès que le pont fut de nouveau en place, Michelson traversa la ville vers le nord. Il se sentait fatigué, comme si le procès avait duré toute la journée. Ce devait être l'incertitude, se dit-il. Il connaissait parfaitement la route de terre sur laquelle on avait retrouvé la voiture de Davis. A quelques kilomètres seulement au nord de chez lui.

La plupart des voitures avaient déjà quitté la 621 quand Michelson aperçut le gyrophare orange qui venait en sens inverse. C'était une dépanneuse qui traînait une Buick bleue. Il reconnut la voiture de Davis et, après l'avoir croisée, la regarda rapetisser dans son rétroviseur.

Quelques minutes plus tard, l'Arbre Crochu était en vue. Sa silhouette minuscule couronnait une dune de sable d'où l'on voyait le lac Michigan. Tel un Ottawa regagnant son territoire à bord de son canoë, Michelson sut qu'il était presque arrivé dès qu'il le vit.

Axel leva le pied en s'engageant dans l'étroit chemin bordé d'arbres qui, au bout de quelques centaines de mètres, aboutissait à sa maison. Leurs cinq hectares s'étendaient entre la route locale 621 et l'orée de la Forêt d'Etat de l'Arbre Crochu. Leur maison était bâtie près de la limite est de leur propriété, au milieu de la végétation de la forêt. Leurs seuls voisins étaient les animaux des bois, qui ne les dérangeaient jamais, à la rare exception des ratons laveurs qui venaient parfois fourrager dans leurs poubelles.

Michelson s'arrêta sur la dalle de béton, devant le garage prévu pour deux voitures. En hiver, leurs deux véhicules pouvaient s'abriter sous le toit, mais en été, brouettes, rateaux et bicyclettes prenaient trop de place. Axel emprunta les pierres plates aux arêtes aiguës qui menaient à une terrasse pavée et à la porte d'entrée. Il monta les quatre marches jusqu'à une plate-forme basse qui, à gauche comme à droite, s'enfonçait profondément dans les bois et constituait une sorte de soubassement naturel en terre. Axel constatait toujours avec surprise ce résultat durable de l'érosion glaciaire.

Janis dormait sur le divan quand Axel franchit la porte d'entrée. Tout en desserrant sa cravate, il entra dans leur chambre et se dirigea vers elle. Quand elle dormait, sa femme avait quelque chose de spécial. Avec ses yeux clos et ses lèvres entrouvertes, son visage reflétait une pureté et une beauté que ne ternissaient ni la contraction des muscles, ni les pensées conscientes. Axel la regarda du seuil de leur chambre à coucher et sentit la tendresse et l'amour gagner doucement ses nerfs fatigués. Il finit de se changer puis vint la rejoindre. Il mit un genou à terre et se pencha pour la réveiller avec un baiser.

Au contact de ses lèvres, Janis ouvrit brusquement les yeux. Son corps se tendit et elle aspira brutalement une bouffée d'air entre ses dents serrées. Elle enfonça ses ongles dans le tissu du divan et son visage au plus profond des coussins. Elle était terrifiée.

Axel fit un bond en arrière, aussi stupéfait par la réaction de Janis, qu'elle-même par ce réveil subit. « Chérie, chérie, c'est moi ! » dit-il sans reprendre haleine.

Le sifflement de l'air entre les lèvres de Janis cessa. Son corps restait tendu, mais son visage se décontracta un peu. Elle ne disait rien, mais ses yeux exprimaient l'inquiétude.

« C'est moi, chérie, seulement moi », répéta Axel. Il s'approcha lentement d'elle et posa ses mains sur ses épaules. A son contact, les muscles de sa femme se relâchèrent. Il la sentait trembler. Il la prit dans ses bras et la tint contre lui. « Je suis désolé, Janis. Je suis vraiment désolé. Je n'aurais jamais dû te réveiller comme ça. » Il sentit sa tête acquiescer doucement sur son épaule.

Janis se redressa ; son visage était maintenant à quelques centimètres du sien. Ses yeux étaient brillants de larmes. Ils se regardèrent longtemps avant que les lèvres de Janis ne se relèvent imperceptiblement en un sourire incertain. Elle finit par pousser un long soupir et dit : « Tu as bien failli me faire mourir de peur. »

« Te faire mourir de peur, *toi !* » s'écria-t-il. « Et moi alors ? J'ai senti mon cœur s'arrêter quand tu as sauté au plafond. »

« Eh bien, tu n'as eu que ce que tu méritais », plaisanta-t-elle. Ils riaient maintenant librement et se taquinaient. Axel allongea ses jambes sur le divan et s'étendit à côté de sa femme.

Janis l'embrassa doucement et dit : « Excuse-moi d'avoir réagi aussi violemment. Je crois que cela a quelque chose à voir avec mon malaise d'aujourd'hui. »

« Leslie m'a dit que tu avais quitté ton travail tôt ce matin. Comment te sens-tu maintenant ? »

« Ça va bien. Je suis encore un peu fatiguée. » Elle réfléchit. « En fait, c'est comme ce matin ; je me sentais également un peu fatiguée. Tout me paraissait aller de travers au chenil, si bien que je suis rentrée à la maison. »

« Ça, c'est vraiment pratique », répondit Axel. « J'aimerais bien, moi aussi, pouvoir traîner au lit toute la journée quand je me sens " un peu fatigué ". »

« Non, ce n'est pas ça. Je me sentais faible. Malade, peut-être. Je me suis couchée et puis je suis allée faire un tour au jardin cet après-midi. » Ses yeux quittèrent le plafond et elle poursuivit avec un faux sérieux : « Comment ça, tu aimerais bien pouvoir traîner au lit toute la journée quand tu te sens un peu fatigué ? Si je te laissais faire, tu passerais tous tes week-ends au lit, Fred ! » Elle l'appelait par son deuxième prénom pour lui rappeler l'époque où lui-même l'utilisait exclusivement. Quand les sonorités contradictoires de ses deux prénoms cessèrent de le gêner et qu'il devint fier de son héritage danois, Axel divulgua son prénom usuel, jusque-là dissimulé par une initiale dans sa signature.

« Non, ce n'est pas vrai du tout, Axelqua. » Il ajouta la

racine du mot « squaw » à son prénom ; les Ottawas s'adressaient ainsi à leur femme.

Ignorant la moquerie, Janis posa sa tête sur son épaule et demanda : « Comment a marché le procès aujourd'hui ? »

« Au point mort. L'autre avocat n'est pas venu. On a retrouvé sa voiture abandonnée sur un chemin de terre à quelques kilomètres au nord d'ici, mais on est sans nouvelles de lui. » Axel sentit un tremblement involontaire secouer Janis.

« Ils n'ont pas encore retrouvé son corps ? »

« Son corps ! » s'écria-t-il. « Comme tu y vas ! Tu l'enterres déjà ! »

« Excuse-moi, chéri. Je croyais que tu avais dit ça. » Janis se mit à déboutonner la chemise d'Axel.

« Tu as peut-être raison, après tout. Moi-même, sincèrement, je redoute le pire. »

Axel sentit la main de sa femme glisser vers ses cuisses pour les caresser doucement. Les lèvres de Janis effleuraient son cou tandis qu'elle dégrafait la ceinture du pantalon. Quand elle glissa la main à l'intérieur, Axel sut qu'ils dîneraient tard.

Le soleil se couche tard en juillet. Le globe de feu ne plonge dans les eaux du lac Michigan qu'après neuf heures du soir. Les assiettes ne furent rincées et mises à sécher dans l'égouttoir qu'au crépuscule. Fatigués, Janis et Axel gagnèrent leur chambre à coucher et se préparèrent pour la nuit.

L'unique étage de la maison avait la forme d'un L ventru, dont le garage constituait la partie supérieure, au sud. Le chemin arrivait de l'ouest et montait en pente douce sur la plate-forme de terre. En plus de l'entrée principale qui donnait dans le salon, une porte intérieure faisait communiquer le garage avec le corps du bâtiment. Cette porte conduisait à une petite buanderie équipée de sanitaires. La cuisine et la salle à manger donnaient sur l'arrière, entre le garage et une pièce basse. Deux chambres à coucher occupaient la partie nord de la maison tandis qu'un cabinet de travail et la plus grande chambre constituaient le trait horizontal du L, orientés vers l'ouest et le cœur de la forêt. Derrière la table de la salle à manger, entre la cuisine et la pièce basse, une baie vitrée coulissante donnait sur le jardin et les bois.

Janis était déjà au lit quand Axel revint de la salle de bains. Il s'assit au bord du lit et saisit le réveil électrique qu'il approcha de ses yeux pour vérifier que l'aiguille indiquant l'heure de la sonnerie était réglée sur le bon chiffre. Comme il regardait la faible lueur du réveil, un grattement à peine audible attira son attention. « Jan, tu entends quelque chose dans la cuisine ? » chuchota-t-il.

Elle se retourna, à moitié endormie, et se dressa sur un coude. Après quelques secondes de silence, elle dit : « Non, je n'entends rien. »

Axel se leva et alla à la porte. Il tendait l'oreille. Le bruit était toujours là. Mais faible. Janis regarda Axel, les yeux maintenant grands ouverts. Elle aussi avait entendu. « Il y a quelque chose là-bas », dit Axel. « On dirait des griffes. »

« Peut-être un écureuil sur le toit », proposa Janis.

« Peut-être », répondit-il. Axel prit sa lampe torche sur la commode. Dans le couloir qui reliait les chambres à coucher, le salon et la pièce basse, il alluma la lampe.

Il avança silencieusement jusqu'aux deux marches qui séparaient la pièce basse du reste de la maison. Le cône de lumière cherchait la porte vitrée coulissante. Elle était hermétiquement fermée ; la barre de bois reposait sur ses taquets. Axel dirigea lentement sa lampe vers la cuisine. Du verre tinta bruyamment, comme si deux assiettes s'entrechoquaient dans le placard au-dessus de l'évier. Axel bondit et ouvrit vivement le placard. Le bruit cessa. Le faisceau de lumière vacilla sur la surface brillante d'une tasse à café suspendue qui oscillait légèrement. Axel avança précautionneusement la main vers une pile d'assiettes.

« Arrête ! » lui dit Janis.

Axel tourna brusquement la tête. C'était une erreur.

« Attention ! »

Il le sentit sur sa main avant même de pouvoir réagir. De la colère à l'état pur et des griffes pointues comme des aiguilles. Il ne souffrit pas, mais le sang jaillit de la partie charnue de sa paume tandis que la créature remuait frénétiquement la tête, en enfonçant ses dents dans la chair.

« Ah-ah-ah », un hurlement de panique lui échappa pendant qu'il tournoyait sur le linoléum. « Nom de Dieu de nom de Dieu, va-t'en ! » la tête avançait en se tortillant, vers les veines du poignet. « Non ! » La lampe torche tomba à terre. De sa main droite libre, Axel saisit le corps qui se débattait et l'arracha de son poignet. Janis arriva en courant au moment où il jetait la créature sur l'évier.

« Tue-le ! » cria-t-il. « Ne le laisse pas s'échapper. » Axel s'adossa au mur et pressa sa main blessée contre son estomac.

Le petit animal rayé hésita un moment, puis se dressa sur ses pattes arrière. Janis saisit une poêle accrochée au mur. « Un tamia », s'écria-t-elle, incrédule.

« Tue-le », fit Axel d'une voix faible. « La rage. »

Le tamia ne bougeait pas, ses yeux brillaient dans l'obscurité. Janis restait immobile devant l'évier, la poêle levée. Elle hésitait.

« Janis, il a peut-être la rage. Tue-le ! » supplia-t-il.

Mais Janis restait immobile. Les yeux brillants du tamia étaient fixés sur ceux de Janis. Axel s'arracha du mur en grimaçant de douleur. Il saisit la poêle à frire des mains de sa femme et tituba vers l'évier. Le tamia fit un mouvement et tenta de s'enfuir, mais Axel abattit violemment la poêle sur le bas de son dos. Le tamia gigotait sur l'évier et Axel abattit de nouveau son arme. Les petits os craquèrent et l'animal cessa de bouger.

Axel tituba en arrière et Janis s'écroula. Il prit une serviette près du frigidaire et la serra autour de sa main. Puis il ramassa une éponge sur l'évier, l'imbiba d'eau et se tourna vers sa femme. Elle gisait inconsciente au milieu de la cuisine. Son visage était livide, sa bouche ouverte. Axel se pencha au-dessus d'elle et pressa l'éponge sur son front.

Janis soupira et écarta la tête loin de l'éponge.

« Allez, chérie, lève-toi », fit-il. « Il faut que tu conduises. »

Elle cilla et lutta pour reprendre ses esprits.

« Oh, Seigneur, Axel. Regarde ta main ! » Le sang imbibait toute la serviette et dégouttait sur le linoléum.

« Je sais. Il faut que tu m'emmènes à l'hôpital. Dépêchons-nous. »

« Laisse-moi d'abord regarder ta blessure. Il faut absolument arrêter l'hémorragie. »

« Non, laisse-la saigner. Allons-y. »

Janis se précipita dans leur chambre pour prendre des vêtements, pendant qu'Axel ouvrait le placard sous l'évier pour en sortir un sac en papier. Il le tint ouvert près du bord de l'évier, ramassa le tamia mort dans la poêle à frire et le fit glisser dans le sac. Janis lui apporta un pantalon et un maillot de corps, puis se hâta vers la voiture. Axel s'habilla maladroitement en faisant attention à sa main gauche blessée. Il n'enfila qu'une seule manche de son maillot et se dépêcha de rejoindre Janis. Quand il fit claquer la portière de la voiture, Janis recula sur la dalle de béton et s'engagea à toute vitesse sur le gravillon du chemin qui rejoignait la 621, vers l'hôpital.

5.

« Voilà vingt-cinq ans que je suis médecin dans les forêts du Nord, et c'est bien la première fois que je soigne une morsure de tamia. Des piquants de porc-épic, des piqûres de guêpes, des ruades de chevaux, et même un jour une morsure de cochon. Mais une morsure de tamia ? Jamais vu ça. »

Axel se demandait si le docteur Lewis exprimait sa surprise ou son incrédulité. « Les analyses du labo d'hier au soir ont-elles révélé quoi que ce soit d'inquiétant pour moi ? » demanda-t-il.

« Non, Axel, pas de virus rabique. » Le docteur Lewis se trémoussa sur son tabouret pour croiser les jambes. Il se pencha vers la table capitonnée, plaça son coude sur sa cuisse et dit : « Racontez-moi encore comment cet animal vous a mordu. »

« Il ne m'a pas simplement *mordu*, docteur, il m'a *attaqué*. » Axel vit Lewis plisser les yeux et l'observer attentivement. « Il a sauté hors du placard pour se jeter sur ma main. Il ne s'est pas contenté de me pincer avant de s'enfuir, il m'a véritablement agressé. »

« Je suis tout à fait prêt à croire qu'il ait lutté férocement. Quand un animal se sent en danger, il essaye de se protéger.

Et s'il doit lutter pour survivre, alors il lutte de la seule façon qu'il connaisse : de toutes ses forces. Apparemment, vous avez acculé cet animal dans un coin, il a eu peur et il a essayé de se défendre. »

« Mais sa meilleure défense, c'est la *vitesse,* pas ses dents. » Axel se sentait frustré. L'interne de service lui avait déjà tenu le même discours douze heures auparavant, quand il s'était fait soigner à l'hôpital. « Il aurait pu sauter sur l'évier et s'échapper. Vous savez que les tamias sont extrêmement vifs. »

« C'est bien là le problème, Axel. Vous étiez entre l'animal et l'évier. Il était donc forcé de vous attaquer pour pouvoir s'enfuir. »

« Mais il n'essayait pas de s'enfuir. Il désirait seulement m'attaquer. Je suis persuadé qu'il tentait d'atteindre les veines de mon poignet. »

Le docteur Lewis se frottait le menton en regardant le mur au-dessus d'Axel. « Je ne suis pas convaincu, Axel. Je persiste à penser qu'il essayait tout simplement de s'échapper. »

Axel soupira. « Docteur », commença-t-il lentement, en pesant ses mots, « quand il a réussi à atteindre l'évier, il n'a pas bougé. Il est resté là. Sans chercher à s'échapper. Jusqu'à ce que je lui flanque un coup de poêle. »

Le docteur Lewis hocha lentement la tête, mais son expression demeurait réservée. « Bon. S'il a vraiment agi avec cette sauvagerie, vous avez de la chance qu'il n'ait pas eu la rage. » Le docteur avança le bras vers la main d'Axel. « Voyons comment évolue cette blessure. »

Axel grimaça de douleur quand le docteur examina sa main. L'agacement qu'il avait ressenti un instant auparavant disparut. Il venait de passer dix minutes à essayer de convaincre un être rationnel qu'un tamia avait tenté de le tuer. Pourquoi ? Quelles conclusions en tirer ? Que le tamia était cinglé ? Axel comprit qu'il grossissait l'incident et que le docteur Lewis avait raison.

Charles T. Lewis avait presque toujours raison. C'était non seulement le médecin le plus respecté de la région, mais aussi un citoyen que l'on consultait souvent à propos des problèmes de la communauté. Quand, voici quelques années, il apparut que le projet d'un réseau d'égouts autour du lac Muhquh Sebing risquait d'être abandonné à cause de son coût prohibitif, le docteur Lewis déclara à une réunion du conseil municipal que ces égouts étaient indispensables pour protéger le lac contre la pollution. Les égouts furent construits et le lac préservé des déchets et des eaux usées d'une population sans cesse croissante.

« Elle sera encore enflée pendant quelques jours », déclara Lewis, « et demain, elle risque de virer au bleu. Ne vous inquiétez pas, mais si elle s'infecte et vire au rouge, appelez-moi. Je constate avec plaisir qu'aucun tendon n'a été sectionné. »

« Merci, docteur. » Mal à l'aise, Michelson ajouta : « Excusez-moi d'avoir fait toute une histoire à propos de ce tamia. Je me sens un peu ridicule. »

« Oh, n'en parlons plus. Après tout, ça a dû être vraiment impressionnant. » Lewis sortit un bloc-notes de la poche de sa chemise. « Vous aurez peut-être encore mal ; je vous donne donc une ordonnance pour des calmants. » Le docteur Lewis lui tendit la feuille de papier et se leva de son tabouret. Les deux hommes quittèrent la petite salle d'examen et pénétrèrent dans le bureau du médecin. Sur un coin du bureau de Lewis, Axel remarqua une boîte à chaussures, où le docteur rangeait les jouets et attrapes destinés à distraire les enfants. Axel se souvint du jour où il avait amené la fille de Grace, et où, pour la rassurer, Lewis avait sorti une ampoule de la boîte, fait semblant de la visser dans sa bouche, puis l'avait allumée en se tordant le nez. « J'aimerais revoir votre main la semaine prochaine », dit Lewis. « Prenez donc rendez-vous avant de quitter la clinique. »

Axel s'arrêta brièvement au guichet d'Emma Whitesun, quitta la clinique et sortit dans la grande rue en clignant des yeux à cause du soleil.

Après avoir déposé son mari chez le docteur, Janis franchit le pont à bascule et traversa rapidement la ville. Elle allait avoir un peu de retard à son travail, mais le docteur Routier fermerait les yeux et Leslie devait déjà avoir ouvert le chenil. L'hôpital vétérinaire du docteur Routier se trouvait au sud-ouest de Wabanakisi, au bord du lac Michigan. L'hôpital occupait la moitié de l'unique étage d'un étroit bâtiment de brique. Routier en était le propriétaire et louait l'autre moitié à Janis, qui y avait installé un chenil.

En guise de loyer, Janis s'occupait de la comptabilité et des factures du vétérinaire. Cet arrangement convenait parfaitement à Janis. D'autant que Leslie, la fille de dix-huit ans du docteur Routier, travaillait sous ses ordres au chenil et vivait avec ses parents à proximité.

Janis gara sa voiture en bordure du grillage haut de deux mètres cinquante, qui délimitait la cour du chenil. Tandis que d'un bon pas elle rejoignait le bâtiment, des grains de sable transportés par le vent et provenant de la plage située à cent mètres derrière l'hôpital, lui piquèrent le visage. Elle referma la porte derrière elle et jeta un coup d'œil à l'horloge murale. Il était dix heures. Pas trop mal, pensa-t-elle, pour quelqu'un qui a passé la moitié de la nuit à l'hôpital. Elle posa son porte-monnaie derrière le comptoir et s'engagea dans le couloir qui reliait le chenil aux bureaux du docteur Routier.

« Salut, Mike », lança-t-elle à un jeune homme en veste blanche. « Beaucoup de travail aujourd'hui ? »

Mike Routier adressa un sourire à Janis. « C'est calme jusqu'ici. Vous vous sentez mieux ? »

« Non pire. Hier soir, Axel s'est fait mordre par un tamia ; j'ai dû l'emmener aux Urgences. »

« Un tamia ! » Mike rit. « Que faisait donc Axel ? Il lui volait ses graines ? »

Janis sourit, bien contente que le tamia ne se fût pas attaqué à elle. Regardant par-dessus l'épaule du garçon, elle lui demanda : « Votre père est dans le coin ? »

« Oui, mais il est en train d'opérer », répondit-il en désignant du menton l'une des pièces du fond. Mike espérait travailler comme vétérinaire avec son père d'ici quelques années. Dans un an, il pourrait poser sa candidature à l'école vétérinaire de Lansing et, en attendant, il passait ses étés à la maison pour travailler à l'hôpital de son père.

« Okay. S'il me cherche, dites-lui que je remplis des papiers dans la pièce à côté. »

« Remplir des papiers ! » dit-il. « Vous n'avez pas encore vu Leslie ? »

« Non, pourquoi ? »

« Je crois qu'il y a plus urgent que de remplir des papiers. Vous devriez aller la voir tout de suite. »

Janis fit demi-tour, puis traversa rapidement le hall, dépassa son bureau et entra dans le chenil proprement dit. Agenouillée, Leslie massait la gorge d'un berger allemand apathique. Janis lui adressa un sourire rapide, puis demanda : « Que se passe-t-il ? Mike m'a dit qu'il y avait quelque chose. »

« Ce matin, en ouvrant, j'ai découvert le caniche de Mme Tarrie asphyxié. Il étouffait ; j'ai été chercher papa immédiatement. Il a examiné le caniche et diagnostiqué une trachéite bronchiteuse. »

« Oh non ! » murmura Janis. Ses épaules s'affaissèrent sous le coup du désespoir : la « toux des chenils » risquait d'anéantir tous ses efforts. Suivant des yeux l'enfilade des cages, elle demanda : « Quels autres chiens, en dehors du caniche, ont commencé de tousser ? »

« Celui-ci », répondit Leslie en caressant le berger allemand. « Et j'ai trouvé des humeurs qui ressemblent à de la pituite dans la plupart des autres cages. Je crois que trois chiens seulement sur les onze n'ont rien. Je les ai mis à l'écart et j'espère qu'il ne leur arrivera rien. »

« C'est pour ça que le doberman et le colley sont dehors dans l'enclos ? »

« Oui, et le petit bâtard me paraît également en bonne santé. Je l'ai emmené chez nous ; maman le surveille. »

« Bonne idée, Leslie. Je devrais aussi emmener les deux gros chiens loin d'ici. »

Janis s'accroupit pour gratter le berger allemand derrière les oreilles. « Quel traitement a prescrit ton père pour les malades ? »

« Il m'a donné des pilules blanches et des antibiotiques », dit-elle en sortant une feuille de papier pliée de la poche de sa chemise. « Tiens. Il a noté combien il faut en donner à chaque chien, en fonction de son poids. »

« Merci », fit Janis en parcourant les recommandations du

vétérinaire. « Je sors voir les chiens. » Elle replia la feuille de papier et la tendit à Leslie.

Les deux chiens s'élancèrent vers la lourde porte en métal quand Janis l'ouvrit. Ils bondirent autour d'elle en se disputant ses caresses. Elle mit un genou à terre et approcha leurs deux têtes de son visage. « Vous allez tous les deux passer la nuit chez moi », dit-elle en leur grattant vigoureusement les flancs. Le doberman se pencha soudain en avant et lui lécha carrément les lèvres. « Ouh ! » s'écria-t-elle en s'essuyant la bouche du revers de la main.

Ses genoux craquèrent quand elle se releva. Elle entrebâilla la porte pour pouvoir se glisser à l'intérieur tout en empêchant les deux chiens de la suivre. Leslie venait de placer une pilule sur la langue du berger allemand et lui tenait la gueule fermée en attendant qu'il l'avale.

« J'aimerais bien que ces deux chiens partent d'ici le plus tôt possible », dit Janis. « Cela t'ennuierait beaucoup de les conduire chez moi et de les y laisser ? »

« Absolument pas. Tu veux que j'y aille tout de suite ? »

« Oui. Voilà les clefs de ma voiture. » Janis détacha les clefs du chenil de son trousseau et le tendit à Leslie. « Tu n'as qu'à laisser les chiens dans le garage et à fermer la porte pour qu'ils ne s'enfuient pas. »

« Okay. J'y vais. » Leslie désigna de la main la rangée des cages. « J'ai déjà donné leurs pilules aux chiens des trois premières cages ; occupe-toi donc des autres. »

« D'accord. Au fait, tu te souviens du chemin pour aller chez moi ? »

« Bien sûr », répondit Leslie en décrochant du mur les deux laisses tressées. « A tout à l'heure. »

« Au revoir », fit Janis. Elle ramassa le petit sachet de plastique transparent contenant les pilules et l'examina attentivement. Elle ramena le berger allemand à sa cage en tenant fermement les comprimés dans sa main. Elle vit Leslie attraper les deux chiens et leur mettre les laisses.

Leslie ouvrit la grille et emmena les chiens jusqu'à la camionnette de Janis. Ils sautèrent sur le siège arrière et suivirent Leslie des yeux, tandis qu'elle contournait la voiture pour rejoindre la portière avant gauche. Après avoir réglé son siège, Leslie sortit la voiture du parking et prit la direction de la ville.

Elle traversa le pont à bascule et accéléra sur la route dégagée. Des rafales d'air tiède entraient par sa fenêtre ouverte. Le doberman glissa la tête par-dessus l'épaule gauche de Leslie et mit son nez au vent. Leslie jeta un coup d'œil rapide sur le siège arrière : le colley était allongé et haletait. La route locale 621 jouait à cache-cache avec le lac Michigan, tantôt s'enfonçant dans des bosquets d'arbres touffus, tantôt émergeant en terrain découvert, en surplomb du lac. L'écume des vagues dessinait une ligne brisée blanche qui montait puis redescendait sur la plage. Loin du rivage, le triangle d'une voile solitaire se déplaçait sans effort apparent. D'énormes monticules pentus de sable, mouchetés de débris glaciaires et de taches d'herbe sèche, plongeaient dans les eaux d'émeraude et résistaient momentanément à l'assaut répété des vagues. Bientôt, le tronc tordu et massif de l'Arbre Crochu apparut à l'horizon et Leslie commença à chercher le chemin de gravillons sur la droite. Elle le repéra et ralentit pour s'y engager. Une camionnette, qui la dépassa sur la gauche, déclencha des aboiements excités sur le siège arrière. Elle avançait dans le tunnel étroit, sous les arbres ; le silence enveloppa la voiture.

Leslie s'arrêta devant le garage dans un grincement de freins à disque. Elle sauta du véhicule et ouvrit brusquement la porte arrière, prête à saisir les laisses quand les chiens bondiraient dehors. Mais les animaux restaient blottis sur le siège, immobiles. Leslie aurait volontiers éclaté de rire s'ils n'avaient eu l'air si terrifiés.

Elle avança le bras pour ramasser les laisses et leur donna une petite tape. « Allez, vous deux, sortez de là. Vous mouriez d'envie de sauter par la fenêtre en venant ici. » Leslie attendit qu'ils veuillent bien bouger. Au bout d'un moment, elle tira fermement sur les laisses. Ils résistèrent un peu, puis sautèrent de la voiture à contrecœur. Leslie les emmena au milieu du garage avant de les détacher. Elle se baissa et caressa les deux chiens sur la tête. « Là, là », fit-elle pour les calmer, « tout va bien. Vous ne serez enfermés que pendant quelques heures. N'ayez pas peur. » Sa voix apaisante parut calmer leurs tremblements nerveux.

Comme elle fermait la porte du garage, Leslie entendit l'un des chiens gémir et pleurnicher. Enervée par ce gémissement sourd, elle fit demi-tour pour rejoindre la voiture. Un coup de vent soudain rompit le silence oppressant et ferma la portière arrière. Leslie porta la main au col de sa chemise et se hâta vers la voiture. En quittant le garage, elle laissa des traces de pneus sablonneuses sur le ciment. Sans savoir pourquoi, elle se sentit soulagée quand la camionnette rejoignit la 621.

Un petit sachet brun fermé portant le tampon d'une pharmacie de Wabanakisi était posé sur un coin du bureau d'Axel. Alors qu'il consultait un dossier immobilier, on frappa deux coups secs sur sa porte entrouverte et Grace entra. « Luke Snyder est à côté », dit-elle. « Il aimerait vous voir. »

« Bien sûr. Faites-le entrer. » Grace ouvrit largement la porte et pria le shérif de pénétrer dans le bureau.

« Bonjour, Luke. » Axel lui serra la main et se dirigea vers une chaise. « J'espère que tu as de bonnes nouvelles pour Davis. »

« J'ai bien peur que non, Axel. Mais d'un autre côté, je n'en ai pas de mauvaises non plus. Je passais simplement te dire où nous en étions, car après tout, cela te concerne aussi. »

« Je te remercie. »

Le shérif continua. « Nous avons passé au peigne fin la 621 et tous les chemins de traverse d'ici à Mackinaw. En vain. Les stations service et les gens habitant en bordure de la route affirment qu'aucun automobiliste en difficulté n'a demandé du secours hier, et il n'est pas retourné chez lui. Une photo de Davis est passée aux actualités télévisées hier soir, mais jusqu'ici sans résultat. » Snyder fit une pause pour laisser à son interlocuteur le temps d'apprécier ses efforts.

« Qu'en penses-tu, Luke ? Où peut-il être allé ? »

« Je suppose que, soit il a été enlevé et dévalisé, soit il est quelque part dans la forêt. La police d'Etat m'a envoyé une équipe de Petoskey pour m'aider et ils espèrent avoir des chiens dès demain. Par conséquent, si son corps est dans les bois, nous le retrouverons. »

Michelson hocha la tête et se leva pour raccompagner le shérif à la porte.

« Hé, que t'est-il arrivé à la main ? » demanda Snyder en apercevant les bandages pour la première fois.

« Oh, un petit accident à la maison », rétorqua Axel sans s'étendre davantage. Il se sentit soudain gêné en pensant à la façon dont Luke pourrait raconter l'anecdote : grièvement blessé par un tamia !

Janis secoua ses mains en éclaboussant d'eau le mur au-dessus de l'évier. Elle prit la serviette de Leslie et s'essuya les mains. Elle terminait le dernier lavage à grande eau après avoir passé la journée à récurer et à désinfecter.

« Je leur donnerai une autre dose de médicaments ce soir avant d'aller me coucher », dit Leslie.

« Ce serait parfait, Leslie. Je te remercie. Je serai ici de bonne heure demain ; alors dors bien et viens quand tu veux. »

Leslie lui dit bonsoir, suivit le couloir jusqu'au bureau de son père et sortit par derrière. Elle traversa lentement l'étendue sablonneuse qui menait au lac et à la maison de sa famille, construite près de la plage sur des pilotis de bois.

Janis prit deux conserves de nourriture pour chiens et les glissa dans un sac à moitié plein de céréales. Elle fit un dernier tour dans le chenil en se demandant ce qu'elle avait bien pu oublier. Elle se rappela subitement quelque chose, saisit le téléphone et composa le numéro d'Axel pour lui dire qu'elle serait dans quelques minutes devant l'Immeuble Salling-Hanson.

Quand elle s'engagea dans la grand-rue, Axel était sur le trottoir, sa mallette à la main. « Bonjour, ma douce », fit-il en montant à l'avant de la voiture.

Janis se pencha aussi loin que le lui permit sa ceinture de sécurité et l'embrassa sur la joue. « Comment va ta main aujourd'hui ? » lui demanda-t-elle.

« Bien. Le Darvon m'a sauvé la vie. »

« Le docteur Lewis t'a-t-il prescrit des calmants ? » Janis tourna la tête pour voir si une voiture arrivait et démarra.

« Oui, il a examiné ma main et déclaré que son état

empirerait avant de s'améliorer et m'a donné une ordonnance pour m'empêcher de hurler. »

« Mais il t'a bien assuré que tu allais guérir ? » insista-t-elle.

« Oh ! évidemment », dit-il. « Ah, au fait, j'ai oublié de te le dire, mais le tamia n'avait pas la rage. »

« Voilà une bonne nouvelle, car je risque d'avoir bientôt besoin d'un avocat en pleine forme. »

« Toi ? Tu veux divorcer ? »

Janis adressa un bref sourire à Axel. « Peut-on attaquer le personnel d'un chenil pour abus de confiance ? »

« Pas vraiment, mais on peut l'attaquer pour négligence. » La curiosité en éveil, il se tourna vers elle. « Mais pourquoi donc ? Quelque chose n'a pas été aujourd'hui ? »

« Presque tous les chiens dont j'ai la charge ont la bronchite. »

« La bronchite ? »

« Trachéite bronchiteuse, dans la gorge. C'est une maladie extrêmement contagieuse chez les chiens. » Elle lui parla rapidement de la maladie et de sa tendance à se propager à toute vitesse dans un chenil.

« Tu as parlé de " la plupart des chiens ". Qu'as-tu fait de ceux qui sont en bonne santé ? »

Janis gloussa et regarda Axel. « Je vais t'en présenter deux dans quelques minutes. »

Les arbres défilaient par les fenêtres de la petite voiture qui roulait à bonne allure sur la 621. Des taches d'ombre mouchetaient les fissures de l'asphalte, tandis que les feuilles des chênes oscillaient dans le vent, reliées aux branches par des brindilles poisseuses. Demain, l'afflux des touristes du week-end envahirait les petites routes du Nord-Michigan, mais pour l'instant les Michelson étaient seuls sur la 621.

Le couloir de la 621 disparut derrière eux, remplacé par le gravillon du chemin qui aboutissait à leur maison après quelques virages dans les bois. « Mon cousin Greg a téléphoné aujourd'hui. Il aimerait que je participe à la préparation du festival d'été des Ottawas ; je venais juste de me décider à lui donner un coup de main », dit Janis. « Cela m'ennuie, mais les jours qui viennent, je ne pourrai pas, au moins jusqu'à ce que tout rentre dans l'ordre au chenil. Si par hasard il appelle ce soir, pourrais-tu lui dire que je suis malade et au lit ? D'accord ? »

« Oh, ne sois pas stupide. Pourquoi ne pas lui dire ce qui est arrivé et que tu n'as pas un moment à toi ? Ensuite, s'il... »

« Bon Dieu », l'interrompit Janis. « Pourvu que les chiens ne soient pas partis. » Elle s'arrêta devant la porte coulissante du garage, relevée à un mètre au-dessus du sol.

« Leslie les a peut-être attachés à l'intérieur, ou derrière », avança Axel.

« Non. Je lui avais dit de les enfermer dans le garage et à son retour, elle m'a affirmé qu'elle l'avait fait. J'espère au moins qu'ils sont dans le secteur et qu'ils n'ont pas filé au diable vauvert pour chasser des écureuils dans la forêt. »

Ils sortirent de la voiture et Axel releva complètement la porte du garage. Sans rien remarquer d'inhabituel, Axel fit le tour de la maison et retrouva sa femme qui, les poings sur les hanches, scrutait la forêt dont les arbres innombrables étouffaient rapidement les sifflements suraigus de Janis.

« Tu devrais rentrer et appeler Leslie pour t'assurer que les chiens étaient bien dans le garage quand elle est partie », dit Axel. « Je vais faire un tour par derrière. »

« Okay », dit-elle en se dirigeant vers la maison.

« A propos, comment sont ces deux chiens ? » demanda Axel.

« Il y a un colley et un doberman. Je crois que le colley s'appelle Satch et le doberman Diablo. »

« Oh, mais c'est fantastique », plaisanta Axel. « Me voilà qui pars dans la forêt à la recherche d'un doberman nommé Diablo. J'espère franchement ne pas le trouver. »

Janis éclata de rire. « Il ne ferait pas de mal à une mouche. Il est extrêmement affectueux. »

Axel avait lancé une boutade, mais il regarda Janis pour lui demander sur un ton plus grave : « Ils sont peut-être malades. Tu ne penses pas qu'ils risquent d'attaquer ? »

Janis se fit rassurante : « Impossible. La trachéite les rend apathiques et léthargiques plus qu'autre chose, exactement comme toi quand tu as la grippe. »

Axel hocha la tête et se dirigea vers l'orée de la forêt à travers le jardin. On distinguait mal où finissait l'arrière-cour des Michelson et où commençaient les bois. Car en dehors du terrain où la maison était construite et du potager, ils avaient peu modifié le paysage. Aux abords immédiats de la maison, Axel avait arraché les fougères et les petits buissons, mais il s'était refusé à retourner la terre et à faire pousser du gazon. Ils avaient choisi ce terrain pour être proches de la nature ; s'entourer d'un paysage artificiel ne les attirait aucunement.

Axel criait les noms des chiens en s'enfonçant lentement dans les bois. Tout semblait plus calme que d'habitude, peut-être parce qu'il s'attendait à voir les chiens sauter d'un buisson dans un fracas de branches brisées.

Les fougères qui lui arrivaient à la taille se cassaient facilement à chaque pas, laissant une déchirure dans la voûte inférieure de la forêt. Les arbres abattus et les branches éparses, parfois incrustées de mousse, jonchaient le sol et entravaient la progression d'Axel. Il s'arrêta pour placer ses mains en porte-voix. « Snatch ! Ici, mon vieux ! Diablo ! » Axel observait le sol de la forêt et tendait l'oreille pour entendre d'éventuels pas.

Tout à coup, dépassant de derrière un tronc d'arbre, Axel aperçut une forme jaune. Il s'approcha rapidement sans quitter la tache jaune des yeux. Il distingua bientôt le long poil raide d'un colley. « Ici, Snatch ! » cria-t-il. Le chien ne bougea pas. Axel s'arrêta. La forme jaune gisait contre l'arbre ; son épine dorsale s'enroulait bizarrement autour du tronc du pin norvégien. La fourrure blanche et marron du chien était tachée de sang coagulé. Axel eut un mouvement de recul, mais s'accroupit près de l'animal. Sous le cou, la fourrure poisseuse indiquait l'endroit où son assaillant avait frappé. Ce devait être le doberman.

Axel scruta les environs, à la recherche de l'autre chien. Se sentant momentanément à l'abri, il arracha plusieurs fougères du sol meuble de la forêt. Il en fit un bouquet qu'il coinça dans la fourche du Y formé par une branche basse, pour repérer l'endroit.

Evitant de regarder de nouveau le colley, Axel se mit lentement en marche vers la maison. Ses yeux surveillaient les sous-bois. Les élancements de sa main bandée le faisaient souffrir ; des perles de sueur ourlaient sa lèvre. Il était attentif à ne pas glisser sur les brindilles fragiles ou les feuilles mortes et le chemin lui paraissait interminable.

Axel se figea soudain, les yeux fixés droit devant lui. A terre, lui barrant le chemin, le doberman le regardait. Le chien ne se jeta pas sur lui, mais restait immobile. Sa tête reposait sur ses pattes avant ; ses babines retroussées montraient ses crocs et ses yeux fixes étaient rivés sur Axel. Celui-ci lutta contre son envie de s'enfuir ; il savait que le chien était le plus rapide. La peur qu'il avait ressentie la nuit précédente revint, plus forte.

Michelson se déplaça lentement vers la droite tout en se penchant pour saisir une branche morte. Pas à pas, il commença à décrire un arc de cercle autour du chien, sans le quitter des yeux.

Axel fit vingt pas à partir de l'endroit où il avait vu l'animal couché, puis s'arrêta pour l'observer attentivement. La bête devait l'avoir vu, pourtant elle n'avait pas bougé. Il s'avança de quelques pas vers le doberman. Derrière ses oreilles, le poil noir et court semblait étrangement ébouriffé. En s'approchant, Axel comprit pourquoi il montrait les dents sans grogner. La peau de sa tête était arrachée sur tout un côté.

Axel alla vers le chien et le poussa d'un coup de bâton. Il tomba sur le flanc. A l'inverse du colley, dont le poil long cachait les blessures, celles du doberman étaient bien visibles ; Axel constata qu'on l'avait égorgé. Il regarda la branche du pin norvégien où il avait coincé des fougères et évalua la distance à dix-sept mètres au moins. Axel eut envie de vomir, lâcha sa branche et reprit sa marche vers la maison. N'y comprenant rien lui-même, il ne savait comment il expliquerait le carnage à Janis.

6.

La confection des mouches est un travail délicat. Il faut serrer soigneusement le polypropylène autour du mince hameçon métallique pour que les plumes se déploient correctement. Des doigts adroits et patients sont indispensables à cette opération. Peu importe que les mouches ne ressemblent pas à de vraies mouches, seul compte ce que pensent les poissons.

Karl Waldemeir tendit la ligne et en coupa le bout avec une paire de ciseaux courts. Il saisit l'hameçon par l'extrémité et le fit tourner devant ses yeux. Les plumes s'en écartaient comme deux ailes déployées tandis qu'une bande de fourrure de lapin habillait élégamment le métal nu. Karl rangea l'hameçon dans une boîte en plastique transparente divisée en compartiments, en fit claquer le couvercle, puis la plaça dans une boîte plus grande avec le reste de son équipement de pêche.

Du sous-sol, il remonta à la cuisine avec cette boîte et passa en revue les autres éléments de son matériel. Une petite sacoche pleine de vêtements était posée sur un sac de couchage roulé, un lit de camp pliable, plus une tente en toile. Karl prit une des deux boîtes en carton et fourragea dans ses ustensiles de cuisine, ses serviettes et son argenterie. Sentant la petite pierre au fond de la boîte, il retira sa main et examina l'autre boîte. Il constata avec satisfaction qu'il emmenait suffisamment de conserves, éteignit la lumière, puis entra dans le salon.

Karl s'installa dans un fauteuil et prit un livre. L'œil unique d'une oie qui prenait son essor regardait par-dessus son épaule, une oie peinte sur une toile de vingt-huit centimètres sur vingt-deux. C'était un des tableaux illustrant des scènes de la vie sauvage, que Karl avait peints et accrochés dans toute sa maison. A côté de l'oie se trouvait un canard qui volait dans la même direction. En vis-à-vis, un ours noir regardait Karl du haut d'un hêtre. Il avait peint de mémoire la plupart des oiseaux, mais copié l'ours sur une carte postale. Bien qu'ayant souvent campé dans le nord, Karl n'avait que rarement vu des ours noirs sauvages.

Karl était content, il attendait impatiemment le week-end. Il avait préparé tout son équipement qu'il lui suffisait maintenant de charger dans sa *Blazer* aux quatre roues motrices. Il se dit que demain, il quitterait son travail de bonne heure, et repasserait chez lui pour prendre ses affaires. Il serait sur la route vers deux heures et dans la Forêt d'Etat de l'Arbre Crochu en début de soirée.

La nuit était claire à l'Arbre Crochu. Remontant librement du sol, la chaleur gagnait les couches supérieures de l'atmosphère et l'air devint plus frais. Debout à côté du garage, Axel regardait les étoiles à travers les arbres, glacé non par la fraîcheur de l'air, mais par le massacre insensé des chiens. Ils ne pouvaient s'être entretués, se dit-il. Ils gisaient trop loin l'un de l'autre. Mais alors qui ? Voilà plusieurs heures que la question le hantait et chaque fois, il aboutissait aux mêmes conclusions : quelqu'un que dérangeait son action en justice pour l'Arbre Crochu.

Il baissa les yeux et pénétra dans le garage, puis fit descendre la porte derrière lui. Satisfait de la voir verrouillée, il se concentra sur les grands sacs à ordures en plastique brun. Ils ne présentaient pas de déchirure et le fil de fer couvert de papier les fermait hermétiquement, aussi hermétiquement qu'auparavant, quand lui-même et Janis avaient placé les chiens dedans.

Janis avait commencé par ne pas croire Axel, quand il lui apprit la mort des chiens. Elle avait tenu à se rendre compte par elle-même. Même quand elle eut contemplé leurs corps sans vie, elle ne voulut pas y croire. Debout à côté des fougères coincées dans la branche du pin norvégien, elle avait sangloté sans bruit. « Axel... ? » Elle ne put articuler la suite.

« Je ne sais pas, Jan. Je ne sais vraiment pas. »

« Ils ne peuvent pas s'être entre-tués, n'est-ce pas ? »

« Non. Leurs corps sont trop éloignés pour que l'un ait pu ramper, blessé comme il l'était. »

« Leslie m'a dit que la porte était fermée. Qui aurait bien pu vouloir entrer dans le garage ? Pour faire une chose pareille ? »

Axel restait silencieux. Il pensa à la visite de Hiller, la veille. Il pensa à tous les gens qui pouvaient tirer de l'argent du plan de développement immobilier de la Forêt d'Etat. Il se sentait dégoûté au bout du compte. Mais en même temps coupable. S'il avait raison, c'était lui le responsable du malheur de sa femme.

« Jan, il est bien possible que notre opposition aux compagnies immobilières pose plus de problèmes que je ne pensais. »

« Que veux-tu dire ? » demanda-t-elle. « Qu'on a tué les chiens pour se venger de ta prise de position ? »

« Pas tant pour se venger que pour m'avertir. »

Les lèvres de Janis se séparèrent lentement pendant qu'elle réfléchissait. « Ça ne tient pas debout », dit-elle enfin.

« Bien sûr que non. Egorger des chiens ne tient pas debout non plus. C'est pourtant ce qui est arrivé. Et ils ne peuvent pas avoir ouvert tout seuls la porte du garage. »

« Je ne sais pas, Axel. Tout cela me paraît sans queue ni tête. »

« C'est une simple possibilité, Janis. Rien de plus. »

« Tu as déjà participé à des affaires importantes et rien n'est arrivé. Pourquoi serait-ce différent maintenant ? »

« Hier, Ted Hiller a profité de notre amitié pour essayer de me convaincre de tout abandonner. Il a même été jusqu'à sous-entendre que ma carrière d'avocat était en jeu. »

« Ted ? Ted Hiller ? » Janis était incrédule. « Tu crois qu'il est pour quelque chose dans tout ça ? »

« Non. Pas pour les chiens. Mais s'il est suffisamment motivé pour tenter de m'influencer à propos de cette affaire, alors d'autres individus, qui ont de plus gros intérêts en jeu, utilisent peut-être des moyens de persuasion plus percutants. »

Janis répondit sur un ton sans réplique. « Je connais Ted depuis toujours ; je suis persuadée qu'il n'a rien à voir avec tout ça. »

« Je ne veux pas me disputer avec toi. J'ai peut-être tort sur toute la ligne. Mais je crois que le mieux à faire est de tout raconter au shérif. »

A contrecœur, Janis abandonna les chiens dans les bois pour suivre Axel vers la maison. Debout dans la cuisine à côté de la porte vitrée coulissante, Axel téléphona au shérif de Wabanakisi. Une voix inconnue lui répondit : « Ici l'officier Adams. »

« Excusez-moi », dit Axel. « J'essayais d'appeler le bureau du shérif. »

« Vous y êtes, monsieur », répondit la voix sèche. « Je travaille actuellement ici avec quelques officiers de la police de l'Etat. »

Axel se rappela que Snyder lui avait dit que la police fédérale de Petoskey viendrait enquêter sur la disparition de Davis. « Hum... Pourrais-je parler au shérif adjoint Perlstrom, s'il vous plaît ? »

« Oui, monsieur. Un instant je vous prie. »

Axel entendit le bruit du récepteur qu'on posait sur le bureau. Il savait que Luke quittait le poste de police à cinq heures et que Perlstrom le remplaçait chaque soir. Olaf Perlstrom frisait les soixante ans et était en retraite. Il avait été shérif de Wabanakisi pendant des années, avant que Luke Snyder ne le batte de quelques voix lors d'une élection, voici huit ans. Après quoi il travailla comme adjoint sous les ordres de Snyder et passait des nuits tranquilles dans le Bâtiment officiel du Comté à jouer aux cartes avec les amis qui venaient le voir, et à répondre au téléphone. Bien que simple adjoint, il profitait de ses anciennes fonctions de shérif pour se comporter en personnage important.

« Allo, ici Perlstrom. »

« Bonjour, Olaf. Axel Michelson à l'appareil. »

« Qu'est-ce que je peux faire pour vous ? »

« Nous avons un problème », commença gravement Axel. « Quelqu'un a pénétré dans notre garage et tué les deux chiens que Janis avait ramenés de son chenil. »

« Oh, mais c'est terrible », dit-il. « Ces foutus gosses deviennent de pire en pire. »

« Je ne crois pas que ce soient des gosses, Olaf. »

« Ah bon ? Racontez-moi ce qui est arrivé. »

« Presque tous les chiens dont s'occupe Janis au chenil sont tombés malades aujourd'hui, si bien qu'elle en a ramené deux chez nous, qu'elle a enfermés dans le garage. Quand nous sommes arrivés à la maison ce soir, la porte était légèrement relevée et les chiens avaient disparu. Je les ai retrouvés dans les bois. Egorgés. »

« Seigneur, c'est terrible », répéta Perlstrom. « Qu'est-ce qui vous fait croire que quelqu'un a forcé la porte du garage pour les tuer ? Je veux dire, vous avez vu le criminel ou remarqué des empreintes de pas ? »

« Non, mais il a bien fallu que quelqu'un ouvre la porte du garage. Je crois qu'on essaie de me menacer à cause de l'interdiction relative à l'Arbre Crochu, dont je suis à l'origine. »

« Oh, je ne sais pas. Les chiens étaient malades, non ? » Axel répondit que c'était effectivement possible. « Deux chiens malades, enfermés dans un endroit qu'ils ne connaissent pas, sont tout à fait capables de relever suffisamment une porte pour s'enfuir. Elle n'était pas fermée, n'est-ce pas ? »

« Non. »

« Vous voyez... », conclut Perlstrom. « Dans le temps, j'avais un chien capable de relever la porte de mon garage avec son museau dès que l'envie l'en prenait. Vos chiens ont sûrement fait la même chose. Ils se sont taillés, et une fois dehors, malades et tout, ils se sont battus à mort. Les chiens mordent toujours au cou, vous savez. »

« C'est impossible », dit Axel. « Ils gisaient au moins à quinze mètres l'un de l'autre ; aucun animal ne peut parcourir cette distance avec la gorge tranchée. »

« On n'imagine pas l'énergie qu'ils ont. Je parie que l'un a dû se traîner avant de mourir. »

« Oh, allez Olaf. Ils étaient déjà morts bien avant que celui qui les a tués ne cesse de les frapper. »

« Vous jugez donc tout à fait plausible qu'on ait tué ces deux chiens en guise d'avertissement ? » répliqua Olaf d'un ton cassant.

« C'est une simple possibilité. »

« Vous m'avez bien dit qu'ils étaient dans les bois ? »

« Oui, derrière la maison. »

« Alors dites-moi un peu, si l'on voulait vraiment vous donner un avertissement, pourquoi n'a-t-on pas laissé les chiens dans le garage, où vous les auriez trouvés immanquablement ? » Perlstrom s'arrêta pour renforcer l'effet de sa question.

« Qui sait pourquoi ils les ont emmenés là-bas ? Faut vraiment qu'ils soient cinglés pour faire une chose pareille, vous ne trouvez pas ? Je ne parviens pas à déceler la moindre logique dans tout ça. »

« Excusez-moi, mais je crois que vous faites fausse route. Ecoutez, si je voulais vous transmettre un message, je ne l'envelopperais pas autour d'une petite pierre pour le balancer dans votre arrière-cour en espérant que vous tomberez dessus par miracle. Non, je l'attacherais à un gros caillou, que je lancerais dans la vitre de votre salon. Et à quelle hauteur était la porte du garage ? Vous avez dit qu'elle n'était pas complètement relevée. »

« A un mètre du sol environ. »

« Si un homme avait fait le coup, vous ne croyez pas qu'il l'aurait relevée plus haut pour pouvoir entrer sans devoir se baisser ? »

« Il est peut-être parti dès qu'il a ouvert la porte », répliqua Michelson. « Je me fous de cette porte et de l'endroit où je les ai retrouvés. Il reste que quelqu'un est peut-être entré chez moi pour tuer ces deux chiens et me menacer. Et il n'est absolument pas exclu qu'il revienne, peut-être quand ma femme sera seule à la maison. Il me semble que l'affaire mérite que vous vous déplaciez pour voir les chiens et faire une enquête. »

Olaf répondit avec humeur. « Ecoutez, vous exagérez, et j'ai des choses plus importantes à faire que de m'occuper de deux chiens à la gomme. Nous n'avons toujours pas retrouvé Davis et nous sommes trop débordés pour enquêter sur des chiens. »

Confronté pour la première fois à l'irascibilité légendaire de Perlstrom, Axel comprit qu'il était en train de se faire assez d'ennemis pour compromettre définitivement une carrière autrement fort prometteuse. Il mit un terme à la conversation aussi poliment qu'il put et raccrocha.

Janis s'approcha d'Axel et le prit dans ses bras en le serrant tendrement, sa tête nichée au creux de son épaule. « Perlstrom est un plouc, tout le monde le sait », dit-elle. « Nous n'aurions jamais dû lui téléphoner. »

« Tu as raison, mais il m'a dit une chose intéressante. »

Janis desserra son étreinte et releva la tête pour lui lancer un regard étonné. « Quoi donc ? »

« Pourquoi les chiens étaient-ils dans les bois ? Nous aurions fort bien pu ne jamais les retrouver, ou les retrouver beaucoup plus tard. Que veut-on me faire comprendre au juste ? »

« Qui sait, mais maintenant nous devons agir. Nous ne pouvons pas laisser les chiens là-bas. Le docteur Routier pourra peut-être nous dire ce qui les a tués. »

« Okay », fit Axel. « Tu devrais lui téléphoner. Pendant ce temps, je vais regarder quelque chose. »

Axel traversa la cuisine, ouvrit la porte latérale et pénétra dans le garage. La porte du garage conçu pour deux voitures était relevée horizontalement au-dessus de sa tête. Elle était constituée d'une série de bandes métalliques d'une dizaine de centimètres de large, qui se pliaient quand la porte se déplaçait le long de deux rails. Axel saisit la corde qui pendait du loquet de la porte et la tira vers le bas.

Il examina la face interne de la bordure inférieure de la porte en aluminium sur toute sa longueur et ne trouva aucune éraflure ni la moindre preuve des tentatives des chiens pour sortir, mais un peu à gauche du centre, le métal était bosselé vers l'intérieur. Axel se plia en deux pour passer sous la porte et sortit. La marque avait une dizaine de centimètres de large et peut-être un ou deux de profondeur. Quatre stries parallèles avaient écaillé la peinture en partant du bas.

Axel entendit Janis entrer dans le garage par la maison et releva la porte au-dessus de sa tête. S'avançant vers lui, elle lui dit : « Le docteur Routier m'a demandé de mettre les chiens dans des sacs en plastique et de les lui apporter demain. Il pourra peut-être déterminer la cause de leur mort. »

« Approche-toi, Jan, regarde ça. » Axel leva sa main bandée. « C'est enfoncé de l'extérieur. Tu vois ? Quelqu'un a dû se servir d'un outil pour ouvrir la porte. Cette marque prouve qu'il y avait bien quelqu'un ici et que les chiens ne se sont pas libérés tout seuls. »

« Mais pourquoi avoir fait ça, puisque la porte n'était pas verrouillée ? »

« Elle était peut-être coincée. »

Janis passa les doigts sur la bosse. « Tu crois qu'ils reviendront ? »

Axel réfléchit un instant avant de répondre. « Je ne sais pas. Peut-être. » Il évita de regarder Janis, se retourna et scruta le chemin et les bois. Il tenait à tout prix à sauver la forêt de la destruction impliquée par le plan de développement. De plus, il avait juré de toujours faire passer la cause d'un client avant toute considération d'ordre personnel. Mais il avait aussi juré de protéger sa femme.

« Ne le fais pas », dit-elle.

« Ne fais pas quoi ? »

« Ne laisse pas tomber l'affaire. Et ne t'inquiète pas pour moi. Je n'ai pas peur. Et puis celui qui a fait une chose pareille à un chien n'aura jamais le courage de s'en prendre à un humain. »

Elle avait deviné ses pensées avant même qu'il n'ouvrît la bouche. Il se sentit rassuré et très proche d'elle. « Je ne laisserai pas tomber l'affaire. » Axel la serra fortement contre sa poitrine. « Merci. »

L'auvent rectangulaire de la tente en nylon recouvrait presque tout le sol du salon. Elle était étroite à l'arrière, mais allait en s'évasant vers l'entrée. Agenouillée, Marsha Gutkowski passait un bâton de cire sur la couture médiane de l'auvent.

Etanchéifier les coutures était normalement superflu, mais la tente n'était plus toute jeune. Depuis sa licence à l'Université du Michigan occidental, Marsha consacrait la plupart de ses loisirs au camping. Avec Kate, sa camarade de chambre, elle avait décidé de passer ainsi leurs vacances. D'apparences fort différentes, les deux filles se ressemblaient pourtant par le caractère. Certes, toutes deux mesuraient environ un mètre soixante-dix, étaient de corpulence moyenne et avaient de longs cheveux bruns. Mais Marsha avait des traits durs, des yeux perçants et une bouche mince qu'on distinguait à peine de loin, tandis que Kate avait de bonnes joues, des yeux ronds et affichait perpétuellement un large sourire. Après leurs études, les deux amies avaient trouvé des postes de professeur au Lycée Catholique de Kalamazoo et continué à vivre ensemble.

Dans le salon, Kate examinait une pile de paquets enveloppés de papier d'argent, qu'elle classait en fonction des menus qu'elle avait mis au point avec Marsha en vue de leurs sept jours de camping. La nourriture déshydratée n'était pas particulièrement appétissante, ni agréable à manger toute une semaine durant, mais sa légèreté rendrait leurs déplacements avec le canoë plus aisés. Les deux femmes ne comptaient pas partir au chant du coq le lendemain matin, mais elles tenaient à ce que tout fût prêt avant d'aller se coucher. Les cours d'été s'étaient terminés cette semaine et elles voulaient faire un court voyage en canoë à travers la Forêt d'Etat de l'Arbre Crochu. Elles avaient loué d'avance un canoë à Pike Village, au sud de Mackinaw, et désiraient suivre le cours de la Grande Rivière des Deux Cœurs, qui prenait sa source dans les collines du Michigan intérieur et serpentait dans la forêt sauvage de l'Arbre Crochu avant de se jeter dans le lac Michigan.

Elles pensaient que trois jours leur suffiraient largement pour rejoindre le lac Michigan. Mais elles espéraient établir un camp provisoire quelque part en bordure de la rivière. Elles n'avaient aucun horaire à respecter. Pas de programme précis. Et elles emportaient de la nourriture pour quatre jours supplémentaires, au cas où leur voyage durerait plus longtemps que prévu.

7.

Le soleil de ce vendredi matin baignait la chambre à coucher des Michelson et réveilla Janis avant la sonnerie du réveil. Axel émergea lentement du sommeil, extirpa son bras de sous les couvertures pour atteindre le réveil ; ses doigts tâtonnèrent à la recherche du bouton de la sonnerie. Quand le bruit grêle eut cessé, il se rallongea, les yeux fixés au plafond et ne se leva que lorsqu'il entendit l'eau de la douche couler. Il n'avait pas atteint la salle de bains que sa main l'élançait déjà. Il avala une des pilules contre la douleur que lui avait prescrit le docteur Lewis. Après avoir soigneusement défait les bandes de gaze tachées qui enveloppaient sa main, il examina les entailles. Elles étaient enflées et roses à l'endroit des points de suture ; des taches jaunâtres recouvraient presque toute sa main. Il passa un coton imbibé d'eau oxygénée sur ses blessures et absorba le pus blanc et visqueux avec un Kleenex.

Il s'habilla sans prendre de douche, car l'interne lui avait bien recommandé de ne pas mouiller sa main. Au moment où il traversait la maison vers le garage, Janis était encore sous la douche. Il regarda tristement les sacs à ordures, ouvrit la portière arrière de la camionnette de Janis, prit les deux chiens l'un après l'autre et les posa dans la voiture.

Axel se demanda ce qu'il ferait au cas où l'examen de Routier confirmait ses doutes. Si quelqu'un avait bien tué les chiens, le meurtrier reviendrait certainement, avec un plan plus diabolique encore. Ce serait de la folie de rester dans cette maison à l'attendre, mais d'un autre côté, les formalités juridiques liées à l'interdiction pouvaient traîner pendant des années. Il ne voulait pas être chassé de sa maison, et il savait que Janis était encore plus déterminée que lui. Ce terrain appartenait à sa famille, la forêt à ses ancêtres. Axel aimait les bois, mais Janis les considérait comme une partie d'elle-même. Ils faisaient partie de son histoire, de son héritage. Quitter cette terre, Axel le savait, reviendrait à couper Janis d'une partie d'elle-même. Mais rester pouvait se révéler pire.

Janis observait le clapotis d'eau savonneuse s'éclaircir à ses pieds. Elle se voyait, douze ans auparavant, alors étudiante en zoologie à l'Université du Michigan, baissant les yeux sur un chat à moitié disséqué sur une table. Elle pensa à un faon mort-né qu'elle avait contribué à mettre au monde quand, un été, elle avait travaillé dans un petit zoo de Traverse City. Elle ferma les yeux ; le chat et le faon disparurent ; elle se vit, la nuit précédente, regardant les chiens dans les bois. Une pensée avait essayé de prendre forme dans son esprit, mais sans se dessiner clairement. Elle tenta de se souvenir, de se concentrer sur cette image évanescente. Mais sous la douche, son esprit refusait d'obéir à sa volonté. Elle haussa les épaules et ferma le robinet. C'était sûrement sans importance.

Après un solide petit déjeuner composé d'œufs et de saucisses, Kate et Marsha se préparaient à partir. Elles descendirent leur matériel de camping et leurs provisions à la voiture et les posèrent soigneusement sur le sol. Avec une voiture comme la Volkswagen de Marsha, le chargement n'était pas une mince affaire.

Alors que Marsha faisait reculer le véhicule et s'engageait sur la route, Kate fouilla dans la boîte à gants pour trouver la carte routière du Michigan. Elle savait quelles routes suivre, mais voulait malgré tout les voir sur la carte. Elle repéra la M-131 qui allait vers le nord et longeait la frontière ouest de l'Etat. Le large trait rouge se terminait à cinquante kilomètres environ au nord de Grand Rapids et, d'autoroute, la 131 se transformait en une route normale qui leur permettrait de toucher au but. Le voyage serait plus long par la route à deux voies que par l'autoroute, mais elles s'en moquaient.

Marsha regarda sa montre quand elles sortirent de la ville de Kalamazoo. Dix heures du matin. Elles seraient à l'Arbre Crochu vers le milieu de l'après-midi.

Courbé au-dessus du colley, le docteur Routier l'examinait attentivement. Janis était perchée sur un tabouret dans la petite pièce lambrissée et regardait Routier d'un air anxieux. Le corps du chien était raide et pivotait facilement sur la table de métal brillant.

« A regarder ses blessures, on dirait vraiment des morsures d'animal. Le doberman aurait pu faire ça, mais pas dans l'état où il était. » Le vétérinaire se redressa sans quitter le chien des yeux. Il refléchissait aux autres explications possibles, mais aucune ne semblait le satisfaire. « D'après moi », finit-il par dire, « ces blessures peuvent très bien avoir été causées par une pique ou un outil tranchant. Mais cela aussi me paraît peu vraisemblable. »

« Pourquoi donc ? » demanda Janis.

« Parce que, quand un homme frappe un chien, je ne vois pas comment il pourrait l'atteindre sous le cou. Pas la première fois en tout cas. Et c'est la seule blessure du colley. »

« Au bas de la porte du garage, nous avons repéré une bosse, avec quatre stries parallèles. Ils ont fort bien pu frapper les chiens avec l'outil qui a laissé cette marque, vous ne croyez pas ? »

« Peut-être. Une binette aux dents recourbées, brusquement relevée à partir du sol, expliquerait leurs blessures sous le cou. »

Cela paraissait logique et Janis hocha la tête avant d'ajouter : « Il reste pourtant une chose que je ne parviens pas à comprendre. Si, comme le croit Axel, les chiens ont été tués pour lui donner un avertissement, pourquoi les ont-ils abandonnés dans les bois, où nous pouvions parfaitement ne jamais les retrouver ? »

« Ils n'avaient peut-être pas l'intention de les laisser là-bas. Après les avoir attrapés et tués dans les bois, ils comptaient peut-être les ramener chez vous. » Ses yeux calmes la regardèrent et il poursuivit. « C'est peut-être à ce moment-là qu'Axel et vous êtes arrivés sur le chemin. »

Le visage de Janis se contracta et un frisson involontaire la fit trembler. « Vous voulez dire qu'ils étaient là, à nous observer ? »

« Janis », fit-il pour la rassurer, « ce n'est qu'une hypothèse. »

Légèrement effrayée, elle se leva pour s'approcher de la table d'examen et regarder le cou lacéré du colley. Soudain, ses yeux se rétrécirent et son visage s'avança vers le chien. Elle tendit les doigts devant ses yeux fixes et saisit un poil noir sur la fourrure du colley. Elle le montra au vétérinaire.

« Six centimètres environ », dit-il. « Trop long pour appartenir au doberman. » Il se pencha sur le chien et examina soigneusement sa fourrure. Dans le cou du colley, il découvrit un autre poil noir. « Ces poils viennent peut-être d'un autre chien du chenil. Ou pourquoi ne seraient-ce pas des cheveux tombés de votre tête ? »

« Ou de celle de l'assassin. »

Routier la regarda. « Oui. C'est possible. » Il se retourna vers un meuble et ouvrit un tiroir, d'où il sortit une petite enveloppe blanche prévue pour contenir des médicaments. Il y glissa soigneusement le poil. Puis il la tendit à Janis, qui y plaça celui qu'elle avait découvert. Il se retourna vers le doberman, allongé sur la deuxième table, et dit : « Si nous avons de la chance, nous en trouverons quelques-uns sur lui. »

Ils en trouvèrent davantage. « Donnez-moi une autre

enveloppe, Janis. » Il retira plusieurs poils noirs d'entre les dents du chien et les glissa dans la deuxième enveloppe. Après les avoir fermées et étiquetées, il dit : « Voilà, Janis. Je crois que nous tenons notre premier indice sérieux. J'envoie les deux paquets à Lansing pour qu'ils les analysent. Ils devraient pouvoir nous dire de quel animal il s'agit. »

Un fourgon bleu portant le blason de l'Etat du Michigan sur sa portière pénétra quelques minutes après midi dans le parking situé derrière l'Immeuble officiel de Wabanakisi. Il était parti de Lansing quatre heures auparavant. Le sergent de la police d'Etat sauta du siège avant droit et se dirigea vers la porte arrière du bâtiment ; le conducteur resta derrière le volant. En entrant dans l'immeuble, le sergent entendit les aboiements étouffés des chiens enfermés dans le fourgon.

Luke Snyder l'accueillit et le présenta à ses adjoints et aux autres officiers de la police d'Etat. Le sergent Rademacher serra la main de tous les hommes présents avant de s'asseoir à une longue table. Il était l'un des rares officiers préposés aux chiens.

« Si j'ai bien compris », commença le sergent, « on a retrouvé la voiture vide de Davis sur un chemin de traverse, mais pas la moindre trace de lui depuis lors. »

« Exact », confirma Snyder, qui fit ensuite le point sur les recherches entreprises jusqu'ici.

« Eh bien, il me semble que nous devrions commencer par emmener les chiens à l'endroit où l'on a retrouvé sa voiture », dit Rademacher. « Si on l'avait kidnappé ou s'il avait cherché de l'aide le long de l'autoroute, on aurait déjà eu de ses nouvelles. J'ai l'impression qu'il est dans cette forêt, et pas très loin de l'endroit où était arrêtée sa voiture. Le problème, c'est que les chiens perdent facilement une piste dans la forêt. Il y a des marécages, sans compter tous les animaux sauvages qui brouillent les pistes. J'ai une entière confiance dans mes chiens, mais je tiens à vous avertir, messieurs, que ce ne sera pas facile. »

Rademacher passa en revue les visages réunis autour de la table. Certains approuvaient, d'autres restaient impassibles, d'autres encore détournèrent les yeux. Le capitaine William

Selzer, de la police d'Etat de Petoskey parla en premier :
« Merci, sergent. Nous comprenons la situation. Je suggère
maintenant que nous allions là-bas pour commencer les
recherches. »

« Bon sang de bonsoir ! » Le shérif adjoint Shank ne put se
contenir davantage. « Nous avons déjà passé les environs au
peigne fin un nombre incalculable de fois. J'ai ratissé chaque
centimètre carré autour de la voiture et je m'en porte garant :
Davis n'est pas dans les bois. »

Snyder se leva et interrompit Shank. « Ecoute, Jerry. Tant
que nous ne l'avons pas retrouvé, nous ne pouvons éliminer
aucune possibilité. Et je me moque du nombre des recherches
déjà entreprises. » Il savait que l'intrusion de la police d'Etat
dans les affaires du comté déplaisait à Shank. Elle lui
déplaisait également, mais dans le cas présent elle était
nécessaire. « Nous devrions y aller », fit-il.

Les uniformes bleus de la police d'Etat et les verts de la
police du comté se levèrent, sortirent sans un mot dans le
couloir, puis dans le parking. Snyder donna des consignes
d'ordre général avant que chacun ne rejoignît sa voiture. Le
convoi passa sur un remblai avant de s'engager dans la rue,
Snyder en tête, suivi par une voiture bleue de la police d'Etat,
le fourgon et une deuxième voiture du comté. Le convoi
accéléra en traversant dans un sifflement de pneus les tôles
d'acier du pont à bascule, laissant derrière lui les premiers
arrivants du week-end.

La Blazer remonta le chemin en marche arrière et s'arrêta
quand sa porte fut arrivée à hauteur de l'entrée latérale de la
maison. Karl avait travaillé pendant la pause de midi pour
qu'on ne pût lui reprocher son départ anticipé. Son patron
l'aurait volontiers autorisé à partir avant cinq heures, mais
Karl tenait à effectuer toutes ses heures de service.

Karl s'en voulut de perdre du temps, mais il avait trop faim
pour ne pas manger un morceau. Il alla donc à la cuisine,
où il se prépara un sandwich, qu'il engloutit rapidement en
buvant du lait. Il laissa le verre et le couteau à moutarde dans
l'évier, puis entra dans sa chambre pour enfiler une vieille
paire de pantalons kaki et une chemise de flanelle.

Comme chaque fois qu'il partait camper, Karl passa en revue son équipement. Il commença par les boîtes en carton qui contenaient la nourriture et les ustensiles de cuisine, pour terminer par ses accessoires et sa canne à pêche, dont les trois éléments étaient rangés dans un tube en plastique d'un mètre trente. Quand la Blazer fut chargée, Karl rabattit la porte arrière, la verrouilla, puis ferma à clef la porte latérale de sa maison. Il grimpa derrière le volant, abaissa le pare-soleil et prit un petit carnet à spirale en forme d'oreille de cocker. Il chercha une page vers la fin et y nota le kilométrage de sa voiture au bas d'une colonne de chiffres. Il regarda sa montre et nota également l'heure. Il comptait planter sa tente à l'Arbre Crochu vers huit heures, dans cinq heures et demie.

Le convoi des véhicules de la police était garé en file indienne le long de la route en terre. Le soleil clignotait à travers la voûte presque étanche des feuilles et dardait de temps à autre un pinceau de lumière sur un pare-brise ou dans les bois.

Les policiers formaient un cercle irrégulier autour du sergent Rademacher. « Etant donné que le terrain est accidenté et même marécageux par endroits, la piste de Davis risque d'être brouillée. Il vaut donc mieux nous séparer pour donner à chaque chien une chance de repérer son odeur. »

Rademacher se tut et regarda le chemin de terre vers le nord. « A quelle distance m'avez-vous dit que ce chemin de terre rejoignait l'autoroute ? » demanda-t-il.

Un adjoint lui répondit. « Je crois que nous sommes légèrement au sud du milieu de la boucle de la 621. »

« Davis s'est donc sûrement dit qu'il était plus près de l'endroit d'où il venait et il a probablement fait demi-tour », conclut Rademacher.

« C'est possible, mais je ne crois pas », dit Luke Snyder. « Je suis persuadé qu'il connaissait parfaitement ce chemin et qu'il était pressé d'arriver au tribunal. Je ne crois donc pas qu'il ait fait demi-tour. »

« Je vois. » Rademacher hocha la tête. « Puisque nous avons assez de chiens, nous chercherons dans les deux directions. » Trois bergers allemands tiraient impatiemment sur leurs laisses, contraignant Rademacher à faire un pas en avant. Le conducteur du fourgon avait presque autant de mal à maîtriser trois autres chiens. Rademacher fit signe à son collègue de confier deux laisses à deux officiers et fit de même. Il s'avança vers le bord du chemin et donna ses instructions. « Je vais marcher sur la route vers le sud, et vous deux », dit-il en désignant un adjoint et un officier de la police d'Etat, « vous avancerez parallèlement à moi, dans la forêt, en restant à vingt mètres de la route. De cette façon, si mon chien rate la piste, l'un des vôtres devrait la couper quelque part. Dick », dit-il en se tournant vers le conducteur du fourgon, « même chose de l'autre côté, jusqu'à l'autoroute. » Puis il fit une pause en attendant les questions. Personne ne prit la parole, si bien qu'il continua : « Allons-y. Shérif, vous avez les vêtements ? »

« Bien sûr. Ils sont dans ma voiture. » Snyder prit un petit paquet de vêtements et une paire de chaussures sur le siège arrière. Le sergent Rademacher tendit le tout devant le museau des chiens pour qu'ils mémorisent l'odeur de Davis. Les chiens avaient hâte de partir et les policiers se séparèrent en trois groupes, deux s'éloignant avec les chiens et le troisième restant auprès des voitures.

Le sergent avançait sur le chemin de terre vers le sud en laissant son chien renifler les bas-côtés. A sa gauche, l'officier Adams guidait son chien dans les bois, tandis qu'à droite, le shérif adjoint Shank s'enfonçait dans la forêt.

La veille, Shank avait parcouru en tout sens ce même sol jonché de branches mortes et de feuilles. Tous les recoins de la forêt lui paraissaient identiques et les fougères brisées témoignaient du caractère méticuleux de ses recherches. Shank fit une pause et le berger allemand qu'il tenait en laisse se retourna vers lui, comme pour lui demander : pourquoi s'arrête-t-on ? Ses oreilles pointues se dressèrent. Shank soupira et entreprit de gravir une petite colline. Une fois arrivé au sommet, il s'arrêta de nouveau. Il examina soigneusement les sous-bois qu'il venait de traverser, à l'affût du moindre indice. La veille, à peu près du même endroit, il avait examiné la même portion de terrain et contemplé le même spectacle : des arbres, des fougères, de l'herbe.

Il regarda le chemin, où Rademacher marchait lentement d'un bord à l'autre. Le chien du sergent n'avait, lui aussi, trouvé aucune piste, se dit Shank, et n'en trouverait probablement pas.

Non, conclut-il, Davis n'était pas dans cette forêt. S'il y avait été, on l'aurait déjà trouvé. Quelqu'un l'avait sûrement enlevé sur la route et emmené en lieu sûr. Toute cette mascarade n'était qu'une perte de temps, Shank en était persuadé. Mais il n'était que l'adjoint du shérif.

Son regard se fixa sur la pente et il se prépara à descendre. S'il suivait la ligne de plus grande pente, il aboutirait directement dans un bosquet de cèdres coniques. Il tira sur la laisse du chien, et ils commencèrent à descendre la colline ; le berger reniflait le sol ou levait la tête pour regarder autour de lui. Shank marchait à grands pas, laissant la gravité l'entraîner. La descente s'accéléra ; le chien prit lui aussi de la vitesse ; il tirait sur sa laisse. Shank essaya de ralentir, mais c'était le chien qui contrôlait la situation. Le pied de l'adjoint glissa sur un tronc d'arbre abattu couvert de mousse et Shank tomba. Le cou du chien fut brusquement retenu en arrière par le poids de l'homme. « Merde ! » cria-t-il en se relevant. Il saisit le berger allemand par l'encolure, le fit pivoter violemment et lui donna trois claques sur la tête. Le chien recula et s'aplatit au sol. « Tu peux pas avancer sans tirer sur cette foutue laisse ? » hurla-t-il. « J' croyais que tu étais dressé. Espèce d'imbécile. » Le chien restait allongé, le museau enfoui entre les pattes. « Allez, lève-toi », grommela Shank en saisissant le chien par le cou. « On y va. »

Le chien marchait maintenant plus lentement et jetait de temps à autre un coup d'œil vers l'homme ; sa laisse ballait. Des racines entremêlées couvraient le sol qui descendait en dessous du niveau de la route. Shank s'arrêta pour s'essuyer le front du revers de la manche et décider de la façon dont il allait traverser le marécage où poussaient les cèdres.

Les branches basses des cèdres étaient isolées de la lumière du soleil par les branches supérieures ; elles avaient finalement perdu leurs feuilles et étaient mortes. Mais elles restaient attachées au tronc et leurs squelettes aux brindilles fournies empêchaient Shank d'avancer. Par contre, le chien, qui n'était gêné ni par les racines ni par les branches au-dessus de sa tête, tirait de nouveau sur sa laisse, comme s'il essayait de s'échapper.

A quelques dizaines de mètres devant Shank et le berger allemand, de profondes empreintes de pas entouraient un cadavre en décomposition. Les empreintes des ours étaient longues et larges ; on distinguait nettement leurs cinq doigts. Comme l'homme, l'ours noir est un plantigrade : son talon et la plante de son pied reposent sur le sol. A l'inverse, le cerf à queue blanche, par exemple, se tient sur la pointe de ses orteils. A l'intérieur des empreintes géantes laissées par les ours dans la terre noire et meuble autour du cadavre, on distinguait la trace nettement reconnaissable d'un pied humain.

Sur sa gauche, Shank remarqua le tronc tailladé d'un cèdre. Son écorce jonchait le sol autour de l'arbre, mais des bandes à moitié arrachées tenaient encore au tronc. Celui-ci portait de profonds sillons verticaux à différents niveaux. Shank avait suffisamment chassé l'ours pendant la saison pour comprendre le sens de ces entailles. Ce cèdre était un « arbre à ours », griffé par tous les ours passés à côté de lui depuis plusieurs années. Aucun arbre du voisinage ne présenterait semblables sillons. En griffant l'écorce et parfois en se frottant le dos contre le cœur du tronc mis à nu, les ours délimitaient leur territoire — comme le loup qui urine sur un arbre. En reniflant l'arbre, un autre ours saura quand le premier est passé et devinera son sexe.

Les narines du chien furent soudain en alerte quand Shank contourna l'arbre. L'adjoint dut même refaire le tour du tronc pour libérer la laisse qui s'y était prise. Le chien refusait de quitter le cèdre, mais céda devant la traction sèche de Shank. Il faudrait se souvenir de ce coin, se dit l'adjoint, pour l'ouverture de la chasse, en novembre.

Quelques mètres après l' « arbre à ours », le chien cessa de renifler de droite et de gauche et tira fortement sur sa laisse. La tension soudaine propulsa l'homme en avant, et son pied s'enfonça dans la boue noire d'une mare peu profonde. Une vase vert pâle flottait sur l'eau stagnante. Il arracha son pied hors de la boue et lança sa chaussure dans les flancs du chien qui furent éclaboussés de vase. Shank jura et traîna le chien à quelques pas de là, vers l'herbe sèche. Il ramassa une branche morte et nettoya sa chaussure, tandis que le chien se blottissait à côté de lui.

Dès qu'il eut enlevé les plus grosses plaques de boue, il montra la branche au chien et lui cria : « C'est la dernière fois que tu me joues un tour pendable, tu entends ? » Il s'arrêta, haletant, les yeux fixés sur le chien. « Maintenant, barrons-nous en vitesse de ce putain de marécage. » Il tira sur la laisse et se dirigea vers la 621. Comme ils sortaient du bosquet de cèdres, les yeux morts de James Davis assistèrent à leur retraite ; à côté du cadavre gisaient une mallette défoncée et une veste de sport maculée de terre.

Le sol montait en pente douce ; les chênes furent bientôt plus nombreux que les cèdres. Shank traversait les bois d'un bon pas ; le chien l'accompagnait d'un air soumis. Il ne reniflait plus le sol, n'agitait plus la tête. Il se contentait de trotter à côté de l'adjoint et redoutait d'éveiller de nouveau sa colère. Au bout de quelques minutes, Shank aperçut la route de comté 621. Quand il sortit des bois sur la voie d'accès à l'autoroute, il vit Rademacher et l'officier Adams qui l'attendaient à l'entrée du chemin de terre. Il s'approcha d'eux avec un air de triomphe.

« Rien, hein ? » dit Shank.

« Non, rien pour l'instant », répondit le sergent Radema-cher. « Une ou deux fois, j'ai bien cru qu'il avait trouvé une piste, mais il l'a perdue en descendant dans les fourrés. Et vous ? Vous avez trouvé quelque chose ? »

« Non, absolument rien. Et je vous garantis que plus nous perdons du temps ici, plus nous en donnons au gars qui l'a choppé d'en chopper un autre. »

Rademacher ne répondit pas. Il jeta un regard dégoûté à Adams, fit volte-face et se mit en route vers les voitures.

8.

La petite colline descendait en pente douce vers la rivière, au sud. Les arbres étaient plus grands, mais moins denses, que dans la majeure partie de l'Arbre Crochu. En ce début de soirée, les ombres portées dessinaient un gigantesque escalier au flanc de la colline.

Au pied d'un pin blanc qui dominait les arbres voisins, un massif de fougères s'agita. La fourrure noire d'une tête émergea des tiges ligneuses et des feuilles vertes. Les pins protégeaient ses arrières et l'ours noir dominait les abords de sa tanière ; il scruta soigneusement le flanc de la colline. Il ne décela aucun signe de danger, mais il ne faisait pas autant confiance à sa vue qu'à son odorat. L'ours percevait une odeur quand les molécules de l'air entraient en contact avec les molécules réceptrices de son épithélium nasal, une fine membrane enroulée en accordéon sur les spirales des os minuscules de son nez. Si tous les mammifères perçoivent les odeurs de la même façon, leurs capacités olfactives varient considérablement. L'épithélium de l'homme, intact, couvre environ deux cent cinquante millimètres carrés — deux fois la surface de l'ongle de son pouce. Chez l'ours, l'épithélium recouvre à peu près l'équivalent de la moitié de son corps.

Rassuré par le message de son odorat, l'ours s'aventura hors de sa cachette peu profonde sous les herbes des fourrés et se dressa sur ses pattes arrière en allongeant ses muscles. Il bâilla longuement, s'assit sur son arrière-train et se gratta l'estomac avec ses griffes acérées. Quand il se sentit mieux, il croisa les bras sur sa poitrine et se laissa tomber sur le dos au milieu des brindilles d'arbrisseaux abattus. Du fond de sa gorge, il poussa un râle de contentement et se frotta le dos contre les branches rèches d'un arbre mort.

L'ours roula sur le flanc et se mit à quatre pattes. Des touffes de poils noirs restèrent accrochées aux branches de l'arbre et l'ours se dirigea vers la rivière. Il n'hibernait plus depuis un mois ; son manteau d'hiver commençait à tomber en lambeaux. La mue lui causant des démangeaisons insoutenables, l'ours prenait grand plaisir à utiliser tout ce qui lui tombait sous la patte pour se frotter le dos.

L'ours marchait tranquillement sur le sol humide qui longeait le cours d'eau. Sa tête oscillait d'avant en arrière et ses yeux observaient tout ce qui passait à leur portée. L'ours s'arrêta pour regarder un rocher à moitié enfoui dans la poussière. Il décrivit un cercle autour du rocher, son museau au ras du sol. Il le toucha d'une patte et suivit le bord inférieur du caillou, tandis que ses griffes s'enfonçaient légèrement dans la poussière. L'ours contracta soudain sa patte avant et le rocher vola en l'air, comme une crêpe au-dessus d'une poêle à frire. Une colonie de scarabées argentés détalèrent en voyant la lumière. Mais la tête de l'ours se pencha en avant et sa langue saisit les coléoptères paniqués. En quelques secondes, il ne restait plus le moindre scarabée ; l'ours releva la tête, content de son hors-d'œuvre.

Il quitta la rivière pour se diriger vers une clairière dans les bois, où il savait qu'il trouverait presque certainement des mûres. Bien que classé dans l'ordre des carnivores, l'ours est en réalité un omnivore. Ses dents ressemblent à celles de l'homme et malgré sa corpulence, il est suffisamment adroit pour attraper des mûres une par une avec ses incisives, entre les petites feuilles et les branches tordues des mûriers.

En arrivant dans la clairière, l'ours perçut un mouvement au centre du buisson de mûres. Le vent apporta à ses narines l'odeur de l'ours. Lui-même était sous le vent. Il s'avança lentement. Deux oursons, nés l'hiver précédent pendant que leur mère dormait dans sa tanière, jouaient ensemble. Ils se pinçaient, se griffaient et luttaient pour s'amuser.

L'ours examina les environs en se demandant où était leur mère. Ne décelant aucune présence, il poursuivit son approche. L'ours n'avait aucun problème pour se nourrir en été et nullement besoin de manger un ourson. Mais ils étaient trop tentants pour qu'il passât son chemin. L'ours ne chassait évidemment aucun gibier, mais un ourson non surveillé constituait une proie aussi facile qu'un buisson de mûres.

L'ours avait fait une vingtaine de pas, avant que les oursons ne cessent de jouer. Ils se dressèrent, les oreilles aux aguets.

Les oursons restèrent immobiles un instant avant que l'un d'eux n'abandonne sa pose pour chercher sa mère avec des mouvements de tête effrayés. Elle demeurait invisible. L'autre fila soudain ventre à terre vers les arbres ; il avait compris que c'était sa seule chance. Le premier ourson partit dans la direction opposée, l'adulte sur ses talons. La course était par trop inégale. L'ourson trébucha à bonne distance de la lisière de la forêt. L'adulte se dressa devant lui, prêt à le tuer, mais au moment précis où il levait la patte pour lui assener un coup fatal, l'air retentit de l'appel de la mère. Son cri suraigu enveloppa de terreur le cerveau de l'ours et arrêta sa patte à mi-chemin. Il se retourna pour faire face à l'ourse qui chargeait dans les bois à cinquante kilomètres à l'heure. En quelques secondes, elle fut sur lui et l'envoya bouler à terre. Aussitôt debout, ils se firent face, bras tendus.

La mère aboya un ordre à l'ourson, qui disparut aussitôt. Le mâle esquissa un coup de patte, mais l'ourse ne broncha pas et lui adressa un grognement dont l'écho se répercuta jusqu'au fond des bois. Elle sauta sur l'ours et l'attira vers elle pour lui taillader le cou avec ses crocs. Mais le mâle la repoussa et retomba à terre. Ses lourdes pattes frappèrent le sol. Elle retroussa ses babines et son grognement menaçant résonna de nouveau dans les arbres.

Le mâle recula d'un pas. La mère avança rapidement d'autant et lui lança un coup de patte, toutes griffes dehors. Il chancela et recula davantage. Elle se mit à quatre pattes et chargea, pour s'arrêter à un mètre devant lui. Il recula rapidement, puis se retourna et s'enfonça dans les arbres, comme les oursons quelques instants plus tôt. La mère le poursuivit jusqu'à la lisière de la forêt et l'observa pénétrer dans les fourrés.

Il ralentit, s'arrêta au bout de quelques secondes, et se retourna pour faire face à l'ourse. Puis il se dressa et étendit les bras. Il lança un grognement aussi féroce que ceux de la mère. Elle ne broncha pas, observant la scène. Après sa démonstration de force, l'ours se laissa tomber à terre une fois encore et se détourna pour s'en aller, sans se sentir le moins du monde humilié.

Préférant la solitude, l'ours s'éloignait des oursons et de

leur mère. Il s'était tiré indemne de l'escarmouche et n'était que légèrement déçu de ce repas manqué. La nourriture abondait dans les bois et il trouverait d'autres plats bien plus faciles à consommer.

Kate et Marsha regardaient en silence les braises rougeoyantes du feu. Un sillon large de dix centimètres tracé dans le sol aboutissait à la bûche sur laquelle elles étaient assises. Bien que fatiguées, elles sentaient qu'elles ne pourraient dormir avant la tombée de la nuit. Elles restaient donc devant le feu, les yeux mi-clos, à attendre la fin de la journée.

Elles étaient arrivées à Pike Village en milieu d'après-midi et avaient trouvé facilement le dépôt de canoës, indiqué par de grandes pancartes depuis plusieurs kilomètres. Marsha avait garé sa voiture sous un panneau au bas duquel on lisait « Canoës de Minnehaha ». Le sommet de la pancarte, découpé en dents de scie, dessinait le profil d'une Indienne pagayant gaiement dans un canoë. Le dépôt se réduisait à une cabane en bois flanquée d'un hangar. La porte grillagée grinça sur ses gonds rouillés quand les filles entrèrent.

« Excusez-moi », dit Marsha à un journal ouvert au-dessus d'une paire de genoux. « Etes-vous le propriétaire du dépôt ? »

Le journal se plia et tomba sur les cuisses de l'homme. Il ne répondit pas, mais examina lentement les filles de la tête aux pieds. Il retira une allumette à bout bleu d'entre ses dents et la tendit vers les filles. « Ouais, c'est moi », finit-il par dire.

Marsha poursuivit. « Je vous ai téléphoné pour réserver un canoë. Je m'appelle Marsha Gutkowski. »

L'homme ne broncha pas et continua à frotter ses joues mal rasées. « Vous êtes la fille qui ne sait pas combien de temps durera son excursion ? »

« Oui. Peut-être quelques jours, peut-être toute la semaine. Nous ne savons pas. »

« Vous comptez laisser votre voiture ici pour que j'aille vous rechercher ? »

« Exactement. »

« Alors dites-moi un peu, comment saurai-je quand aller

vous rechercher, vous et mon canoë, si vous savez pas combien de temps vous partez? »

« Je croyais que nous avions déjà réglé cela par téléphone », dit Marsha. « Vous m'aviez dit de vous appeler d'un des camps permanents. »

« P't-être que j'ai dit ça, p't-être que non. Mais j'ai réfléchi. Y se peut que j' sois occupé quand vous téléphonerez. » Il replaça l'allumette entre ses dents et se remit à mâchonner.

« Nous ne sommes pas pressées. Nous pourrons attendre. »

« Et mon canoë, alors? Ils coûtent cher, vous savez. »

« Ecoutez, nous laissons notre voiture là-bas », dit-elle en montrant la pancarte voyante orange et jaune. « Et puis je suis certaine que vous faites ça tout le temps. C'est votre boulot, non? »

Le propriétaire posa les pieds sur une table et s'adossa à sa chaise en se balançant. « Pour sûr que c'est mon boulot. Mais c'est pas tous les jours que j'ai des filles comme clients. De temps en temps, pour une journée, mais jamais davantage. Je savais pas que vous étiez deux filles. »

« Mais bon Dieu », explosa Kate, « qu'est-ce que ça peut faire? »

Il fit une grimace et passa une main sale sur son T-shirt taché. « Si vous voyez pas c' que j' veux dire, fillettes, allez donc demander à votre maman. »

« Va te faire enculer, vieux con », éructa Marsha. La mâchoire inférieure de l'homme tomba et l'allumette dégringola sur son estomac. Les pieds avant de sa chaise heurtèrent bruyamment le plancher. Il voulut dire quelque chose, mais Kate et Marsha étaient dehors avant même qu'il n'ait pu émettre un son.

L'homme sortit sur le parking en traînant la jambe et cria : « Hé, salopes. Allez-y donc sur cette rivière ; j'espère bien qu'un serpent à sonnette vous fera passer l'envie de dire des saletés pareilles ! »

En prise, Marsha accéléra et les roues de la Volkswagen soulevèrent un nuage de poussière. L'homme tourna la tête et toussa au moment où la voiture s'engageait sur la route.

« Alors, qu'est-ce qu'on fout, maintenant? » soupira Marsha.

« M'en fous, ça valait la peine », dit Kate. « Tu as vu la tête qu'il a fait ? »

« Ouais. » Marsha sourit. « Ça valait le coup. »

« De toute façon, je suis sûre qu'on peut trouver des canoës ailleurs. »

Il y avait effectivement d'autres dépôts de canoës. Un pompiste leur en indiqua un à deux ou trois kilomètres de Pike Village, en aval de la rivière, beaucoup plus près de l'Arbre Crochu.

Les filles réglèrent la location, s'entendirent avec le propriétaire pour qu'il vienne les rechercher, puis chargèrent le canoë et partirent. Le courant était un peu fort à cet endroit, — cinq kilomètres à l'heure, — mais il faiblissait au fur et à mesure que la rivière s'approchait du lac Michigan. La Grande Rivière des Deux Cœurs serpentait sur cent soixante kilomètres, mais à vol d'oiseau moins de cinquante séparaient sa source de son embouchure. La Petite Rivière des Deux Cœurs coulait parallèlement à la Grande, à quelques kilomètres de là, avant de la rejoindre au milieu de la forêt.

Vu la rapidité du courant, Kate et Marsha n'avaient pas besoin de pagayer. Mais elles désiraient quitter au plus vite la ville et les résidences construites en bordure de la rivière. Dès qu'elles auraient rejoint la nature sauvage, elles ralentiraient leur allure et chercheraient un emplacement où camper.

Elles n'avaient pas vu la moindre maison depuis presque une heure, quand elles aperçurent une pancarte en bois sombre sur la berge. Les mots « Vous entrez dans LA FORÊT D'ÉTAT DE L'ARBRE CROCHU » y étaient gravés en grosses lettres. En dessous, tracé en caractères plus petits, on lisait : « Danger d'Incendie : Elevé aujourd'hui. » Le mot « Elevé » était peint sur une plaque de bois amovible qui se balançait sur un clou.

Elles décidèrent rapidement d'un endroit où camper et maintenant, elles attendaient que le feu s'éteignît. Dans le calme surprenant des bois, l'isolement de leur petit camp près de la rivière contrastait agréablement avec le brouhaha de la ville. Kate était heureuse à l'idée de ne pas rencontrer un seul être humain pendant quelques jours.

Karl avait l'agréable impression qu'un papier cellophane enveloppait ses yeux. Il abaissa ses paupières, qu'il frotta brièvement avec son index, son médium et son pouce. Puis il posa la main droite sur la barre médiane du volant et ouvrit la fenêtre côté conducteur. L'air frais du soir tourbillonna dans la voiture, mettant ses sens en éveil. Waldemeir n'était pas homme à s'endormir au volant ; il désirait simplement goûter les derniers kilomètres avant d'arriver à Wabanakisi.

En ville, il s'arrêta quelques instants pour acheter une tasse de café dans une buvette. Il coinça le gobelet en plastique entre ses jambes jusqu'à ce qu'il eût traversé le pont à bascule, puis accéléra sur la route dégagée au nord de Wabanakisi, enleva le couvercle en plastique du gobelet et but une gorgée de café brûlant.

Alors qu'il approchait de l'embranchement, il terminait son café. Il mordit dans le gobelet vide qui pendait à ses lèvres, prenant plaisir à enfoncer les dents dans le plastique mou, et ne jeta le gobelet qu'après en avoir mordu tout le bord.

La Blazer ralentit et quitta la 621 pour s'engager dans un chemin de terre. C'était une des nombreuses pistes de bûcherons qui sillonnaient la partie nord des bois. Le plus gros problème des coupeurs de bois était d'amener les lourds troncs d'arbres de leur site originel jusqu'au camp de bûcherons. Ils empruntaient autant que possible le chemin le plus direct, empilaient des montagnes de bois sur leurs traîneaux, qu'ils acheminaient jusqu'à la scierie à travers des massifs d'arbres non rentables. Leur lourd chargement creusait de profondes ornières dans la forêt. Le tracé de certaines pistes avait été repris par les autoroutes, tandis que d'autres étaient tombées en désuétude et recouvertes par la végétation. Certaines enfin, utilisées de temps à autre, restaient praticables.

Karl était sûr de lui quand il empruntait des raccourcis ou s'engageait dans un chemin à un embranchement. Cela faisait longtemps qu'il campait sur ce terrain éloigné, et tandis qu'il conduisait sur ces chemins sablonneux, traînant un nuage de poussière dans son sillage, il avait l'impression de se rendre à sa résidence d'été. Quand il repéra des touffes d'herbe dans les ornières, Karl sut qu'il était presque arrivé.

Il rétrograda en première et scruta l'ombre des arbres. Il remarqua l'écorce écaillée de trois énormes pins rouges, puis dirigea sa voiture hors de la piste, droit dans les bois. Il arrêta la Blazer contre le mur de la forêt au bout de quelques mètres et coupa le contact.

Il faisait encore jour, mais le soleil se coucherait d'ici une demi-heure et l'obscurité tomberait vite. Karl décida de n'emmener au campement que ce dont il avait besoin pour la nuit et de revenir le lendemain matin chercher le reste. Il fit glisser la tente en tissu sur la tôle lisse et la hissa sur son épaule. De sa main libre, il saisit un sac de couchage et se mit en route vers le triangle formé par les pins rouges.

Le terrain qu'il avait choisi pour camper surplombait la rivière de cinq ou six mètres. Son cours était grossi par l'appoint de la Petite Rivière des Deux Cœurs. Le confluent de la Grande et de la Petite Rivière se trouvait à un kilomètre en amont du camp de Karl. Les premiers Indiens avaient remarqué la similarité de leurs cours et les avaient appelées Nizhode Sibi, les Rivières Jumelles. Le même mot, Nizhode, mais accentué sur la dernière syllabe, signifiait « des Deux Cœurs ». Au mépris de toute exactitude linguistique, les missionnaires français choisirent la deuxième traduction.

Une fois sa tente plantée en face de la rivière à l'abri des vents dominants, Karl entreprit de parcourir la centaine de mètres qui le séparaient de sa voiture. Conditionné par la vie citadine, il ferma soigneusement les portes à clef avant de retourner au camp pour la nuit. En dépassant les trois pins rouges, il remarqua que l'écorce d'un des troncs était plus abîmée qu'elle n'aurait dû l'être. Il fit halte pour la regarder. En certains endroits, l'écorce était totalement arrachée et le tronc tout entier profondément tailladé. Ces entailles le rendirent perplexe et il resta un bon moment à observer le tronc, deux boîtes en carton serrées dans les bras. Des ratons laveurs ou des écureuils à la recherche d'insectes ? Karl n'avait jamais chassé l'ours.

9.

Une liste de noms couvrait une feuille de papier posée sur le bureau de Janis. Derrière la porte fermée, Janis entendait les aboiements étouffés des chiens ; elle regardait la feuille de papier sans la voir. Inutile d'appeler de nouveau les propriétaires des chiens. Tous avaient été prévenus. A moins que je ne me trompe, se dit-elle. Janis fut incapable de se rappeler si elle leur avait téléphoné ou non.

« Excusez-moi », fit une voix forte.

« Oh, je suis désolée », dit Janis, « je ne vous avais pas vue entrer ».

« Réveillez-vous, ma chérie. Je suis là depuis un bon moment. » La peau bronzée et sèche de la femme prouvait qu'elle passait toute l'année au soleil : la Floride en hiver et un Etat du Nord quand il faisait trop chaud dans le Sud. « Je pars faire de la voile avec mon mari et nous ne pouvons pas abandonner Reginald. »

« Reginald ? »

« Oui. Voici Reginald. » La femme posa sur le comptoir un caniche nain, dont la toison blanche et bouclée évoquait irrésistiblement les cheveux de sa propriétaire. « Cela me navre, mais il va bien falloir que je le laisse ici. Il déteste l'eau. »

« Je regrette, mais je n'ai pas de place pour Reginald. »

« Mais c'est impossible », glapit-elle. « Il a le mal de mer. »

« Je suis désolée. »

« Il fait si beau pour un samedi. Vous ne voulez pas nous le gâcher, n'est-ce pas ? »

« Vous ne pouvez pas le garder chez vous et demander à un voisin de le sortir ? »

« C'est hors de question. Je ne fais confiance à personne. » La voix de la femme se durcit. « On m'avait pourtant dit que cet établissement était digne de confiance. »

« Je peux vous assurer que c'est le cas. Mais, euh, certains de mes chiens sont malades et je ne peux pas en prendre d'autre. »

« Oh, je vois. Très bien. » La femme prit son chien sous son bras et trottina vers la porte. Quand elle sortit, Reginald aboya par-dessus son épaule.

La porte se referma et Janis soupira. Elle lut sur la vitre les lettres noires renversées : « Ouvert le samedi de midi à cinq heures. » Comme la voiture de la femme sortait du parking désert, Janis décrocha le téléphone.

« Madame Routier ? Ici Janis ; je vous appelle du chenil. Leslie est-elle là ?... Oh, je voulais simplement lui dire que je partais maintenant. Il est trois heures, les chiens ont tous mangé et je n'ai aucune raison de rester... Non, je laisse les portes battantes ouvertes, pour qu'elle n'ait pas à revenir ce soir... Mais je compte sur elle pour passer demain comme convenu ?... Parfait. S'il arrive quoi que ce soit, je serai ce soir à l'école du Village Ottawa et chez moi toute la journée de dimanche... Merci, madame Routier. Au revoir. »

La main de Janis resta posée sur le téléphone tandis qu'elle regardait une pile de courrier sur la table. Les lettres non décachetées étaient adressées soit au docteur Routier, soit à elle-même. Sous la pile se trouvait un livre de comptes ouvert. Elle retira sa main, comme si elle avait touché une plante vénéneuse.

Elle s'arrêta brièvement pour fermer la porte à clef et se hâta vers sa voiture. Elle ne leva le pied de l'accélérateur que lorsqu'elle fut sortie de la ville. Elle n'avait pourtant aucune raison de se presser. Elle respira profondément et se passa la paume de la main sur le front. Si seulement elle réussissait à se détendre, se dit-elle. Si seulement elle comprenait ce qui lui arrivait.

Axel entendit la voiture s'arrêter devant la maison. Il posa son stylo sur le bloc de papier et abandonna son dossier sur la table pour se diriger vers la porte latérale.

« Bonjour, chérie », dit-il en embrassant Janis sur la joue. « Tu rentres tôt. »

« Je n'avais plus rien à faire, dit-elle en le suivant dans la pièce commune. Et je ne pouvais pas accepter d'autre chien au chenil. »

« Mais je croyais que tu avais des formalités à régler ? »

« C'est terminé. » Le mensonge lui vint tout naturellement. Elle ouvrit la bouche pour se reprendre, mais ne dit rien. C'était sans importance.

« Tant mieux. Larry a téléphoné pour nous inviter à dîner avant la réunion. »

« Ce soir ? »

« Oui. J'ai essayé de t'appeler, mais tu devais être déjà partie. »

« Et tu lui AS répondu qu'on viendrait ? » La voix de Janis se fit tranchante comme un couperet.

« Euh, oui. » Il hésita. « Tu ne vois pas d'inconvénient à dîner là-bas, j'espère ? Tu aimes bien Larry, non ? »

« Mais bien sûr. Ça me va tout à fait. » La tension avait soudain disparu de sa voix. « Excuse-moi d'avoir crié, Axel. C'est sûrement la fatigue. »

« Tu n'es pas forcée d'assister à la réunion. »

« Non, je tiens à y participer. Vraiment. » Janis lui adressa un sourire convaincu, puis disparut dans leur chambre. Elle tenait vraiment à y assister. Elle y avait souvent pensé ces derniers temps. Pourtant, quelque chose lui disait qu'elle ferait mieux de rester chez elle.

Plongée dans ses pensées, Janis n'adressa pas la parole à Axel avant que leur voiture n'eût rejoint l'embranchement du raccourci en terre et la route de comté 621. « C'est là qu'on a retrouvé la voiture de Davis », dit-elle.

Axel ne savait pas si c'était une question ou une simple remarque, mais en profita pour briser le silence. « Oui, à peu près au milieu du chemin. A sa place, tu serais partie dans quelle direction, si tu avais eu le choix ? »

« Oh, je ne sais pas. Vers la ville, j'imagine. » Sa voix était neutre, distante. Axel décida de se taire. Elle sortirait toute seule de son apathie.

Vers le milieu de la grande courbe de la 621, après que la route eût commencé à s'incurver légèrement vers l'est, Axel ralentit et bifurqua dans un chemin dont l'asphalte se désagrégeait. Les bois touffus laissaient la place à des fermes isolées.

Les épis de maïs se dressaient de toute leur taille, à un mois de la moisson. Des cerisiers poussaient dans de modestes vergers, mais c'était le maïs qui dominait, comme deux cents ans auparavant, à l'époque où les Ottawas s'installèrent dans la région.

La plupart des Indiens de la réserve étaient éparpillés dans de petites fermes et le village comptait en tout et pour tout une douzaine de maisons. Le village fournissait les denrées de première nécessité, mais il fallait aller en ville pour tout achat important. Une station-service reconnaissable à son enseigne — le cheval volant de la société *Mobil* — jouxtait un magasin d'alimentation générale. Le seul autre commerce du village était un bar tenu par Henry Longfellow. Au fil des ans, Henry avait transformé son bar en musée de bois sculptés et de tables taillées dans des souches d'arbre.

Les Michelson arrivèrent à l'école située au pied de la dune. De l'autre côté, la dune s'élevait à partir du rivage du lac Michigan jusqu'à la modeste altitude de soixante dix mètres. Le monticule de sable était à peu près stable, recouvert de touffes d'herbe et dominé par la silhouette solitaire de l'Arbre Crochu, dont la cime tourmentée pointait vers le Village des Ottawas, à une trentaine de mètres en contrebas.

Larry Wolf habitait juste au pied de la colline sablonneuse. Son grand-père et son père avaient construit l'unique étage de leur maison dans les années 1940, en récupérant le bois de charpente de la gare de Wabanakisi, quand celle-ci fut démolie pour laisser place à un bâtiment plus vaste et en pierre. Le grand-père avait travaillé à la gare de chemins de fer depuis sa jeunesse ; il y préparait les repas des ingénieurs et des cheminots et nettoyait les salles. Le bois de construction manquait pendant les années de guerre, mais même dans le cas contraire, Mr. Wolf n'aurait jamais pu l'acheter. Quand les plans de la nouvelle gare furent terminés, Charley Wolf se porta volontaire pour démonter le vieux bâtiment en échange du bois récupérable. Avec son fils, il passa tout un été à démolir le bâtiment, planche par planche, clou par clou. Ils chargèrent le bois sur un vieux camion et le transportèrent à la réserve, où les deux hommes construisirent leur propre maison en utilisant les meilleures planches et les clous pouvant encore servir.

Axel gara sa voiture et s'avança vers la maison avec sa femme. Au-dessus des dunes mais encore loin du rivage, Axel remarqua la ligne sombre d'un front nuageux qui venait vers la terre. Il espéra qu'il pleuvrait, car la forêt desséchée en avait besoin.

La maison était propre et en bon état, mais la peinture blanche, jaunie par le soleil estival et érodée par le vent d'hiver, s'écaillait sous le toit et autour du pignon. Il y a quelques années, le grand-père de Larry serait monté sur une échelle pour la gratter et repeindre dès les premiers signes de décrépitude, mais le temps avait fait son œuvre et Charley Wolf n'avait plus la force d'effectuer ce travail. Et depuis deux étés, Larry n'avait pas un instant à lui.

Au-dessus des marches en bois qui menaient au porche se trouvait une planche de bois sculpté où était profondément gravé le nom « Wabanakisi ». Elle avait jadis surplombé la porte de l'ancienne gare de chemins de fer et, comme elle ne convenait plus au nouveau bâtiment de pierre, personne n'avait vu le moindre inconvénient à ce que Mr. Wolf l'emportât avec le bois. Un artisan Ottawa inconnu l'avait sculptée au tout début du vingtième siècle. A gauche des lettres se trouvait un dessin de l'Arbre Crochu, qui ressemblait tout à fait à son aspect actuel ; à droite était gravée la silhouette du cousin des Ottawas, l'ours noir. Janis s'arrêta en haut des marches et leva les yeux vers la planche.

« Beau travail, n'est-ce pas ? » dit Axel.

« Oui, vraiment », répondit Janis. Elle baissa les yeux et gravit la dernière marche.

La porte à claire-voie s'ouvrit et Larry la retint d'une main. « Bonsoir, Axel. Bonsoir, Janis », dit-il. « Entrez donc. » Janis sourit et lui dit bonsoir. Ils passèrent devant lui et pénétrèrent dans le salon avant de s'asseoir sur un vieux divan. On entendit un bruit de chasse d'eau sonore et le grand-père de Larry apparut peu après. « Ne vous dérangez pas, ne vous dérangez pas », dit-il en traversant la pièce en sautillant. Il fut près du divan avant qu'Axel n'eût le temps de se lever. « Je sais à quel point c'est difficile de s'extirper de ces coussins. On dirait presque qu'ils ont des ventouses. »

Il se pencha, tandis que ses mains cherchaient derrière son dos un *rocking-chair* en osier. « Comment allez-vous, Janis ? » demanda-t-il en s'asseyant.

« Bien », répondit-elle. « Vous semblez en forme. Vous faites toujours de l'exercice ? »

« Oui. Tous les matins, je monte à pied jusqu'à l'Arbre Crochu. C'est bon pour le cœur, vous savez. » Il sourit et leva un doigt osseux. « Dans le temps, j'y allais par plaisir, pour voir le soleil se lever sur la forêt. C'est un spectacle magnifique, cette lumière orange baignant les arbres. Mais voilà des années que je ne me lève plus assez tôt pour voir l'aube. » Il rit. « Pourtant, je continue mes promenades matinales, parce que le docteur me l'a conseillé. »

« Il t'a peut-être dit de prendre de l'exercice, mais je ne crois pas qu'il songeait à une promenade quotidienne aussi longue. Moi aussi, Mishoo, j'aime beaucoup la vue qu'on a de là-haut, mais je préfère voir le soleil se coucher sur le lac. C'est mon heure favorite. »

« D'accord, mais si tu pouvais sortir du lit de bonne heure, tu me comprendrais. » Charley Wolf se tourna vers Axel. « Qu'est-ce que c'est que cette histoire dont Larry me rabat les oreilles depuis ce matin, comme quoi les arbres poursuivraient en justice les promoteurs immobiliers ? »

Axel se pencha en avant et posa sa main bandée sur son genou. « Pour poursuivre quelqu'un en justice en vue d'une interdiction ou dans tout autre but, vous devez prouver que votre plainte se fonde sur un intérêt légal reconnu. Autrement dit, vous devez démontrer que vous n'usurpez pas les droits d'un tiers. Dans le cas présent, c'est l'Etat qui possède les terrains. C'est l'Etat qui a établi les baux et il ne veut sûrement pas les annuler. Pour que les Ottawas puissent obtenir l'interdiction du plan de développement immobilier, ils doivent prouver que, même s'ils ne possèdent pas les terrains, ils y sont directement intéressés. Dans l'action que nous avons engagée, nous fondons toute notre argumentation sur l'ancien traité et le droit de chasse qu'il accordait aux Indiens. Bon. Maintenant, Larry ne voit pas pourquoi nous aurions à prouver ce type d'intérêt légal dans une affaire relevant de l'environnement, où les dommages écologiques touchent les terres de celui qui les provoque. Il existe certes des règlements qui peuvent nous aider, mais ça ne suffit pas. Et si personne ne prend la défense des terrains, l'agresseur aura les mains libres. Dans notre cas, l'agresseur c'est l'Etat. La thèse de Larry est la suivante : puisque l'environnement risque d'être irrémédiablement endommagé, il devrait avoir le droit de venir au tribunal pour se défendre. »

« Tu veux dire au même titre que n'importe qui d'autre ? » demanda Janis, stupéfaite.

« Bien sûr », dit Larry. « Toutes sortes de personnes juridiques fictives ont le droit d'intenter des actions en justice — sociétés, municipalités, associations. Même les navires en mer. »

Cette façon de voir les choses n'étonna pas le moins du monde Charley Wolf. Tandis que les autres discutaient, son visage se renfrogna et les rides de sa peau parcheminée semblèrent se creuser. « Nos grands-pères respectaient la nature », les interrompit-il enfin, prononçant chaque mot comme s'il s'agissait du premier épi de maïs de la moisson qu'il tenait dans ses mains, et que sa voix le protégeait et le caressait. « Ils savaient que les forces de la nature sont incomparablement plus puissantes qu'eux-mêmes. Ils lisaient dans les âmes des animaux et s'y retrouvaient. Ils voyaient en l'ours leur cousin et lui témoignaient le respect dû aux ancêtres, car ils savaient que l'ours pouvait renfermer l'âme de leur grand-père. Ils ne chassaient pas pour le plaisir, mais pour se nourrir, s'habiller, fabriquer des outils et des huttes. Et quand ils tuaient, ils n'abandonnaient pas la viande pour garder uniquement un trophée. Ils offraient un sacrifice à l'esprit de l'animal et lui demandaient pardon de l'avoir tué. » Ses paroles étaient empreintes de tristesse et d'une certaine méfiance, qui semblaient dissimuler une blessure cachée, comme une couverture étendue pour étouffer un feu.

Charley Wolf était un vieillard ; son visage en témoignait, avec ses rides profondes, ses cheveux blancs et secs, depuis longtemps privés d'huiles naturelles, qui recouvraient ses oreilles. « Nos grands-pères », poursuivit-il en levant un doigt osseux, « apprenaient à respecter la terre et les forêts. Ils apprenaient de bonne heure la puissance des manitous. Un jour, un chasseur indien succomba à l'orgueil. Il oublia qu'il dépendait des forces de la nature et se mit à agir comme si les animaux, les lacs et les arbres n'étaient là que pour accroître sa gloire. Il voulait que ses flèches fussent taillées dans le cœur du cèdre. Il abattait un arbre entier et le laissait pourrir, à l'exception d'une baguette taillée dans son cœur, que le chasseur façonnait en une unique flèche. Un jour, le chasseur aperçut un Mitche Muhquh, un ours plus énorme que tous ceux qu'il avait jamais rencontrés. Il s'approcha furtivement de l'ours puis, rassemblant toute sa force et son adresse, lui décocha une flèche. Le Mitche Muhquh se dressa sur ses pattes arrière et poussa un rugissement qui fit trembler les feuilles des arbres et rida l'eau du lac. La flèche s'arrêta à mi-course, repartit en sens inverse » — il raidit son bras tendu et serra ses cinq doigts pour figurer la pointe de la flèche — « et vint se planter dans le cœur du chasseur. » Les doigts réunis frappèrent le centre de sa poitrine. « Le chasseur tomba sur le dos et la flèche se transforma en un bouleau blanc. Ce chasseur avait volé le cœur des arbres et les Indiens volèrent sa peau pour fabriquer leurs canoës et leurs wigwams. »

La pièce resta un moment silencieuse. A la dérobée, Axel regarda Janis. Les yeux baissés, elle était sagement assise, comme dans une salle d'attente bondée d'inconnus. « Monsieur Wolf », dit Axel, « si vous pouviez être aussi éloquent mercredi prochain devant le jury, nous n'aurions aucun mal à gagner. »

Larry se leva et se dirigea vers la cuisine. « Il se fait tard », dit-il. « Si nous ne dînons pas tout de suite, nous allons manquer la réunion. »

Axel ne devinait pas si Larry était de bonne ou de mauvaise humeur, mais il savait à quoi s'en tenir pour Janis : elle lui lança un regard noir quand ils se levèrent pour se mettre à table. Comme elle suivait Axel hors de la pièce, Charley Wolf resta assis et, un sourcil plus haut que l'autre, fixa le dos de Janis.

Larry sortit du four un plat de poulet et le posa sur la table à côté de Janis. Elle se servit et passa le plat. Larry retourna à la cuisine et en revint avec un pot de terre blanc, qu'il tenait par le bord avec une serviette et un gant pour ne pas se brûler.

De la vapeur jaillit du pot quand Larry souleva le couvercle en verre. « Mindhamin », annonça-t-il. « J'ai préparé le maïs moi-même. » S'adressant à Axel, il dit : « C'était autrefois le plat principal des Ottawas. »

« Oui, je sais. J'en ai déjà mangé à certaines fêtes. »

« Mais il n'était pas préparé à l'ancienne », dit Charley Wolf. « Moulu à la main et assaisonné d'herbes cueillies dans les bois. Ce devait être de la conserve, avec des épices en boîte. » Axel regarda Janis. Elle ne paraissait pas amusée. « Les gens oublient les vieilles coutumes », ajouta tristement Charley Wolf.

« Oh, allez, Mishoo. Peu importe comment on le prépare », dit Larry. « L'essentiel, c'est la farine de maïs. C'est un symbole, un souvenir de notre tradition, c'est tout. »

« Non, ce n'est pas tout. La préparation de la nourriture était jadis un événement religieux. Les manitous y assistaient, et de leur approbation dépendait l'assurance de manger à sa faim. »

« Je ne savais pas que tu croyais encore à tous ces trucs concernant les esprits, à toutes ces vieilles légendes », dit Larry.

« Je ne sais pas si j'y crois, mais je suis convaincu que " tous ces trucs " ont aidé notre peuple à survivre pendant des centaines d'années. Et tout a bien été pour les Indiens jusqu'à... » Charley Wolf s'arrêta là — par égard pour moi, se dit Axel. « Peux-tu imaginer », poursuivit-il, « nos grands-pères tuant leur cousin le muhquh sans lui demander pardon, sans fumer le tabac avec lui après la chasse ? C'est peut-être une coutume primitive, ou idiote ; mais elle nous apprenait au moins à respecter les animaux, à respecter la nature et la nourriture qu'elle nous fournit. Les gens oublient les vieilles coutumes ; maintenant, ils abattent le muhquh dans sa tanière et appellent ça du sport. Mais il y a pire : ils ne tiennent pas les os du muhquh à l'écart des chiens, son ennemi féroce. Les chiens déchirent sa chair, éparpillent ses os et laissent son esprit battre la campagne à la recherche du repos. » Il parlait lentement, arrachant ses mots du plus profond de sa gorge. « Un jour, notre peuple regrettera de ne pas avoir respecté les vieilles coutumes. Il regrettera amèrement. »

La vieille école était bondée. Il y avait quarante chaises pliantes en acier serrées côte à côte, toutes occupées, et même des gens appuyés contre les murs ou assis sur le rebord des fenêtres. Le Conseil Ottawa, représentant les Indiens de l'Arbre Crochu, occupait le premier rang. Axel Michelson était assis derrière un bureau couvert de papiers, face à l'assemblée.

« Notre premier objectif était d'arrêter les. bulldozers. Il fallait agir rapidement et, comme je l'ai déjà expliqué au conseil, nous avons déposé au tribunal ce qu'on appelle une demande d'interdiction temporaire. Nous avons gagné et le tribunal nous a accordé une interdiction de dix jours.

« Mais maintenant, nous devons convaincre la justice de nous octroyer une interdiction préliminaire, avant qu'une décision définitive ne soit prise sur cette question. Une interdiction préliminaire a les mêmes effets qu'une interdiction temporaire ; elle gèle la situation jusqu'à ce qu'une décision définitive soit prise, ce qui peut demander plusieurs mois. »

Axel prit un carnet jaune posé devant lui sur le bureau. « A l'audience de l'interdiction préliminaire, nous devons prouver que, si notre requête est rejetée, nous subirons de graves préjudices. Ce n'est pas difficile. Si nous sommes déboutés, la forêt sera rasée et le pire sera déjà accompli quand la justice prendra une décision définitive. D'un autre côté, le juge devra aussi prendre en compte le préjudice causé aux sociétés *Sunrise Land* et *Home*. Ce préjudice inclue non seulement le retard apporté au démarrage du chantier, mais aussi la mise au chômage technique des employés et un manque à gagner pour toute la communauté. Vous pouvez être sûrs qu'ils vont insister là-dessus auprès du juge. En bref, le juge va se demander qui sera le plus lésé si nous remportons l'interdiction préliminaire, mais qu'ils ont finalement gain de cause. »

Axel finit d'exposer les points qu'il avait préparés, puis proposa une courte pause avant de répondre aux questions.

Il descendit de l'estrade et se dirigea vers l'aile de la salle où se trouvaient Janis, Larry et Charley Wolf. Janis se leva rapidement pour aller au-devant d'Axel, laissant Larry et son grand-père derrière elle. Elle posa ses mains sur les épaules d'Axel et approcha sa bouche de l'oreille de son mari. « Il faut absolument que je parte », chuchota-t-elle d'un ton angoissé. « Ce type me rend folle. »

« Que veux-tu dire ? » fit Axel en se dégageant pour voir le visage de sa femme.

« Rien d'autre que ce que j'ai dit », répondit-elle sèchement. « Il n'a pas cessé de me dévisager, tout le temps que tu parlais. Je sentais sans arrêt ses yeux posés sur moi. »

« Oh, tu te fais des idées », dit-il pour la calmer. « Je regardais souvent dans votre direction, et Mr. Wolf avait les yeux fixés sur moi à chaque fois. »

« Et quand la pluie a commencé à tambouriner sur le toit, il s'est penché pour murmurer je ne sais quoi à propos de Nanabojo et de Peepuckewis. »

« Cette vieille histoire si drôle ? »

« Ecoute, je rentre à la maison, point final. Donne-moi les clefs de la voiture ; tu pourras sûrement trouver quelqu'un pour te ramener. »

« D'accord. D'accord », dit Axel d'un ton irrité. « Mais laisse-moi en parler à Larry. Il peut sans doute te raccompagner. »

Axel quitta sa femme pour rejoindre Larry et son grand-père. « J'ai un service à te demander, Larry. Janis est fatiguée et je me suis dit que tu pourrais peut-être la ramener à la maison ? »

« Maintenant ? »

« Oui, s'il te plaît. »

« Bien sûr, pas de problème. »

Axel se retourna vers Janis, mais elle n'était plus derrière lui. « Elle est déjà là-bas, près de la porte », leur dit Charley Wolf.

En allant vers la sortie, Axel murmura à Larry : « Après l'attaque des chiens de l'autre jour, je ne voudrais pas qu'elle retourne seule chez elle. »

« Je comprends très bien. Je peux prendre ma voiture et attendre ton retour, si tu veux. »

« Excellente idée. Je crois que dans une heure la réunion sera terminée. »

« Tu t'es porté volontaire pour me conduire ? » demanda Janis quand les deux hommes l'eurent rejointe.

« Oui. Tu es prête ? »

« Oui. » Elle embrassa Axel sur la joue. « Excuse-moi, chéri. A tout à l'heure. »

Dès qu'ils furent sortis, Axel se retourna et se dirigea vers le fond de la salle, où une cafetière était posée sur une table pliante. Dans sa poche, il prit un petit tube et en fit sauter le bouchon en plastique. Il fit tomber une pilule contre la douleur au creux de sa main et l'avala avec une gorgée de café. C'était le quatrième Darvon qu'il prenait depuis ce matin.

Il y eut davantage de questions que n'en avait prévu Axel ; quand la réunion se termina enfin, il s'aperçut qu'il était onze heures du soir. Surpris, il aperçut Larry assis à côté de son grand-père.

« Que fais-tu ici ? » lui demanda Axel. « Janis est avec toi ? »

« Non. Elle est chez vous. Elle a refusé que je reste avec elle. »

« Comment ça, elle a refusé ? »

« Elle ne m'a même pas laissé entrer dans la maison. Elle a été intraitable. »

« Mais bon Dieu, tu sais ce qui est arrivé aux chiens. Celui qui a fait ça peut très bien revenir. Je ne comprends pas comment tu as pu la laisser seule. »

« Axel, c'est elle qui m'a jeté dehors. Elle m'a interdit de rester. »

Michelson resta un moment silencieux. Puis il dit calmement : « Excuse-moi, Larry. Je n'aurais pas dû te houspiller comme je l'ai fait. Comment se sentait-elle ? »

« Elle paraissait tendue, comme durant toute la soirée. Mais autrement, ça allait. » Axel se frottait le menton en réfléchissant. « Tu crois que quelque chose cloche ? »

« Non. Non, je ne crois pas. Il y a eu pas mal de coups durs ces temps derniers, les chiens entre autres. Je n'aurais pas dû lui dire de venir ce soir. » Michelson finit de ranger ses papiers dans son attaché-case et se dirigea vers la porte.

« Veux-tu que je te suive chez toi, Axel ? » lui proposa Larry.

« Merci beaucoup, mais je suis sûr que tout va bien maintenant. » Axel se dirigea vers sa voiture. Il n'était absolument pas sûr que tout allait bien.

10.

Une flamme hésitante jaillit des bandes jaunes qui striaient la bûche. Sa surface craquelée se recroquevilla et le bois s'enflamma. Assis sur un tabouret pliant, Karl Waldemeir regardait les braises brûler. Après une longue journée de pêche, il se sentait fatigué, mais détendu. A l'exception de deux canoës qui étaient passés près de sa tente durant l'après-midi, et d'une moto tout terrain dont le ronflement avait traversé les bois, il n'avait rencontré personne. Karl aimait cet isolement, qu'il retrouvait chaque fois qu'il venait camper près de la Grande Rivière des Deux Cœurs.

Le soleil n'allait pas tarder à se coucher ; le temps semblait tourner à la pluie. Au matin, il avait ramené au camp le reste de son matériel, mais n'était pas retourné à sa voiture depuis. Avant de s'installer pour la nuit, il désirait s'assurer qu'aucun humain ni aucun animal n'avait endommagé sa Blazer.

Il pénétra dans les bois et s'arrêta près du pin rouge à l'écorce arrachée. Un raton laveur ou un écureuil n'aurait pu entailler le bois aussi profondément, se dit-il. Des stries pareilles étaient l'œuvre de griffes puissantes. Un ours ? Peut-être. Il savait que des ours noirs vivaient dans l'Arbre Crochu, mais pendant toutes les années qu'il avait fréquenté la Grande Rivière des Deux Cœurs, il n'en avait jamais vu aucun. Pourtant, s'il y en avait dans le coin, ils pourraient l'ennuyer s'il laissait de la nourriture à leur portée. Il se promit de prendre des précautions supplémentaires pour ne pas laisser traîner le moindre aliment comestible. Puis il s'éloigna de l'arbre et s'enfonça dans l'ombre des bois.

L'ours se tenait au-dessus d'un petit monticule de sable, érigé grain à grain par une colonie de fourmis sur la mince couche de sol noir. Il observa le monticule quelques instants, puis posa sa patte à côté de la fourmilière bouleversée. Les fourmis remontaient de leurs galeries souterraines pour combattre l'ennemi ou réparer les dégâts. L'ours regardait placidement les bataillons de fourmis monter à l'assaut de sa patte et se perdre dans son épaisse fourrure noire. Quand son membre fut quasiment couvert d'insectes, l'ours s'assit sur son arrière-train et entreprit de nettoyer sa fourrure avec sa langue, jusqu'au dernier insecte. Puis l'ours posa de nouveau sa patte sur la fourmilière en vue d'une deuxième tournée.

Satisfait de cet amuse-gueule riche en protéines, il s'éloigna de la colonie décimée, car son instinct le poussait à trouver un plat plus consistant. Quand, en novembre, la neige se mettait à tomber et que l'ours s'installait dans sa tanière hivernale, huit centimètres de graisse et six de fourrure étaient nécessaires pour lui permettre de passer confortablement l'hiver. Pour autant qu'il hibernât réellement, sa respiration et sa circulation ralentissaient et la température de son corps descendait jusqu'à avoisiner celle de l'air ambiant. Mais l'ours n'hibernait pas vraiment. Il sombrait simplement dans un profond sommeil et passait l'hiver dans sa tanière afin de ne pas affronter le manque de nourriture.

L'ours interrompit sa chasse du soir pour se gratter le dos. Il s'accroupit sur ses pattes arrière, puis s'allongea contre un arbre. Il se frotta contre l'écorce rugueuse et poussa un grognement de satisfaction. Laissant des touffes de poils noirs sur l'écorce, il se laissa tomber en avant et poursuivit sa chasse. Il était essentiellement végétarien ; il mangeait presque de tout, mais arracher les baies d'un buisson ou les touffes d'herbe d'une clairière était beaucoup plus aisé que de courser un lapin ou d'affronter une queue de porc-épic. L'ours ne dédaignait pourtant pas un petit animal quand il en avait l'occasion et c'était l'heure de la journée que préféraient la plupart des créatures de la forêt pour sortir de leur terrier en quête de nourriture.

Kate et Marsha n'entendaient presque plus le grondement de la Grande Rivière des Deux Cœurs. Le bruit de l'eau se brisant sur les rochers diminuait au fur et à mesure qu'elles s'enfonçaient dans les bois en espérant apercevoir un animal à la recherche de son dîner.

Elles n'avaient pas beaucoup avancé durant cette première journée passée sur la rivière. Le plus souvent, elles s'étaient laissées porter par le courant, ne pagayant que pour maintenir le canoë dans la bonne direction ; à quatre heures, elles avaient établi leur camp sur un talus bordant la rivière. L'endroit était idéal et avait déjà servi de nombreuses fois. Dans les bois, Kate murmura : « Quelles sortes d'animaux cherchons-nous au juste ? »

« N'importe lesquels, tu sais. Presque tous les animaux sortent de leurs trous au crépuscule, pour se nourrir. Si nous tombons sur une clairière où le soleil atteint le sol et où poussent de l'herbe et des plantes, nous verrons sûrement quelque chose. »

Les deux femmes marchaient silencieusement en essayant d'éviter les brindilles et les feuilles mortes. Elles désiraient passer inaperçues. Au lieu de s'éclaircir, la forêt devint plus dense. Les arbres à feuilles caduques l'emportaient sur les sapins, qui poussaient bien sous la voûte pourtant épaisse des autres arbres ; ils faisaient partie des rares conifères capables de se développer malgré une faible lumière. Cent ans pouvaient s'écouler avant que les courtes aiguilles du sapin ne vissent la lumière du soleil, mais dès lors, l'arbre pouvait vivre cent autres années.

Soudain, Kate saisit le bras de Marsha. Des feuilles bruissaient sur leur gauche.

« Si nous y allions », chuchota Kate.

« D'accord. Mais séparons-nous ; je continue un peu dans cette direction et toi, tu vas par là », dit Marsha en montrant l'endroit d'où venait le bruit.

Quelque chose se déplaçait lentement dans la forêt. Elles ne voyaient encore rien, mais percevaient des mouvements irréguliers, presque maladroits. Maintenant, elles étaient près de la chose, et pour la première fois elle les entendit. Elle s'arrêta longtemps pour localiser les intrus. Marsha vit des fougères bouger et cria à Kate : « Le voilà ! »

Il les fuyait aussi vite qu'il pouvait, mais les deux femmes le virent. Kate aperçut d'abord la boule ronde entourée de piquants et courut en avant pour lui couper la retraite. Le porc-épic s'arrêta, haletant. Marsha arriva par derrière. « Il est terrifié », observa-t-elle.

« T'en fais pas, p'tit porc-épic, nous ne voulons pas te faire mal », dit Kate. « Nous désirons juste te voir. »

Le porc-épic tournait la tête sans arrêt pour surveiller les deux femmes. « Ne t'approche pas trop de sa queue », conseilla Marsha, alors que Kate marchait vers lui.

« Non. J'ai simplement envie de voir ses piquants de près. » Kate s'accroupit à quelques pas du porc-épic. « Regarde un peu ces machins. Incroyable. Jamais personne n'irait imaginer une créature aussi bizarre. »

« Ouais, je sais. Je me demande quelle a été son évolution », dit Marsha en faisant un pas en avant. Le porc-épic dressa soudain ses piquants, s'éloigna de Marsha et se rapprocha de Kate. Il se déplaçait beaucoup plus vite que Kate ne le pensait. Elle tomba en arrière quand il lui lança un coup de queue. Elle le repoussa des pieds et des mains et s'enfuit maladroitement à quatre pattes. Sans profiter de son avantage, le porc-épic s'enfuit également.

« Il t'a blessée ? » demanda Marsha en se précipitant vers Kate.

Kate s'assit par terre, pantelante. « Non », siffla-t-elle. « Mais il a bien failli. »

Marsha regarda le porc-épic. Il était à un mètre ou deux du sol et montait lentement le long d'un arbre. Marsha éclata de rire. Elle se tenait les côtes. Le sang afflua de nouveau au visage de Kate, qui sourit nerveusement. « Nous faisons de sacrées exploratrices », dit Marsha. « Terrorisées par un vieux porc-épic à moitié impotent. »

Kate se mit, elle aussi, à rire. « Remarque, nous ne l'avons pas volé », dit-elle. « C'est nous qui avons commencé par lui flanquer une trouille bleue. » Elle tendit la main vers Marsha. « Aide-moi à me lever. »

Marsha l'aida et dit : « Nous devrions faire demi-tour. Il va faire nuit très bientôt et je n'ai pas la moindre envie de passer la nuit dans la forêt. »

« Ouais. Qui sait quelle autre créature de cauchemar se tapit au fond des bois ? »

Marsha gloussa et les deux femmes revinrent vers la rivière. De son observatoire élevé, le porc-épic les regarda s'éloigner. Il ne les voyait et ne les sentait plus depuis longtemps quand il commença à redescendre.

« Tu sais, je me pose parfois des questions », dit Kate alors qu'elles approchaient de leur camp. « J'aime bien penser que je serais capable de me sortir de n'importe quelle situation, aussi difficile soit-elle. Que je saurai réagir rapidement. Mais la seule manière d'en être sûre, c'est de se retrouver dans une situation critique et de voir ce qui se passe. »

« Où veux-tu en venir, exactement ? Tu essaies de te donner des frissons ? »

« Non. Mais je me demandais. Un porc-épic agite sa queue sous mon nez et je suis à deux doigts de m'évanouir. Je me demandais simplement ce qui serait arrivé si j'avais eu affaire à un animal vraiment dangereux. Je veux dire, je ne crois pas que je m'en serais sortie. »

« Ne sois pas si dure avec toi-même. Si tu avais rencontré un animal vraiment effrayant, tu ne te serais pas retrouvée accroupie devant lui pour le regarder de près. Tu aurais pris tes précautions, fait davantage attention. »

« Oui. Peut-être », répondit Kate, pensive.

L'ours mâchait de l'herbe au milieu de la clairière. Non loin, une famille de cerfs paissaient nerveusement près de l'orée de la forêt, tout en surveillant d'un œil vigilant les mouvements de l'ours. L'ours les ignorait. Il aurait probablement pu attraper le faon, mais il préférait économiser son énergie pour accroître l'épaisseur de sa couche de graisse.

Sa dentition permettait à l'ours de broyer et de mâcher l'herbe. Comme le cochon ou l'homme, l'ours a les mâchoires d'un omnivore, avec des molaires sur les côtés et dans le fond de la bouche, et non les dents du carnassier uniquement conçues pour la viande ; mais les canines de l'ours sont des armes formidables qui, actionnées par de puissantes mâchoires, peuvent facilement arracher l'écorce d'un arbre.

L'ours était loin de manger en silence. Même des oreilles humaines éloignées pouvaient entendre ses grincements de dents. Il baissa la tête vers le sol pour arracher une autre touffe d'herbe, mais s'arrêta soudain. Il leva brusquement la tête et pointa son museau en l'air. Les cerfs détalèrent en un clin d'œil. Debout sur ses pattes arrière, l'ours humait l'air ; ses yeux n'étaient plus que deux fentes. Sa tête semblait osciller dans la brise, à la recherche ou dans l'attente paresseuse de quelque chose. L'ours se raidit et retomba à quatre pattes. Il se mit à trotter vers les bois dans un but bien précis ; la terre résonnait de ses pas. Il se dirigeait vers la Grande Rivière des Deux Cœurs.

Karl versa un pot plein d'eau sur le feu. Il décida de ne pas se donner le mal de retourner à la rivière pour en chercher davantage ; la pluie n'allait pas tarder à éteindre complètement son feu de camp. Il envoya un peu de sable sur les braises pour les empêcher de s'envoler. Il ne fallait pas mettre trop de sable, qui aurait alors formé une couche isolante, protégeant les braises de la pluie et laissant le feu couver pendant des jours et des jours.

Karl emmena ses ustensiles de cuisine dans sa tente et les posa près de son matériel de pêche. Il ouvrit la fermeture Eclair de son sac de couchage, dont il examina soigneusement l'intérieur, à la recherche d'araignées ou de toute autre bestiole qui aurait pu y pénétrer pendant la journée. Il aimait beaucoup vivre dans la forêt, mais n'avait jamais réussi à surmonter sa peur des insectes. Content d'avoir mis de l'ordre dans sa tente, il ressortit pour prendre une dernière précaution.

Il faisait nuit, mais l'ours ne ralentit pas son allure. Au fond de son œil, une membrane reflétait sur sa rétine la lumière ambiante, de sorte que l'œil voyait chaque objet deux fois. Cette utilisation efficace d'une lumière ténue donnait à l'ours une vision nocturne presque aussi bonne que la diurne. Elle donnait également aux yeux de l'ours l'aspect de deux disques réfléchissant la lumière. Plus la source de lumière était forte, plus ses yeux luisaient.

Kate et Marsha renversèrent le canoë et glissèrent la quasi-totalité de leur matériel dessous. Leur tente était à peine assez grande pour elles. Bien que confortable, elle devenait exiguë dès qu'on y entreposait le moindre objet encombrant. Contentes de constater que leurs affaires seraient au sec sous le canoë s'il pleuvait, elles s'occupèrent d'assurer l'étanchéité de leur tente.

Marsha alla vers l'avant de la tente tandis que Kate vérifiait l'arrière. Elles passèrent en revue piquets et tendeurs avant de poser le double toit. La tente était maintenant parée pour affronter la tempête. Marsha constata avec satisfaction que six bons centimètres séparaient le tissu de la tente du double toit ; elle ouvrit la fermeture Eclair sur le devant et toutes deux pénétrèrent dans leur tente pour dormir.

L'ours se déplaçait facilement et vite ; ses lourdes pattes battaient un rythme régulier sur le sol de la forêt. Ses deux cents kilos étaient recouverts d'une épaisse couche de graisse et de fourrure hirsute, mais il trottait dans les bois avec l'agilité du daim. Quand il levait la tête au-dessus de ses épaules, la bosse de son cou disparaissait dans la fourrure. Il se hâtait vers un but bien précis.

Karl rangea la nourriture dans la boîte en carton. Il se moquait qu'un animal pénétrât dans le carton des conserves, mais le paquet de chips, le pain ou le fromage étaient des aliments bien tentants. Il s'assura qu'ils étaient hermétiquement emballés avant de fermer le couvercle de la boîte en carton. Il glissa ensuite la boîte dans un sac à ordures en plastique pour la protéger de la pluie, puis dénoua une corde qu'il attacha autour de la boîte. Il chercha une branche au-dessus de sa tête. S'éloignant encore de quelques pas de la tente, il fit un nœud à l'autre bout de la corde et la lança dans un arbre. La corde passa par-dessus une branche et retomba de l'autre côté. Karl hissa la boîte à plus de deux mètres du sol et fixa l'autre extrémité de la corde au tronc de l'arbre. Il tira une ou deux fois dessus pour s'assurer qu'elle tenait. Tandis que la boîte se balançait doucement hors de portée des animaux, Karl entra dans sa tente — pour la dernière fois de la soirée, espérait-il.

L'ours s'arrêta brusquement et se dressa sur ses pattes arrière. Il venait de déceler quelque chose d'imprévu. Une forme sombre émergea lentement de l'obscurité. Immobile, l'ours vit un deuxième ours s'approcher. Il avait envie de faire demi-tour pour se réfugier dans les bois. Mais il ne broncha pas. Il se remit à quatre pattes et laissa l'autre approcher ; ses yeux brillaient dans l'obscurité. Les deux ours s'observèrent prudemment, presque museau contre museau. L'intrus recula lentement et s'éloigna dans la direction choisie par le premier ours, qui lui emboîta immédiatement le pas.

« Je vais faire un tour dehors », dit Kate.

« Mais pourquoi donc ? Il va pleuvoir d'une minute à l'autre. »

« T'en fais pas, Maman. Je suis une grande fille. »

Marsha soupira et se retourna. Kate ouvrit la fermeture Eclair de l'entrée et sortit en rampant. Dehors, elle se redressa, mit les mains sur ses hanches et regarda les bois. Tout était calme, mais Kate sentait quelque chose se terrer dans l'obscurité. Une force frémissante se dissimulait dans le calme de la nuit. Elle se cachait derrière les stridulations des grillons et l'orage menaçant. Mais elle était là, attendant son heure. Kate la percevait parfaitement à travers les démangeaisons de sa peau et les battements rapides de son cœur. La forêt allait s'éveiller avec l'orage et Kate tenait à assister au déchaînement de sa violence.

La fureur contrôlée des ours imprégnait l'air nocturne à chacun de leurs grognements. L'air sortait en cadence de leurs poumons, ponctuant le martèlement sourd de leurs pattes sur le sol. Ils marchaient l'un derrière l'autre ; leur allure régulière contrastait avec leur tension. Car ils étaient des chasseurs et sentaient que l'heure du meurtre approchait.

Allongé sur son lit de camp dans son sac de couchage, Karl regardait le plafond de sa tente. Bien que ses yeux fussent grands ouverts, il ne voyait rien. Mais il entendait les arbres se balancer et les feuilles bruire dans le vent. Il savait qu'il ne tarderait pas à entendre la pluie tambouriner sur le tissu.

Les ours ralentirent, se mirent à marcher au pas. Ils s'arrêtèrent pour lever leurs museaux et humer l'air. Peu après, ils se séparèrent, chacun partant dans une direction différente. Ils se déplaçaient sans hésiter, dans un but précis. Ils sentaient que leur proie était proche.

Un bouleau blanc à moitié mort dépassait du talus ; la rivière avait érodé le sol tout autour des racines. Kate s'assit sur le tronc d'arbre et regarda le ruban sombre de la rivière à ses pieds. Elle était aussi noire que les ombres des bois, mais d'un noir lustré, comme de la peinture fraîche.

Quelque chose se brisa derrière elle, dans la forêt. Elle se leva brusquement et se retourna. Rien. Elle remarqua que le vent courbait les arbres.

L'ours entendait maintenant le rugissement familier de la rivière. Il secoua violemment la tête et décrivit un cercle sur place. Il leva les yeux vers la voûte du feuillage bruissant. Un orage arrivait. L'ours regarda dans la direction de son partenaire et marcha de long en large. Il ne voyait pas l'autre ours, mais savait qu'il était là.

Kate sentait le vent traverser les arbres. Il l'enveloppa et l'emmena loin du bouleau. Elle dépassa la petite tente verte et pénétra dans les bois. Elle se sentait suprêmement bien. Personne. Pas le moindre immeuble. Simplement les fougères pour lui frotter les jambes et les brindilles sous ses chaussures. Elle était seule ; son bonheur l'enivrait.

L'ours griffa le sol. Il baissa la tête en dessous de ses épaules et l'agita lentement de gauche à droite. Il était la créature la plus forte de la forêt. Il n'avait pas d'ennemi naturel. Il se mit lentement en marche. A trente mètres de là, un autre ours fit de même.

« Kate ? » cria Marsha. Il n'y eut pas de réponse et elle cria plus fort. « Kate, où es-tu ? » Marsha fut parcourue d'un frisson involontaire. Elle sortit à contrecœur de son sac de couchage et fit glisser la fermeture Eclair de la tente.

L'air sifflait entre les dents de l'ours. Sa tête était dressée ; il avançait chacune de ses puissantes pattes avec précaution. Il ne se guidait plus seulement sur son odorat. Le regard de l'ours était fixé sur une forme étrange, inhabituelle dans la forêt. Il voyait sa proie.

Karl ne parvenait pas à fermer les yeux. Peut-être à cause du vent, se dit-il. Il ne s'était pas attendu à une bourrasque aussi violente. Une branche morte risquait même de tomber sur sa voiture. Merde ! fit une voix dans sa tête. Endors-toi. Mais il se sentait fébrile. Il ne réussirait jamais à s'endormir. Il tenta de se calmer, ferma les yeux. Sa nervosité les lui fit ouvrir l'instant d'après.

Les ours voyaient leur objectif. Mais ils se tenaient à l'abri et s'observaient, comme si chacun attendait que l'autre se décidât à agir.

Des feuilles frôlèrent le visage de Kate. Les arbres absorbaient les coups de vent, mais la brise filtrait à travers leur feuillage et décoiffait Kate. Elle se moquait de se faire tremper. Elle se moquait de se faire surprendre par l'orage. Ensorcelée par la perspective d'une nature déchaînée, elle s'enfonça davantage dans l'obscurité de la forêt sauvage.

« Kate ? » appela une nouvelle fois Marsha. Elle ne la voyait pas au bord de la rivière, mais entendait quelque chose dans les bois, derrière la tente. Elle s'avança rapidement en direction du bruit. Des brindilles se brisèrent. Elle vit une silhouette bouger dans l'ombre.

Leur épaisse fourrure noire se fondait dans l'obscurité. Seule la lueur de leurs yeux pouvait les trahir. Mais c'étaient des chasseurs : ils savaient comment surprendre leur proie.

Karl fit glisser la fermeture Eclair de son sac de couchage et sortit une jambe. Il transpirait. Il avait besoin d'air frais. Il se dit qu'il devrait déplacer sa voiture de sous les arbres pour la garer sur l'espace dégagé de la route. Mais il ne se leva pas. Quelque chose l'empêchait de bouger.

Kate sortit de son état second. Il y avait quelque chose dans les bois. Marsha déglutit avec peine. L'obscurité était trop dense pour qu'on pût voir quoi que ce fût. D'une main poisseuse, Karl essuya son front trempé de sueur. L'ours se dressa soudain sur ses pattes arrière et rugit ; sa tête dodelinait sous un ciel d'encre. « Kate ! » hurla Marsha dans le vent. Karl se dressa sur son lit de camp.

Abandonnant son abri, l'ours chargea ; ses griffes déchirèrent le tissu. L'autre ours se mit à quatre pattes et le suivit. La tente fut brusquement fendue en deux. Karl n'en crut pas ses yeux. La silhouette d'un ours se dressa au-dessus de lui. Paralysées de peur, ses mains étreignaient les montants en bois de la tente.

Des griffes acérées déchirèrent l'autre pan de la tente, qui s'effondra. Karl tomba de son lit de camp en hurlant. Les ours lacéraient le tissu, ne songeant qu'à leur proie qui se tortillait dessous.

Karl sentit la douleur poignarder le bas de son dos. Il essaya de ramper, mais ne pouvait plus bouger sa jambe gauche. Son bassin était brisé. L'air nocturne se précipita sur lui, il hurla encore et remua la tête juste à temps pour voir une forme tomber sur lui. Il lutta pour lever un bras devant son visage, mais un coup violent l'écarta. Il sentit du sang couler de son bras et jaillir sur son visage.

L'ours leva la patte et frappa. Karl entendit plus qu'il ne sentit une détonation éclater dans son cou. Il se recroquevilla. Après quoi, il fut incapable de bouger. Il ne sentait même plus le sang s'écouler de son corps. Un ours secoua la tête en tenant le bras de l'homme dans sa gueule. Karl avait perdu conscience quand l'ours relâcha son bras.

« Qu'est-ce que c'est que tout ce bruit ? »

« Comment ça ? Quel bruit ? » cria Marsha, en colère. « Où étais-tu, nom de Dieu ? »

« Juste là. Où crois-tu donc que j'étais partie ? »

« Comment veux-tu que je sache ? Tu te barres en pleine forêt alors qu'un orage se prépare. Je me suis même dit que tu étais au fond de la rivière. Tu ne m'as pas entendue ? »

Kate regarda attentivement son amie. Elle était ennuyée. « Non. Je ne t'ai pas entendue. Le vent devait emporter ta voix dans l'autre direction. » Marsha tremblait de tous ses membres. « Ecoute, Marsha. Je suis désolée. Je voulais simplement sentir le vent, l'orage. J'imagine que je suis allée trop loin. »

Marsha poussa un profond soupir. Elle n'était qu'à moitié rassurée. « Tu n'aurais pas dû te barrer sans me prévenir », dit-elle.

« Je sais. Excuse-moi », répéta Kate. Marsha ne répondit rien. Elle serra les lèvres et scruta les bois. « Allez, viens. Retournons à la tente », fit Kate. « La pluie s'est fait suffisamment attendre. Elle ne va plus tarder, maintenant. »

Elle ne tarda pas. Et il plut à torrents. Les ours marchaient tranquillement autour de la tente dévastée. Sur le tapis de sol, la mare de sang fut rapidement emportée par la pluie. Les ours quittèrent le campement de Karl. Ils avaient accompli leur forfait. Mais cela ne leur suffisait pas.

11.

Axel se hâta de quitter la réunion. Laisser sa femme seule à la maison ne lui avait jamais causé le moindre souci, mais maintenant tout semblait différent. L'asphalte de la route était d'un noir brillant. Les phares se réfléchissaient sur la chaussée mouillée en deux colonnes de lumière tremblotante. Il conduisait trop vite sur la route glissante, mais le trajet lui parut durer une éternité.

Quand enfin il s'engagea sur le chemin aboutissant à sa villa, il avait mal à la tête et la morsure du tamia l'élançait. Des ruisseaux de boue et de gravillon traversaient le chemin ; des lambeaux de brume traînaient dans l'air refroidi par l'orage. La maison était plongée dans l'obscurité. Axel se serait pourtant attendu à ce que Janis l'attendît ou, du moins, laissât une lumière allumée.

Il sauta hors de la Renault, abandonnant son attaché-case derrière lui et la clef de contact sur le volant. Il claqua la porte et leva la main à son visage quand il tomba en arrière contre la voiture. Il se frotta les tempes quelques secondes avec ses doigts. Dès que le martèlement du sang se fut calmé, il se redressa et se dirigea vers la porte latérale de la maison.

En entrant dans la cuisine, Axel sentit un fort courant d'air. Il alluma. Derrière la table, les longs rideaux flottaient librement dans le vent. La baie vitrée coulissante était grande ouverte. Axel se précipita sur le seuil et scruta les bois. Rien ne bougeait ; tout était obscur.

La porte glissa sur son rail et se ferma avec un bruit sourd en butant contre la clenche. Les rideaux imbibés d'eau pendaient lourdement. Il essora le tissu et l'eau s'égoutta en formant une mare sur le linoléum. Axel enjamba la flaque d'eau et pénétra dans la pièce basse. Le tapis était mouillé près de la porte et l'eau en sortit comme d'une éponge quand Axel marcha dessus pour rejoindre sa chambre.

La porte était fermée. La main posée sue le bouton de la porte, Axel s'arrêta pour appeler : « Janis ? » Pas de réponse. « Janis », dit-il de nouveau, « tu es là ? » C'est trop fort ! Son esprit chancelait. Elle doit être là ! Axel tourna le bouton de la porte et poussa, mais la porte résistait. Elle était fermée à clef ou coincée. Il devait entrer coûte que coûte ! Il donna un bon coup d'épaule contre le panneau de bois ; la porte céda avec un bruit sec.

Vrillant les ténèbres, un rugissement inhumain jaillit du lit. Cloué sur place, Axel crut perdre la raison. Le grondement assourdissant l'entourait, l'hypnotisait, l'empêchait de réagir. Les yeux ! hurla son esprit. Les yeux brillent !

Axel sortit de la pièce en vacillant ; l'écho de la bête résonnait dans ses oreilles. Il ferma la porte derrière lui ; Il faut garder la bête captive ! « Janis ! » cria Axel. *Janis !* » Il se rua dans le cabinet de travail, dans l'autre chambre, dans le salon. Elle n'était pas là. Il comprit soudain et ses yeux se fixèrent sur la porte de leur chambre à coucher. « Seigneur, *non !* » L'image des corps déchiquetés des chiens lui traversa l'esprit. Il se précipita vers le garage.

Il s'empara d'une hache suspendue au mur, se rua de nouveau dans la maison, courut jusqu'à la porte de leur chambre. Le bruit avait disparu, mais il savait que la chose était toujours là. Avec Janis ! Il ouvrit brusquement la porte et entra en coup de vent. Du coude, il heurta l'interrupteur en se précipitant vers le lit.

Janis hurla. Elle leva le bras devant son visage et recula. Axel était juste au-dessus d'elle, la hache brandie au-dessus de la tête. Il se retourna vivement. Il n'y avait rien derrière lui. Il examina toute la pièce. Rien. Il fonça vers la salle de bains et alluma la lumière. Elle était vide.

Axel revint vers sa femme. Elle se blottissait dans le lit, les yeux écarquillés, livide. Elle était terrifiée. Axel la regarda sans comprendre. Il était muet de stupéfaction. Janis se mit à trembler.

Axel laissa tomber la hache à terre et fit un pas vers elle. Elle respira profondément et ses doigts s'enfoncèrent dans les draps. Axel était au bord de l'évanouissement. « Jan, Jan ! » Ses yeux erraient sur le mur. Il ne savait comment expliquer ce qui venait de se passer.

« Jan, qu'y avait-il ici ? »

Elle ne répondit pas, mais lui adressa un regard étonné. Elle tremblait encore.

« Quel animal y avait-il ici ? » demanda-t-il.

Janis le regardait sans pouvoir parler. Ses lèvres bougeaient, mais aucun son n'en sortait. Elle essaya de nouveau. « Que... que veux-tu dire ? »

« Il y a un instant, il y avait quelque chose ici. Qu'est-ce que c'était ? »

« Je ne comprends pas de quoi tu veux parler. »

« C'était là. J'ai même vu ses yeux. Tu dois l'avoir entendu. »

Janis secoua lentement la tête. « Je dormais. Je n'ai rien entendu. »

« Mais ce n'est pas possible ! » hurla presque Axel. « C'était juste là. La bête devait être tout à côté du lit. »

« Non, Axel. J'étais seule ici. »

« Mais elle a rugi. Tu as dû l'entendre. »

« Non, non. Je n'ai rien entendu. »

« C'était tellement fort. Tu as *dû* l'entendre. »

« Mais non, je te promets. » Elle se remit à trembler.

Axel regarda le plafond et se passa la main sur le front. « Seigneur, que se passe-t-il ? » dit-il.

Janis sortit du lit, fit quelques pas hésitants vers Axel et l'étreignit. Il la prit lentement dans ses bras. Ils restèrent silencieux, embrassés, tirant de l'énergie du contact de leurs corps. Après un long moment, ils se séparèrent. Janis emmena Axel jusqu'au lit et ils s'assirent.

« Qu'as-tu vu ? » demanda-t-elle.

Axel observa le visage de sa femme. Il ne savait pas par où commencer. Mais il sentait qu'en un sens elle comprendrait. « Quand j'ai ouvert la porte de la chambre, j'ai aperçu la lueur de deux yeux, comme des yeux d'animaux. Tu sais, le genre de reflets qu'ils ont la nuit. » Elle hocha la tête. « Puis il y eut un rugissement, profond, guttural, comme un animal sauvage. »

« Tu as pu voir quelque chose ? En dehors des yeux, je veux dire. »

« Non, je ne crois pas », dit-il en s'arrêtant pour réfléchir. « Simplement deux yeux. Il faisait trop sombre. »

Janis baissa les yeux. « Ecoute, chéri, il n'y avait personne, ni aucun animal ici. Je n'ai rien entendu du tout. Rien de ce que tu dis avoir entendu. »

Axel détourna les yeux. « Je ne vois pas comment j'aurais pu imaginer une chose pareille. » Il regarda de nouveau Janis. Il voulait qu'elle dise quelque chose. Il voulait qu'elle soit d'accord avec lui. Mais elle ne disait rien et il détourna les yeux une deuxième fois. « C'était tellement réel », fit-il. Il ne parvenait pas à croire que cela pût lui arriver. Il n'avait jamais eu d'hallucinations. Seuls les gens malades en ont, pensait-il. Il se prit la tête entre les mains ; des larmes coulèrent lentement sur ses joues. « J'ai une migraine terrible. »

La lueur d'un éclair lointain illumina soudain les arbres derrière la fenêtre. L'éclair disparut aussitôt et les échos assourdis du tonnerre se répercutèrent dans la forêt.

« Tu as pris beaucoup de Darvons aujourd'hui ? » demanda doucement Janis.

Axel la regarda durement, mais le visage de sa femme adoucit l'expression de ses yeux. « Oui. Je crois bien que j'en ai pris quatre. » Il se laissa tomber sur le lit, les yeux fixés au plafond. « J'aurais pu te tuer », pensa-t-il à haute voix. Il se redressa, saisit Janis par les bras et la tourna vers lui. « Je suis désolé, chérie. J'aurais vraiment pu te tuer. »

Janis ferma les yeux et réprima un tremblement. Quelques instants auparavant, son mari dressé au-dessus d'elle brandissait une hache. Etait-ce réel ? Elle-même n'était-elle pas victime de son imagination ? Cela paraissait au moins aussi incroyable que ce que lui avait raconté son mari.

« Les rideaux ! » s'écria Axel. « Est-ce que je les ai aussi imaginés ? » Il se leva d'un bond et se rua vers la porte. La flaque d'eau était toujours là ; les rideaux étaient toujours trempés. Axel les toucha, comme surpris de les sentir mouillés.

« Oh, non », dit Janis. « J'avais oublié la porte. »

« Tu veux dire que tu l'avais laissée ouverte ? »

« Je ne voulais pas la laisser ouverte. Mais quand je suis rentrée, l'air était si étouffant dans la maison que je l'ai ouverte pour aérer. Je ne pensais pas m'endormir comme une souche. » Janis saisit le tissu et le tordit. De l'eau dégoulina sur le sol. « Oh, Axel. Les rideaux sont foutus. »

« Oh, ne t'en fais pas pour les rideaux. » Axel lui saisit le menton et amena son visage contre le sien. Ils s'embrassèrent longuement, puis retournèrent tranquillement dans leur chambre. Ils ne prononcèrent pas un mot avant d'avoir fait l'amour.

« Si nous allions aux dunes, demain ? » proposa Axel.

« A l'Ours Dormant ? »

« Oui. Je crois que nous avons tous les deux besoin d'un jour de repos. »

« D'accord », dit Janis avec enthousiasme. « Nous nous levons de bonne heure et emmenons le déjeuner. »

« Parfait. Tu me réveilles quand tu as fini. »

Janis se dressa sur un coude et lui lança un regard noir. Il rit et se retourna. Janis sourit longuement en observant le dos de son mari. Son bras se fatigua et elle s'allongea à côté de lui, ses cheveux répandus sur l'épaule d'Axel. A moitié endormi, il ne remarqua pas que les cheveux de sa femme étaient humides.

Il fallait environ deux heures pour aller en voiture de Wabanakisi aux Dunes de l'Ours Dormant. La route à deux voies serpentait vers le sud avant de rejoindre Petoskey et de longer comme un fleuve noir le rivage du lac Michigan. Des cerisiers dominaient les collines, dont les courbes descendaient jusqu'à la Baie de Grand Traverse. Au-delà de la baie, s'étendait la Péninsule de Leelanau, le petit doigt de la moufle dessinée par le lac Michigan.

Chaque fois qu'ils traversaient Empire pour entrer dans la péninsule, Axel et Janis faisaient halte à l'Auberge du Pin Blanc. C'était un simple restaurant qui manquait de tables pour accueillir tous les estivants désireux de petit déjeuner le dimanche matin. Ses murs constitués de bûches grossièrement équarries donnaient un certain cachet à cette auberge bâtie au milieu d'un bois de pins blancs, mais ce n'était pas cela qui attirait les Michelson. Ils s'y arrêtaient pour la nourriture. Au petit déjeuner, Axel commandait toujours la même chose : d'énormes crêpes entourées d'une véritable muraille de crème fouettée, et farcies d'une bonne centaine de grammes de mûres fraîches. Le menu proposait certainement d'autres plats tout aussi appétissants, mais Axel venait si rarement qu'il n'avait jamais eu envie d'essayer autre chose.

Les dunes de l'Ours Dormant s'étendaient sur une cinquantaine de kilomètres, en bordure du lac. L'entrée du parc faisait face à une petite dune uniquement couverte de sable, car les hordes d'estivants qui la gravissaient chaque année avaient supprimé toute végétation de ses pentes raides et nues.

Du sommet de cette première dune, on découvrait une sorte de désert de collines sablonneuses parsemées de petits cailloux et de touffes d'herbe éparses. Çà et là, un arbre s'accrochait au sol instable, ses racines blanchies et tenaces plantées dans le sable comme des doigts crochus cherchant un appui. Grain à grain, le vent supprimait cet appui et enterrait l'arbre d'autant. De bizarres squelettes de bois mort jaillissaient du sable, leurs feuilles, leur couleur et leur vie depuis longtemps disparues, étouffées par la dune en mouvement.

Marcher du sommet de la première dune jusqu'au lac Michigan n'était pas une promenade de tout repos. Axel et Janis s'arrêtèrent quelques minutes au sommet avant de continuer. Le sable épais semblait aspirer leurs chaussures et les obligeait à marcher en se penchant en avant, même en terrain plat. Malgré la difficulté du parcours, Axel et Janis ne se plaignaient pas ; car c'était un endroit tranquille où l'on n'entendait que le vent et le bruit soyeux de l'herbe. Ils venaient là quand ils désiraient être seuls, pour trouver une échappatoire à la tension accumulée à Wabanakisi.

Ils dépassèrent une piste de moto, près de la crête de la dernière dune ; le sable avait été érodé jusqu'à la pierre et au gravillon de la moraine. Le sable des dunes était en fait une mince couche qui recouvrait des montagnes de dépôts glaciaires. Avant l'âge glaciaire du Pléistocène, le bassin du lac Michigan était une vallée préhistorique creusée par une rivière dans le calcaire et le schiste. Il neigeait dans cette vallée ; quand le climat se refroidit, la neige qui tombait en hiver ne fondait plus en été. La couche s'épaissit, devint plus compacte, plus dense. Les terrains gelèrent et dégelèrent un nombre incalculable de fois. A chaque dégel, l'eau s'infiltrait dans les fissures du roc, qu'elle faisait éclater au gel suivant. Les fragments de roc furent pris dans la glace et se mirent à se déplacer avec elle. Au fur et à mesure que la neige s'accumulait, la glace devint de plus en plus épaisse dans la vallée et, dans son avance, le glacier incrusté de rochers éroda et aplanit le sol.

Mais des bouleversements climatiques mirent un terme au mouvement du glacier. Celui-ci recula et déposa sur ses bords toutes sortes de rochers et de débris. L'énorme bassin nouvellement creusé se remplit d'eau et l'action des vagues transforma son rivage en sable. Le sable qui longeait la péninsule de Leelanau fut transporté par le vent et s'accumula sur les moraines du rivage.

Assis au sommet de la moraine couverte de sable de l'Ours Dormant, Axel et Janis contemplaient le lac Michigan. L'herbe fouettait le sable à côté d'eux et y laissait des empreintes incurvées.

« Descendons », dit Axel.

Janis leva sa tête, jusque-là posée sur son genou, et se tourna vers Axel. « Tout schuss ou en zigzag ? »

« Peu importe. Fais comme tu veux. Moi, je choisis la vitesse. » Axel se leva et se prépara à dégringoler les deux cents mètres de la pente sablonneuse. Il s'accroupit sur la crête et balança les bras d'avant en arrière.

« Ne te tue pas », cria Janis quand il sauta. Elle le suivit en prenant ses précautions, puis sauta les pieds en avant et atterrit souplement dans le sable profond. Axel était déjà à mi-pente quand elle se releva, fit quelques pas en traversée, puis sauta de nouveau.

Quand elle arriva en bas, le pantalon et la chemise d'Axel étaient sur la plage et lui-même en caleçon, debout dans le lac avec de l'eau jusqu'à mi-cuisse.

« Viens », cria-t-il. Il tenait sa main gauche, toujours bandée, bien en dehors de l'eau.

Janis resta un moment les mains sur les hanches à considérer la situation. Il n'y avait personne en vue. Elle enleva ses chaussures et dégrafa la ceinture de son *blue-jeans*. Elle fit passer son *T-shirt* au-dessus de sa tête ; ses cheveux oscillèrent sur ses épaules nues. Elle fit glisser la fermeture Eclair de son pantalon, qu'elle enleva posément. Elle s'arrêta et regarda Axel, qui l'observait en se demandant ce qu'elle allait faire. Les yeux de Janis suivaient les poils qui descendaient de la poitrine d'Axel jusqu'à sa taille. Son pénis faisait une bosse sous son slip.

Elle enleva son soutien-gorge et son slip, qu'elle laissa tomber sur la pile de vêtements. Puis elle entra lentement dans l'eau. Une fois arrivée devant Axel, elle mit ses bras sur ses épaules et approcha son visage de celui de son mari. Axel l'attira vers lui. Janis eut la chair de poule au contact de la peau glacée. Elle se laissa doucement tomber à genoux. Ses mamelons durcirent en se frottant contre la poitrine de l'homme.

Janis fit glisser le slip. Elle caressa les jambes de son mari et sa main remonta vers ses cuisses. Elle saisit son pénis et le porta lentement à ses lèvres. Sa langue s'enroula autour et sa tête commença un lent mouvement de va-et-vient.

Axel se baissa et saisit sa femme sous les aisselles. Il la remit debout et ils s'embrassèrent. Elle trouva un endroit où l'eau était légèrement plus profonde, plaça ses jambes autour des reins d'Axel en flottant. Axel faisait lentement monter et descendre le corps de Janis, tandis que son pénis massait doucement son clitoris. Janis respira plus vite. Se retenant d'un bras autour du cou de son mari, elle glissa une main entre ses jambes et guida le pénis d'Axel vers les lèvres de sa vulve.

Les vagues clapotaient dans leur dos quand ils sortirent du lac. Le ressac roulait de petits galets ; du bois mort jonchait le rivage.

Janis et Axel marchèrent jusqu'au pied de la dune et s'allongèrent dans le sable profond. Axel se sentait parfaitement bien. La beauté calme des dunes qui l'entouraient n'était pas une beauté spectaculaire ou grandiose comme celle de la montagne. Au contraire, une impression de calme, d'apaisement émanait du paysage. Les collines de sable arrondies étouffaient les émotions.

« Chaque fois que nous venons ici, j'ai l'impression que tout va bien », dit Axel en regardant le ciel.

Janis s'était blottie contre son épaule. Elle l'étreignit fortement. « Je sais. Quel dommage que nous ne possédions pas tout le parc. Nous pourrions l'entourer d'une barrière et nous faire construire une petite maison là-haut », dit-elle en agitant la tête vers le sommet de la dune.

Axel se mit sur le côté pour faire face à Janis. Son coude enfoncé dans le sable, il tenait sa tête appuyée sur sa main. « Ça fait du bien de te voir sourire », dit-il. « Après la nuit dernière, je devrais te faire mourir de peur. »

Le sourire de Janis se figea. Elle se laissa tomber sur le dos. « Oh, ne parlons pas de ça, chéri. Pas maintenant, en tout cas. »

Axel remarqua une crispation involontaire sur le visage de sa femme. Il regretta d'avoir abordé ce sujet. Mais, se dit-il, lui-même avait bien failli mourir de peur. Il voulait en parler. Les deux yeux brillant dans l'obscurité de leur chambre à coucher s'étaient gravés dans son esprit.

Axel regarda le visage de Janis. Ses yeux étaient fermés. Il changea d'idée. « Ces derniers jours ont plutôt été riches en événements. Ça fait du bien de changer d'air et de se détendre un peu. »

Janis ouvrit les yeux et s'assit. « Hé, comment va ta main ? »

« Bien. Elle ne me fait plus mal du tout. Ils pourront peut-
être m'enlever les fils demain. »

Janis tendit le bras pour presser le bandage. De l'eau en sortit.
« Tu n'aurais pas dû la mouiller », dit-elle sur un ton de reproche

« Je n'ai pas pu la garder au sec. » Axel rit. « Je ne savais
plus ce que je faisais. »

« Oh, toi », dit-elle en se retournant vers l'eau.

« Tu ne peux pas... »

« Axel », l'interrompit Janis, « dis-moi, tu n'as jamais eu
l'impression d'être déjà venu à un endroit où tu allais pourtant
pour la première fois ? »

« Euh, si. Il me semble. Tout le monde doit avoir cette
impression à un moment ou à un autre. »

« Et as-tu déjà imaginé quelque chose pour ensuite croire
que ça t'était réellement arrivé ? »

« Je suppose que c'est ce qui s'est passé la nuit dernière,
non ? »

« Oh, je ne pensais pas à ça », dit Janis. « Je veux dire, as-
tu déjà fait un rêve si présent, qu'au réveil il t'a semblé que ce
n'était pas un rêve, mais la réalité ? »

« Non, je ne crois pas. » Axel était perplexe. « Et toi ? »

Janis lui lança un bref regard. « Oui. » Elle se détourna
aussitôt, troublée. « Enfin, je ne suis pas sûre. Il me semble,
mais je ne sais pas. »

« Quand ça ? » demanda Axel. « Quel rêve ? »

« *Je ne sais pas* », dit-elle d'un trait. « Je ne sais même pas
pourquoi je pensais à ça. » Elle changea de position, puis se
leva. « Je vais enlever tout ce sable et après, je crois que nous
devrions nous habiller pour partir. »

« D'accord », grommela Axel d'un ton maussade. « Nous
allons partir. » Il regarda sa femme entrer dans le lac et
asperger son corps nu.

Dimanche matin, quand Marsha Gutkowski se réveilla,
Kate venait de prendre un bain dans la rivière.

Marsha avança jusqu'au rebord du talus et regarda Kate
qui, en contrebas, s'essuyait avec une serviette. « Ça ne te fait
pas un choc de te baigner comme ça, au saut du lit ? »
demanda Marsha.

Kate leva les yeux et lui dit bonjour en la gratifiant d'un sourire. « Si, bien sûr. L'eau fait presque mal, tellement elle est froide. »

« Alors pourquoi te torturer ? »

« Parce que je me sens merveilleusement bien quand je sors de là. Baigne-toi et tu verras. Tu es saisie au début, mais ensuite c'est supportable. »

« Non merci. Je crois que je vais attendre un peu, le temps de transpirer un peu au soleil. Au fait, tu as regardé la carte ? »

« Ouais. Je crois que nous devrions rejoindre la Petite des Deux Cœurs en deux heures. La rivière s'élargira sûrement un peu, après le confluent. »

« Bien. Nous devrions attendre d'avoir rejoint ce point avant de nous arrêter. »

« C'est exactement ce que je me disais », répondit Kate. « J'ai même calculé que nous pourrions déjeuner une demi-heure après avoir rejoint la Petite Rivière des Deux Cœurs. »

12.

L'énorme animal noir contracta vigoureusement ses narines. Une odeur évoquait le danger, mais l'autre la nourriture. Il se mit lentement en marche contre le vent, balançant la tête. Il était sur ses gardes, car l'ours est un animal prudent. Pourtant, l'odeur de la nourriture était forte. Peu importait que l'ours n'eût pas faim, car il mangeait tout l'été, et presque tout ce qui se présentait. Il mangeait pour augmenter l'épaisseur de la couche de graisse qui lui tiendrait chaud quand la température tomberait. Mais dans l'immédiat, l'ours ne pensait pas à l'hiver. Il pensait à la nourriture. Et son instinct lui commandait de s'approcher.

L'ours s'arrêta à l'orée de la forêt, à l'affût du moindre mouvement. Il remarqua avec intérêt un étrange objet en forme de cocon. Rien ne bougeait ; il n'entendait d'autre bruit que le mugissement régulier de l'eau. Regardant droit devant lui, l'ours s'approcha. L'odeur du danger était toujours là, mais les autres sens de l'ours lui affirmaient que le danger était éloigné. L'odeur de la nourriture était presque suffocante.

L'ours avança jusqu'au cocon et jeta un coup d'œil à l'intérieur. Un animal mort, partiellement recouvert par le cocon, gisait à terre. L'ours renifla le bord du tissu et sentit que l'animal à moitié dévoré avait servi de dîner à un autre ours. Dès son premier coup de patte, un nuage de mouches s'envola en bourdonnant. L'ours poussa un grognement bref, plongea les dents dans l'épaule de l'animal et l'arracha à demi de son cocon.

Une fois la chair détachée, l'ours leva vivement les yeux pour surveiller les bois environnants. Il ne décela aucun signe inquiétant et se retourna vers son plat pour planter ses dents dans la charogne.

L'eau semblait couler comme un énorme ruban roulant à travers la forêt. Kate et Marsha posèrent leurs pagaies sur le plat-bord du canoë. Elles naviguaient sur une partie large, relativement droite de la rivière et étaient donc dispensées des manœuvres nécessaires pour négocier un virage serré ou éviter un obstacle. Elles venaient de dépasser le confluent de la Petite et de la Grande Rivière des Deux Cœurs, dont les eaux réunies formaient maintenant un cours d'eau plus respectable. Les deux femmes en profitèrent pour se détendre et se laisser porter par le courant.

Mais la rivière s'étrécit progressivement, en même temps que ses rives devinrent plus hautes. Le courant se fit plus rapide ; Kate et Marsha se redressèrent et saisirent leurs pagaies. Les deux femmes se dirigèrent vers la rive extérieure, où l'eau était plus profonde. Le canoë obliqua sèchement vers la gauche et amorça son virage. La surface jusque-là lisse et brillante de la rivière était maintenant hérissée de branches et de rochers à fleur d'eau. Kate se servait de sa pagaie comme d'un gouvernail et contourna un rocher taché de peinture argentée, trace laissée par des navigateurs moins habiles. Marsha pagayait de toutes ses forces et sa pagaie frappait parfois la coque du canoë avec un bruit métallique, qui se répercutait devant elles dans l'étroit canyon de bouleaux et de cèdres.

L'ours s'arrêta brusquement de manger et se dressa sur ses pattes arrière. Un bruit bizarre venait d'éveiller son attention. Il renifla l'air à la recherche d'un indice et tourna la tête vers l'eau. Une vibration rythmée résonnait sur les arbres, de plus en plus distincte. De nouveau, l'ours eut peur du danger. Il se laissa tomber à quatre pattes et partit dans les bois en trottant, abandonnant à contrecœur son déjeuner derrière lui.

Le cours de la rivière se fit plus calme. « Kate », proposa Marsha à l'avant du canoë, « que dirais-tu de nous arrêter là-bas ? » De sa pagaie, elle montra un talus sablonneux dans une courbe de la rivière, à une soixantaine de mètres devant elles.

« Bonne idée », répondit Kate. « Le coin me semble agréable. Peut-être même un endroit idéal pour camper. »

« Bien dit. » Marsha tourna la tête vers Kate. « Nous pourrions déjeuner et passer le reste de la journée à nous balader dans les bois. »

« Ou à lézarder au soleil », ajouta Kate. Après un jour et demi de canotage, elle avait mal au dos. Elle dirigea le canoë vers la berge.

« Oh oh », fit Marsha, « j'ai comme l'impression que nous n'allons pas camper là ce soir. »

L'avant du canoë glissa sur le sable. Kate vit également les cuissardes qui séchaient, accrochées à une branche. « Dis-moi », fit-elle, « je ne crois pas que la personne qui est là-haut nous en voudra de nous arrêter un moment, n'est-ce pas ? »

« Non, probablement pas. » Marsha mit pied à terre et tira l'avant du canoë sur la berge. « Je me demande comment ils sont arrivés ici. »

« Je sais pas. Je ne connais aucune route dans le coin. »

« Ils sont peut-être arrivés par la rivière. »

« C'est possible, mais je n'aimerais pas avoir à pagayer contre le courant », fit remarquer Kate.

Les deux femmes hissèrent le canoë sur la berge et commencèrent à gravir le talus. Marsha arriva en haut la première et se retourna pour tendre la main à Kate.

« Bon Dieu... », fit soudain Kate.

Le dos à la rivière, elles regardaient la tente. C'était une tente militaire biplace. Le piquet avant était de guingois, mais encore debout, contrairement à l'autre. Le tissu vert pendait sur l'avant de la tente, mais les femmes virent qu'il était déchiré en son milieu.

Kate s'avança lentement. Marsha lui saisit le bras. La peur battait à ses tempes. Le calme paisible de la forêt paraissait maintenant lourd de menaces.

Kate libéra son bras de l'étreinte de Marsha. « Reste ici », murmura-t-elle.

« Non, j'y vais avec toi. »

« Je te dis de rester ici. » Kate parlait doucement, mais d'un ton sans réplique. Elle se mit en route vers la tente. Elle était à une dizaine de mètres de la berge, au fond de la petite clairière. Accrochée au bout d'une corde, une boîte pendait d'une branche. Kate ne la remarqua pas. Son regard était rivé au trou béant de la tente.

Elle avançait lentement, posant un pied devant l'autre avec précaution. Le tissu déchiré recouvrait une sorte de monticule. Kate s'arrêta. Un bras dépassait du tissu chiffonné.

« Qu'est-ce que c'est ? » demanda Marsha d'une voix angoissée.

« Reste où tu es », répéta Kate, horrifiée. Elle approcha encore. « Oh, mon Dieu ! » gémit-elle. Elle leva les mains vers ses yeux.

A moitié caché par le tissu, le corps dépassait légèrement de la tente. L'homme devait avoir une cinquantaine d'années. Sa tête faisait un angle grotesque avec son cou ; son bras était complètement tordu et déchiqueté. Du sang coagulé maculait son visage et des lambeaux de vêtements collaient à sa peau. Il était couvert d'insectes. Les images de la chair à vif et du trou béant à la place de l'estomac restèrent gravées sous les paupières fermées de Kate.

« Kate, qu'est-ce que c'est ? » supplia Marsha.

Kate avait la tête qui tournait. Elle dut faire appel à toute son énergie pour s'empêcher de s'évanouir.

Marsha fit un pas hésitant vers la tente. Puis elle courut. Une seconde après, elle vomissait en se tenant l'estomac.

L'ours marchait nerveusement de long en large. Il ne connaissait pas les bruits qui ricochaient dans les bois. Par contre, l'odeur lui était familière. Son expérience lui disait de rester à l'écart, mais il avait encore le goût de la charogne dans la gueule. Quelques minutes passèrent et l'odeur lui parut moins dangereuse.

« Ce sont sûrement des ours », dit Marsha.

« Peut-être des loups », ajouta Kate.

« Je ne crois pas qu'il y ait encore des loups dans la péninsule inférieure. Ce sont sûrement des ours noirs. » Marsha parlait à voix basse, comme si elle craignait qu'on l'entendît. Elle avait encore mal à l'estomac, mais se sentait beaucoup mieux que quelques minutes auparavant. Elle s'assit à côté de Kate sur le rebord du talus qui surplombait la rivière. Kate était assise dans l'autre sens, face à la tente.

Kate se secoua et commença à se lever. Marsha se retourna pour lui saisir la main. « Où vas-tu ? » demanda-t-elle d'une voix tremblante.

« Je vais le recouvrir. »

« Non. Il faut partir d'ici ! »

« Je vais le recouvrir », répéta Kate. « Ensuite, nous partirons. »

Elles se regardèrent longuement. Marsha desserra son étreinte et laissa Kate partir. « Je suis idiote. Excuse-moi, Kate. »

Kate désirait toucher son amie pour la consoler, lui dire qu'elle se trompait. Mais elle était trop épuisée. Et il n'y avait pas de temps à perdre.

Kate contourna la tente. Elle poussa le piquet et le fit tomber. Les sardines s'arrachèrent facilement du sol meuble. Elle déterra les autres sardines, puis tira la toile sur le corps. Elle trouva ensuite une petite pierre et, s'en servant comme d'un marteau, enfonça les sardines à travers la toile pour la fixer au sol.

Quand elle retourna vers la rivière, elle se sentit mieux. Elle se préparait à réconforter Marsha quand elle aperçut la boîte en carton qui pendait de l'arbre.

« Marsha ! » dit Kate. « Il hissait sa nourriture dans un arbre pour la mettre hors de portée des animaux. »

Marsha réfléchit un moment, puis attendit que Kate expri-

124

mât elle-même sa pensée. « On la prend ? » finit-elle par dire. « Je veux dire... En avons-nous besoin ? »

« Non, tu ne vois pas ? C'est lourd. Exactement comme cette vieille tente et tout le matériel qu'il y rangeait. Et il n'y a pas de bateau. Il doit donc être venu ici en voiture. »

« Alors il doit y avoir une route par derrière », dit Marsha en regardant dans les bois.

« Exactement. Et, j'espère, sa voiture. » Kate observa Marsha. « Il faut que j'y aille. »

« Et si les ours étaient encore là ? »

« Je ne crois pas qu'ils soient dans les parages. Ils sortent la nuit, pas au milieu de la journée. Et puis, si je retrouve sa voiture, nous pourrons partir d'ici en vitesse. Tu sais comme moi le temps que ça prendra par la rivière. »

« D'accord. Mais je t'accompagne. »

« Non, tu restes là. On ne sait jamais, tu verras peut-être passer un canoë. »

Marsha regarda Kate s'enfoncer dans les bois. Le froissement des brindilles et des feuilles mortes avertissait de son approche les animaux de la forêt.

L'ours était de plus en plus nerveux. Il ne marchait plus, mais autour de lui le sol portait les traces de son agitation. L'air sifflait presque entre ses dents. Tout à coup, il se figea ; l'odeur qui l'avait contraint à s'éloigner se faisait plus forte.

Kate aperçut le véhicule en dépassant trois grands pins rouges. Le pare-brise de la Blazer réfléchissait les arbres alentour. Tout excitée, elle s'approcha de la voiture et tenta d'ouvrir la portière côté conducteur. Elle était fermée à clef. Elle plaça ses mains autour de ses yeux collés à la vitre et examina l'intérieur. Le bouton de l'autre porte était également baissé. Il n'y avait pas de clef de contact sur le volant. Elle fit le tour de la voiture jusqu'à la porte arrière, qu'elle essaya vainement d'ouvrir. Fermée à clef, elle aussi.

L'ours écoutait le bruit de mouvements rapides. Des bruits inhabituels, synonymes de malheur, de douleur. L'appréhension du danger avait totalement disparu. L'ours s'ébranla calmement vers l'odeur.

Comme la Blazer était garée à quelques mètres de la route, Kate fut incapable de savoir d'où la voiture était venue. Elle crut remarquer que vers l'ouest, un véhicule avait récemment emprunté la piste, mais elle ne l'aurait pas juré. L'orage avait fait disparaître presque toutes les traces de pneus.

Kate repartit à contrecœur vers la rivière. Les bois lui avaient semblé étrangement calmes quand elle cherchait la voiture, alors que maintenant, brindilles et feuilles bruissaient comme si la forêt était vivante. Le vent, se dit-elle.

Marsha se retourna en entendant des bruits de pas. Elle était toujours assise sur le rebord du talus. « Tu as trouvé quelque chose ? »

« Oui », répondit Kate. « Mais je ne crois pas que cela va nous servir beaucoup. Je voudrais d'abord jeter un coup d'œil sur la carte. »

Kate descendit au canoë et ouvrit un sac en vinyl. Elle passa quelques minutes penchée au-dessus de la Carte géologique américaine, puis la fit claquer d'un geste énervé sur ses cuisses. « Les pistes ne figurent pas sur cette carte », dit-elle.

« Quoi ? » le visage de Marsha était sans expression.

« Il y a une route, là, par derrière. Probablement un ancien chemin de bûcherons. Mais il n'est pas sur la carte. Sa voiture est là-bas. »

Le visage de Marsha s'éclaircit. « Prenons-la, alors », dit-elle.

« Pour aller où ? Je ne sais pas où mène cette piste. Il y en a probablement des centaines dans l'Arbre Crochu. » Kate baissa les yeux. Elle se sentait stupide. « Excuse-moi, Marsha. J'ai tort de m'énerver. »

Elle réfléchit un moment à leur situation. Aucun danger ne semblait les menacer dans l'immédiat. D'après ce qu'elle savait des ours noirs du Michigan, ils n'attaquaient l'homme que rarement. Et deux fois de suite, c'était quasiment impossible. Notre situation n'est donc en rien changée, se dit-elle. Elles avaient de la nourriture en abondance et savaient où elles étaient, au moins par rapport à la rivière.

« Partons, Marsha. Nous pouvons faire du chemin sur cette rivière, si nous le voulons. »

« Et la voiture alors ? Tu ne crois pas qu'on devrait au moins essayer ? »

« Si nous pénétrons dans la forêt, nous risquons de nous

perdre très facilement et là, d'avoir des ennuis. Au moins, avec le canoë, nous savons où nous allons. Ça prendra peut-être du temps, mais nous rencontrerons forcément quelqu'un. Et puis nous ne pouvons plus rien pour lui de toute façon. » Kate réfléchit un instant. « De plus, sa voiture est fermée à clef et les clefs ne sont pas à l'intérieur. Elles sont probablement dans la tente. »

Marsha se dit qu'elles étaient peut-être dans l'estomac de l'ours. Elle n'avait aucune envie de retourner près de la tente.

La rivière était plongée dans l'ombre. Le soleil resterait encore quelques heures au-dessus de l'horizon, mais l'écran des arbres empêchait efficacement sa lumière d'atteindre le sol. L'eau devint plus sombre, les obstacles plus difficiles à repérer.

Le canoë longeait un massif de pins argentés. Leurs troncs étaient rapprochés et seules les branches supérieures portaient des aiguilles. Sous la cime qui absorbait tous les rayons du soleil, les branches tordues s'entremêlaient pour former une gigantesque toile d'araignée. Mal à l'aise, Marsha regardait l'intrication des brindilles pointues. Jamais elle ne pourrait courir à travers un tel fouillis. Les branches raides entameraient sa peau comme des milliers de minuscules poignards. Elle se sentait prise au piège.

« Oh, ralentis un peu. Tu vas t'épuiser. »

L'énergie dont Marsha faisait preuve après une journée aussi pénible stupéfiait Kate.

Marsha cessa tout à coup de ramer et souleva sa pagaie hors de l'eau. Elle était soudain très fatiguée. « Je ne crois pas que je pourrai continuer encore longtemps, Kate. »

« Moi non plus. Il me semble que nous allons devoir camper quelque part. »

Marsha frissonna. Elle se sentait à peu près en sécurité sur l'eau, comme si le canoë et la rivière la protégeaient, mais elle appréhendait de passer la nuit à terre. « Je crois quand même que je peux continuer. Nous finirons bien par tomber sur quelque chose. »

« J'aimerais penser la même chose, mais nous sommes au beau milieu de nulle part. Voilà des heures que nous pagayons en espérant rencontrer quelqu'un. Je n'y crois plus. Pas avant que nous n'atteignions un des camps permanents. Nous sommes crevées toutes les deux. Il faut nous arrêter. »

Marsha savait que Kate avait raison, mais la perspective de dormir dans la petite tente en s'attendant à chaque instant à ce qu'une patte déchirât le tissu, la terrifiait.

« Nous ne pourrons pas ramer toute la nuit », finit-elle par dire.

« Et sans manger », ajouta Kate.

« Oh », s'écria Marsha, « le dîner m'était complètement sorti de la tête. »

« Eh bien, qu'aimerais-tu manger ? »

« Voyons... Nous avons du bœuf Strogonoff, du sauté de poulet ou des crevettes en sauce », dit Marsha, qui passa mentalement en revue leurs pochettes déshydratées.

« Nous avons tellement faim que cette nourriture insipide va nous sembler un vrai délice. Que préfères-tu ? »

« Ce que les ours aiment le moins », répondit Marsha.

Le rire de Kate fut discret, mais pour la première fois depuis le début de l'après-midi, leur tension disparut. Elles pagayaient lentement, à la recherche d'une éminence où camper.

Marsha essaya de réfléchir à ses diverses réactions des derniers jours. L'atmosphère de l'Arbre Crochu avait radicalement changé depuis la découverte du cadavre. La profonde obscurité des bois paraissait maintenant pleine de menace. Les fougères dentelées avaient perdu leur innocence et gagné en mystère. L'arche des branches qui dominaient la rivière semblait inquiétante.

Mais c'était la même nature sauvage, la même forêt que celle où elles venaient de passer deux nuits. Tout était paisible, alors. Après tout, se dit Marsha, pourquoi en serait-il autrement maintenant ? C'était le même lieu, habité par les mêmes animaux. La veille, elles avaient pénétré dans la forêt pour voir des animaux et il avait été pratiquement impossible d'en apercevoir aucun. Les animaux étaient effrayés — et l'ours est peut-être le plus timide de tous. Le courant régulier et le bruissement de l'eau lui parurent rassurants. Marsha se sentait en sécurité. Elle se rappela soudain que les ours étaient considérés comme des charognards. Ils ne manquent pas une occasion de nettoyer une carcasse d'animal. Il était donc vraisemblable, voire probable, que l'homme était déjà mort quand les ours l'avaient découvert, pensa Marsha.

« Kate, quel âge avait ce type à ton avis ? » demanda Marsha.

« Oh, la quarantaine, peut-être cinquante ans. »

« Crois-tu qu'il aurait pu mourir d'une crise cardiaque ou d'autre chose en dormant, et que les ours l'aient découvert ensuite ? » Marsha se retourna vers Kate.

« Hé, fais attention. Le virage est serré. » Kate enfonça sa pagaie et appuya dessus de toutes ses forces. Le canoë s'engagea dans le virage. Kate examina la surface de l'eau au-delà de la courbe. Comme elle cherchait de l'écume ou un tronc d'arbre immergé, elle ne les vit pas de prime abord.

Mais ils étaient trop énormes pour qu'on ne les remarquât pas. Kate cessa de pagayer. Elle n'en croyait pas ses yeux. « Marsha », chuchota-t-elle.

Marsha pivota aussitôt. « Oh, Seigneur, non, pas nous. »

Le courant était fort et elles avaient déjà parcouru dix mètres avant de pouvoir réagir. « Au rivage ! » hurla Kate. « Dépêchons-nous ! »

Debout au milieu de la rivière, les ours observaient l'approche du canoë. Marsha luttait furieusement contre le courant avec sa pagaie, mais le courant les emportait.

« Au rivage, bon Dieu ! » cria Kate. Mais ses imprécations restaient sans effet.

Le canoë se mit en travers.

« Au secours, par pitié, au secours ! » Marsha était hystérique. Sa pagaie lui glissa des mains, heurta le canoë avec un bruit métallique et plongea dans l'eau.

La rivière les emportait droit sur les bêtes. Kate céda au désespoir. Elle avait le vertige, se sentait comme saoule. Comme en rêve, elle avait l'impression de tomber en chute libre. Une éternité lui parut s'écouler. Tout devint irréel. Presque sans s'en rendre compte, Kate brandit sa pagaie au-dessus de sa tête.

Le canoë heurta les ours noirs par le travers. Kate abattit sa pagaie sur une patte, mais l'ours s'en empara aussitôt. Le frêne se brisa comme une brindille. Marsha enjamba le liston du canoë et tomba à l'eau autant qu'elle y sauta. L'embarcation gîta dangereusement. Kate essaya de rétablir l'équilibre. Un ours chargea. Le canoë jaillit hors de l'eau comme un jouet dérisoire.

Kate plongea dans la rivière ; son dos heurta le fond. Deux ours, — un pour moi, un pour elle ! hurla son esprit. Deux ours — un pour moi, un pour elle ! Elle tenta de rester sous l'eau sous la couverture protectrice de l'eau glacée. Mais au bord de l'asphyxie, elle dut remonter.

Son visage troua la surface et elle aspira l'air goulûment. Tout était étrangement sombre et calme, comme si elle était encore sous l'eau. Ses oreilles se débouchèrent soudain ; elle entendit des cris. Mais elle ne voyait rien ! Où était Marsha ? Les yeux de Kate s'éclaircirent. Elle était sous le canoë renversé !

Kate était agenouillée au fond de la rivière. Sa tête et ses épaules dépassaient de l'eau, dans la poche d'air formée sous le canoë. Elle attrapa une des barres transversales et s'y agrippa fermement. A chaque hurlement, ses doigts se serraient sur le métal.

« Non, non... au secours, par pitié », suppliait Marsha. « Pitié, Seigneur, je vous en supplie. »

L'eau s'agita violemment. Grognements et rugissements ponctuaient les cris de Marsha. Les articulations de Kate blanchirent. Elle voulait se couvrir les oreilles avec les mains, mais ne pouvait lâcher le canoë.

« Oh, oh, oh, non-on-on-on. » Les hurlements se répercutaient à l'intérieur du canoë et ricochaient sur la coque d'aluminium. Elle voulut aller au secours de son amie et desserra son étreinte sur la barre transversale.

Le grognement guttural fut assourdissant. Kate entendit comme le bruit sourd d'une branche brisée.

« Pitié, pi... » La voix de Marsha se métamorphosa en horribles gargouillements. L'eau écuma et tourbillonna autour de Kate. Puis la voix de Marsha se fit de nouveau entendre. « Laissez-moi mourir, Seigneur, par pitié. »

Kate n'y tenait plus. Elle passait sous le rebord du canoë quand quelque chose heurta sa jambe. Elle se baissa. Les grondements des ours résonnaient sur les arbres de la berge. Ils continuaient à battre l'eau. La voix de Marsha s'était tue. C'était une main. La main de Marsha.

« Marsha », dit Kate, pleine d'espoir. Elle tenta de hisser son amie dans la poche d'air. La main venait facilement. Trop facilement. Le bras était sectionné au niveau du coude.

Horrifiée, Kate comprit ce qu'elle tenait. Elle cria et lâcha la main, qui flotta un instant avant de couler au fond de la rivière.

« Non, non, non ! » hurla Kate en un *crescendo* de terreur. Elle se prit la tête entre les mains. Elle tremblait de tout son corps. Libérée, la frêle embarcation se mit à dériver.

Une violente éclaboussure éclata à côté du canoë, accompagnée d'un grognement sonore. Kate enleva les mains de ses oreilles. « C'est moi, c'est moi qu'ils veulent », murmurat-elle.

Un coup violent retentit soudain sur la coque qui bondit sous le choc. Le rebord du canoë sortit de l'eau. Kate fut éblouie par la lumière. La fourrure noire était à quelques centimètres de son visage.

Elle saisit la barre transversale et tira le canoë vers le bas. L'ours rugit et abattit de nouveau sa patte. L'impact enfonça la fragile coque d'aluminium.

L'eau profonde, se dit-elle. Il fallait qu'elle aille en eau profonde. Kate s'accroupit et avança le pied pour tâter le terrain. Elle fit un pas hésitant en avant et entraîna le canoë avec elle.

Un autre coup de patte résonna sur le canoë. Une autre bosse apparut, juste derrière la tête de Kate. Le sol remontait ! L'ours pourrait attaquer plus facilement !

Kate s'arrêta et se dirigea vers la droite. Aveugle au monde extérieur, elle ne sentait que le courant qui l'entraînait. Elle trébucha sur une branche et tomba à genoux. Elle serrait la barre transversale de toutes ses forces, mais le canoë s'en allait. Ses jambes traînaient sur le fond ; elle luttait pour arrêter la dérive du bateau. Le bord du canoë se déforma soudain et les griffes acérées de l'ours apparurent à travers la feuille d'aluminium. Il secouait violemment l'embarcation.

Kate s'arc-bouta en prenant appui sur le fond de la rivière et résista à l'ours.

Les griffes disparurent et le canoë bondit, catapulté par les jambes de Kate. Il parcourut plusieurs mètres en quelques secondes. Kate entendit l'ours patauger dans l'eau. Tout à coup, Kate sentit le sol se dérober sous ses pieds. Son corps s'enfonça et sa tête plongea sous l'eau. Suspendue à la barre transversale, elle exerça une forte traction pour sortir la tête hors de l'eau. Le canoë dérivait en eau profonde. Il allait se mettre en travers quand Kate sentit de nouveau le sol sous ses pieds. Elle se campa fermement sur ses jambes et arrêta la dérive du canot. Elle entendait l'ours grogner et éclabousser l'eau non loin en amont de la rivière. Elle tenait bon, espérant, priant même pour pouvoir conserver son équilibre.

L'ours sortit de l'eau et grimpa sur la berge. Kate écoutait ses pas pesants marteler la terre. Puis elle entendit la bête panteler et grogner sur la berge, à quelques pas seulement.

Elle resta immobile pendant ce qui lui parut des heures. L'ours piétinait toujours sur la rive. Kate luttait contre le courant, empêchait le canoë de s'en aller et tentait de garder son axe parallèle à celui de la rivière. Plusieurs fois, elle se sentit à bout de force, incapable de retenir davantage le bateau ; mais elle savait que son salut en dépendait.

Epuisée, elle faillit ne pas s'apercevoir du départ de l'ours, qui pénétra dans la rivière en amont. Kate écouta l'ours s'éloigner en pataugeant dans l'eau. Le grondement d'un ours répondit au grondement de l'autre. Une succession rapide de bruits d'éclaboussure précéda le vacarme assourdissant de l'eau qu'on brasse énergiquement.

Elle savait qu'elle n'avait pas beaucoup de temps. Elle fit quelques pas hésitants. Le simple fait de bouger, de remuer les jambes, lui fit un bien à peine croyable. Elle marchait lentement sur le fond de la rivière, entraînant le canoë au-dessus de sa tête. Le sol remontait ; Kate s'accroupit de plus en plus. Finalement, elle s'agenouilla. Les rochers et autres bouts de bois mordaient dans sa peau. Mais maintenant, elle ne pouvait plus s'arrêter. Les grognements des ours diminuèrent, mais leur écho tonnait encore à travers les arbres.

L'avant du canoë heurta la berge. Kate recula et obliqua

vers la gauche pour suivre la courbe de la rivière. Elle avait envie de sortir de sous le canoë. Mais elle s'y sentait en sécurité. Elle ne tenait aucunement à affronter le danger directement. Attends encore un peu, pensait-elle, et tu pourras sortir sans risque.

Dans la pénombre, Kate se sentait étrangement calme. La lumière du crépuscule réfléchissait le fond de la rivière dans la coque du canoë. Des ombres mouvantes dessinaient des formes bizarres sur l'aluminium. Kate se sentait en paix. Depuis longtemps, son corps était insensible à l'eau glacée de la rivière.

Il y eut un bruit de chute dans les bois. Kate secoua la tête. Elle ne savait pas depuis combien de temps elle marchait sous le canoë. Elle ne savait pas non plus si, dans la forêt, d'autres bruits l'avaient suivie. Elle ne savait pas si les bêtes avaient perdu sa trace ou non.

La peur lui noua la gorge. Elle s'immobilisa dans l'eau glacée. Son corps ne tremblait plus et ses doigts douloureux relâchèrent leur étreinte sur la barre transversale. Kate était à bout de forces. Dans sa gorge, un gémissement se transforma en sanglot. Tout serait terminé en quelques secondes si elle se laissait couler. Et l'ours serait refait.

Le canoë pivota et se mit en travers du courant. Le mouvement brusque déséquilibra Kate ; son corps plongea dans l'eau et le froid gifla son visage. Elle tendit le bras vers le canoë, mais il était déjà hors de portée. Elle fit surface, haletante. Le bateau dérivait vers la rive opposée, presque au milieu de la rivière.

Son cœur battant la chamade, Kate se rua à la poursuite du canoë. Il y avait quelque chose dans l'eau derrière elle, elle en était certaine. L'image du bras ensanglanté de Marsha lui traversa l'esprit. Elle saisit l'extrémité de l'embarcation et jeta un coup d'œil circulaire ; puis elle plongea sous la coque toujours retournée et fit surface dans la poche d'air en comprenant qu'il n'y avait rien à l'extérieur. Il n'y avait rien !

C'était impossible ! Elle avait vu quelque chose ! Non, elle avait entendu un bruit. Oh, mon Dieu, sanglota-t-elle, que m'arrive-t-il ?

Fuir. Loin d'ici, pensa-t-elle. Agrippant la barre transversale avec une résolution nouvelle, elle se mit à avancer. Très vite, la rivière devint moins profonde. Kate s'accroupit, mais le sol ne cessait de remonter. Des plaques d'herbe verte alternaient avec du gravillon. Elle s'allongea et se laissa porter jusqu'à ce que la proue du canoë s'échouât en grinçant. Elle demeura cachée sous la coque quelques minutes, l'oreille aux aguets. Elle n'entendait ni bruits de pas pesants, ni grognements inhumains. Elle essaya de faire avancer le canoë avec ses pieds, mais il était définitivement échoué.

Kate se résolut à s'agenouiller. Collant son dos au fond du bateau, elle le retourna avec mille précautions. L'eau gargouillait paisiblement à côté d'elle, striant l'air de gouttelettes blanches. On voyait quelques étoiles. Les arbres étaient immobiles. La forêt était calme.

Kate se mit lentement debout. Elle tira le canoë sur la berge et le sortit complètement de l'eau. Puis elle s'écroula sur le doux tapis d'aiguilles de pin et ferma les yeux. Elle s'endormit presque aussitôt. A quelques centaines de mètres de la rivière, sur une piste ne figurant sur aucune carte, un moteur de voiture vrombissait à travers la forêt.

13.

Le sergent Rademacher était de plus en plus convaincu que James Davis devait être dans les bois. On avait vérifié toutes les cabanes, toutes les stations-service situées entre Mackinaw et Wabanakisi : personne ne l'avait vu. Et il n'y avait pas eu de demande de rançon. Lundi matin, Rademacher comprit qu'une seule explication était possible : Davis n'avait pas réussi à atteindre la route. Il était toujours dans l'Arbre Crochu.

Rademacher s'arrêta au sommet d'une colline boisée, au sud de l'emplacement où l'on avait retrouvé la voiture de Davis. Murph l'accompagnait. Plus que tout autre chien, Murph était le collaborateur favori du policier, quand il s'agissait de retrouver un homme. Mais malgré sa confiance dans le flair de Murph, il savait que ses chances étaient faibles. Car la piste remontait maintenant à cinq jours, et il avait plu samedi soir. Il faudrait vraiment que Murph soit tout près du corps pour le sentir. Mais en homme patient, Rademacher était bien décidé à passer toute la région au peigne fin s'il le fallait. En un sens, il se sentait responsable de l'échec des recherches entreprises vendredi dernier. Il savait qu'il n'aurait jamais dû confier les chiens à des hommes aussi peu expérimentés. Mais il avait cédé à l'envie générale d'aboutir rapidement.

Le comportement du shérif adjoint Shank l'avait tracassé tout le week-end ; Rademacher se demandait comment Shank, en maltraitant pareillement son chien, avait pu faire son travail correctement. Il décida d'emprunter le même itinéraire que l'adjoint au shérif.

Murph gambadait devant l'homme au bout d'une longue laisse. La traction du chien rendait la descente difficile, mais Rademacher ne voulait pas retenir le berger allemand plus que nécessaire. Il faisait de son mieux pour que le chien fût totalement libre de ses mouvements.

Il était environ onze heures du matin ; pourtant, une zone d'obscurité s'étendait devant lui. Rademacher examina quelques instants le marais où poussaient les cèdres. De l'eau noire croupissait entre les racines tordues. Un peu à droite, Rademacher repéra ce qui lui sembla un chemin à peu près sec. Il conduisit Murph dans cette direction et pénétra dans le marais. Ni l'eau stagnante ni la vase ne semblaient gêner le chien. Il allait de-ci de-là en reniflant le sol et Rademacher s'accrochait à la laisse pour le suivre. L'homme enjambait des racines entremêlées ou des arbres abattus avant de fouler le sol mou sur quelques mètres ; ses yeux suivaient les déplacements du chien et repéraient les obstacles qui se dressaient devant lui.

Le chien glapit et tira plus fort sur sa laisse. Le pied de Rademacher plongea soudain dans la boue noire et la laisse lui sauta des mains. Le chien partit comme une flèche, tandis que la chaussure de Rademacher s'enfonçait complètement dans la boue. L'homme donna une secousse pour libérer son pied, mais, retenue par la succion, la chaussure resta dans la boue. Murph allait de l'avant. Il avait trouvé une piste, pensa Rademacher, et risquait de la suivre sans se préoccuper de son maître. L'homme dégagea son pied de la chaussure et courut à la poursuite du chien, qui aboyait furieusement. « Ici ! » cria Rademacher. Une douleur foudroyante traversa soudain son pied non chaussé. Il trébucha et tomba en avant, tête la première, dans une petite mare. Il avança la main à tâtons pour se rétablir et saisit une bûche. Rademacher essaya de se relever, mais la puissante succion du bourbier retenait son corps. Il secoua la tête et tenta frénétiquement de libérer son visage de la boue. Quand ses yeux s'éclaircirent, il découvrit que ce n'était pas une bûche qu'il tenait dans sa main. C'était une jambe. Il avait trouvé Davis.

Assis dans un fauteuil inconfortable recouvert de vinyle, Axel Michelson attendait le retour du médecin en feuilletant d'un air absent les pages d'un numéro du *Times* vieux de trois semaines. Son retard à son travail énervait Axel.

« Monsieur Michelson ? » L'infirmière venait de raccrocher le téléphone.

« Oui », répondit vivement Axel en fermant le magazine.

« Je viens de parler au docteur Lewis. Il sera légèrement en retard. Il y a eu une urgence à l'hôpital. »

« Grave ? »

« Je ne crois pas. Un campeur près de la Grande Rivière des Deux Cœurs. »

« Tant mieux », dit Axel. « Un touriste du week-end, sans doute. Savez-vous pour combien de temps il en a ? »

« Il a dit qu'on l'attende. Il sera là bientôt. »

Axel regarda sa montre. Presque midi. « Bon », fit-il en s'enfonçant dans son fauteuil. S'il revenait cet après-midi, la salle d'attente serait bondée d'autres malades et il lui faudrait sûrement attendre des heures, simplement pour se faire enlever les fils de sa main.

Axel abandonna son magazine pour songer aux heures passées avec Janis sur la petite plage, allongés dans le sable de la dune. Les collines les avaient tous deux isolés du reste du monde, et le bruissement des vagues s'écrasant sur le sable lavés de tous leurs soucis. Axel était détendu, heureux à la simple évocation de ce souvenir.

Le téléphone sonna derechef sur le bureau de l'infirmière. Axel tendit l'oreille, persuadé qu'il s'agissait du docteur Lewis qui appelait pour annuler tous ses rendez-vous. Axel fut surpris de voir l'infirmière poser le récepteur sur le comptoir en lui disant que c'était son propre cabinet.

« Allô », fit Axel dans le récepteur. Mme Whitesun eut la politesse de se remettre au travail.

« Bonjour, Axel. » C'était la voix chantante de Grace. « Vous êtes à la dernière extrémité ? »

« Je ne sais toujours pas. Ils vont peut-être devoir amputer. »

« Formidable. Vu le temps que vous passez là-bas, au moins vous en aurez pour votre argent. »

« Très drôle... A dire vrai, je n'ai pas encore vu le docteur. »

« Vous en avez encore pour longtemps ? »

« J'en ai peur. »

« Voulez-vous que je vous envoie quelques lettres pour que vous les signiez ? Vous savez, la correspondance urgente. »

« Bonne idée. Dites à Larry de me les apporter. »

« Si j'arrive à le tirer de ses bouquins. Il est en train de me rendre folle avec cette interdiction. »

« Dites-lui que je l'invite à déjeuner. »

« Je crois qu'il ne résistera pas à l'argument. »

« Merci d'avoir appelé, Grace. A cet après-midi. » Axel tendit le récepteur à Mme Whitesun, qui raccrocha.

En s'asseyant dans son fauteuil, Axel pensa au nom d'Emma Whitesun[1]. Il savait que c'était un ancien non tribal, mais s'interrogeait sur son origine. Certains membres de la tribu d'Emma avaient conservé la vieille orthographe Ottawa, tandis que d'autres avaient adopté de nouveaux noms de famille. Ces noms sont tellement mélodieux, se dit Axel ; on dirait presque de la poésie. Ils choisissent d'ordinaire un aspect de la nature pour essayer d'attribuer certaines qualités

---

1. Littéralement : Soleil blanc. (*N.D.T.*)

au nouveau-né. Et le plus souvent, en grandissant, la personne colle parfaitement avec la personnalité liée à son nom.

Dix minutes plus tard, Larry Wolf et le docteur Lewis franchirent la porte d'entrée. Le docteur Lewis avait mis Larry au monde et lui portait davantage qu'un simple intérêt professionnel, comme à la plupart de ses clients. Au fur et à mesure que Larry grandit, son énergie, son enthousiasme et son intelligence impressionnèrent le médecin, qui poussa Larry à s'inscrire à l'école de médecine, également parce qu'il savait qu'une petite ville comme Wabanakisi manquait cruellement de médecins. Larry savait parfaitement qu'il n'était pas le seul « protégé » du docteur Lewis ; car celui-ci poussait tous les adolescents un peu doués à faire des études de médecine. C'était sa manière à lui d'assurer la continuité de la profession.

Quand Axel aperçut le bras du docteur Lewis posé sur les épaules de Larry et remarqua ses yeux qui pétillaient, il fut presque certain de ce qu'il allait dire. Axel n'avait aucunement influencé Larry dans sa décision de choisir le droit aux dépens de la médecine, mais le docteur Lewis lui en voulait à cause de ce choix et manquait rarement une occasion d'envoyer une pointe à Axel à ce sujet. Mais pour une fois, Axel se trompait.

« Excusez-moi de mon retard, Axel », commença le docteur Lewis, « mais je viens d'entendre une histoire ahurissante. »

« Que voulez-vous dire ? » demanda Axel. Il savait que Lewis n'était pas porté à l'exagération.

« Le vieux Butch MacNaughton nous a amené... Vous connaissez Butch, Axel, n'est-ce pas ? »

« Mais oui, bien sûr. De quoi s'agit-il ? »

« Ce matin, le vieux Butch pêchait près du pont de Weynidge », dit le docteur Lewis, « quand une jeune fille arriva sur la rivière dans un canoë défoncé, en ramant avec une branche. Pas une pagaie, une branche », insista le docteur Lewis.

« D'après lui, elle était tout excitée de voir Butch. Quand j'ai vu les vêtements que portait la jeune fille, je veux bien croire que lui aussi fut assez excité de la voir. » Il rit.

« Bref, elle lui demanda de l'emmener en ville. Son apparence et ses paroles poussèrent Butch à l'amener à l'hôpital. »

« Qu'avait-elle ? Elle était blessée ? » demanda Axel.

« Non, pas grièvement. Mais en plus d'un rhume carabiné, elle portait des égratignures et des piqûres d'insectes sur tout le corps. »

Larry les interrompit. « Mais pourquoi ? Elle a passé la nuit dans la forêt sans abri ? »

« Oui. C'est du moins ce qu'elle prétend. Mais ce n'est pas le pire. Elle affirme qu'elle-même et une amie descendaient hier la rivière en canoë quand deux ours les ont attaquées. Ils les attendaient en plein milieu de la rivière, debout. »

« Deux ours ? »

« Oui. »

« Où est son amie ? » demanda Axel.

« Les ours l'ont eue, d'après ce qu'elle dit. Oh, j'oubliais. Elle raconte aussi qu'un peu plus tôt dans la journée, elle et son amie ont découvert un campeur dévoré dans sa tente. »

« Dévoré dans sa tente ? » répéta Mme Whitesun sur un ton incrédule.

« Oui, Emma. La tente était en lambeaux et elles ont trouvé un homme à l'intérieur, à moitié dévoré. »

Mme Whitesun sursauta. « Oh mon Dieu. »

Axel, qui avait observé Lewis, se dit que le médecin ne croyait pas au récit de la jeune fille.

« Vous pensez que son histoire est vraie, docteur ? » demanda-t-il.

« Je ne sais pas, Axel. Ce que je sais, c'est que les hallucinations sont des phénomènes étranges. Une personne peut les décrire avec autant de conviction que s'il s'agissait de la réalité, et probablement les prendre pour la réalité. »

« Vous croyez donc qu'elle a tout imaginé ? » interrogea Axel.

« Je ne dis pas cela. Mais j'ai déjà vu des cas similaires. Pour une raison inconnue, cette fille a passé une nuit vraiment terrible. Elle a pris froid. Ce qui lui est arrivé peut fort bien lui avoir fait perdre la tête. Et puis, d'après ce que je sais sur les ours noirs, et pour autant qu'il y en ait là-bas — car je n'en ai jamais vu — ce sont les animaux les plus timides de la forêt. »

« Aussi timides que les tamias ? » demanda Axel.

Le docteur adressa un sourire à Axel. « De toute façon, nous saurons très bientôt le fin mot de l'histoire. En ce moment même, le shérif est en train de faire des recherches dans les bois. »

« Nous allons peut-être même le savoir dès maintenant », dit Larry. « Une voiture de la police d'Etat vient de s'arrêter devant la porte. »

Ils virent un homme portant un uniforme maculé de boue sortir avec difficulté de la voiture. Le conducteur fit le tour du véhicule et lui prit le bras pour le soutenir. Tandis que l'officier boitait jusqu'à la clinique, un berger allemand observait la scène, depuis le siège arrière de la voiture de police.

« Je dois avoir l'air d'un bandit de grand chemin », commença Rademacher, « mais ne vous fiez pas aux apparences ».

« Là. Venez par ici. Asseyez-vous là. » Le docteur Lewis montra une chaise près de la porte.

« Je suis désolé de vous ennuyer à l'heure du déjeuner », s'excusa Rademacher.

« Ne soyez pas stupide », dit Lewis. « Que vous est-il arrivé ? »

« Je me suis enfoncé une épine ou un morceau de bois dans le pied. Je ne sais pas si elle est encore dedans ou non. »

« Vous étiez à la Grande Rivière des Deux Cœurs ? » demanda Axel.

« Non, j'étais à l'Arbre Crochu, près de la 621. » Un genou posé à terre, le docteur Lewis examinait le pied du sergent. Rademacher leva les yeux vers Axel. « Hé, vous êtes bien Michelson ? L'avocat qui avait rendez-vous avec Davis la semaine dernière ? »

« Oui, c'est exact. »

« Je viens de retrouver son corps dans la forêt. Juste à côté de l'endroit où était sa voiture. Déchiqueté par des bêtes sauvages. »

Le docteur Lewis faillit lâcher le pied de Rademacher. Il regarda Axel, qui ne lui rendit pas son regard.

« Des ours ? » finit par demander Axel.

« Peut-être. »

Le docteur Lewis savait ce que pensait Axel. « Impossible », déclara-t-il. « La dernière attaque d'un homme par un ours du Michigan remonte à trente ans et de plus, elle a eu lieu dans la partie nord de la péninsule. » Les yeux du médecin allaient d'un visage à l'autre. « C'est impossible. L'ours noir ne suit pas les hommes pour les tuer ; certainement pas trois en une semaine. On n'a jamais vu ça. »

Larry Wolf frissonna malgré lui, comme si des griffes glacées venaient de se planter dans son épine dorsale. Une histoire oubliée, une histoire entendue dans son enfance, lui revint soudain en mémoire. Il sentait les yeux d'Emma Whitesun fixés sur son dos. Comme une présence insistante. Mais il ne voulait pas les voir, car il savait ce que disaient ces yeux et il refusait d'entendre leur message. *C'était arrivé !* hurlaient-ils. Et ce n'était que le début.

II

OGOCHIN ATISKEN

14.

Les yeux de verre du cerf réfléchissaient les lumières tamisées. La fumée s'enroulait autour de ses andouillers. En dessous, un barman lavait des verres dans un évier empli d'eau trouble. Il travaillait rapidement et lavait davantage de verres que d'habitude le lundi soir.

« Je n'arrive toujours pas à y croire », déclara Harry Forstyk.

« A croire quoi ? A croire qu'ils ont été tués ? » demanda un homme vêtu d'une chemise de flanelle bleu et blanc.

« Non, je ne crois pas que ce soient les ours. Je ne comprends pas comment une chose pareille pourrait se passer. »

« La fille a raconté comment ça s'était passé pour elle et son amie. »

« C'est ce qu'on dit, mais vous lui avez parlé ? »

« Le docteur Lewis l'a fait », interrompit Axel Michelson. « Larry et moi étions présents quand il est revenu de l'hôpital. Il nous a répété tout ce qu'elle lui avait dit. La découverte des cadavres du campeur et de la fille dans la rivière semble confirmer son récit. »

« Exactement. Ce sont ces salauds d'ours qui ont fait le coup », s'écria l'homme à la chemise de flanelle. Axel savait qu'il s'appelait Dirk, mais ne lui avait que rarement parlé. Il était venu au bar avec Mike Sizemore et Nels Carlson. Axel, Ted Hiller, Larry Wolf et Harry Forstyk étaient assis autour d'une grande table quand les trois autres étaient entrés ; les chaises vides de leur table étaient les seules inoccupées de tout le bar.

« Mais ça ne colle absolument pas avec leur caractère », protesta Harry. « C'est absurde. Il est rarissime qu'un ours noir du Michigan perde la tête au point d'attaquer quelqu'un. Et l'on veut nous faire croire que c'est arrivé trois fois en deux jours ! »

Dirk avança ses larges épaules. « Laissez-moi vous dire une chose à propos du prétendu *caractère* des ours. » Il ricana et tendit l'index vers Harry. « Ce sont de sales fils de putes prêts à tout tant qu'ils ne se font pas taper sur les doigts. Et pourquoi donc n'avaient-ils tué personne jusqu'ici ? Tout simplement parce que ces salauds n'étaient pas suffisamment nombreux. Jusqu'à maintenant, s'entend. »

Harry savait que l'homme avait raison pour l'accroissement du nombre des ours noirs. S'il était honnête avec lui-même, il devait reconnaître que les ours avaient probablement attaqué ces trois personnes, mais Dirk représentait tout ce que Harry détestait dans la nouvelle race de chasseurs.

« Si les conservateurs ne s'en étaient pas mêlés », continua Dirk, « ça ne serait jamais arrivé. Dans le temps, on contrôlait les ours. »

« Contrôlait ! Vous voulez dire : exterminait. »

« Et c'était une foutue bonne idée. S'il n'y a pas d'ours, il n'y a pas d'attaque non plus. »

« Je ne crois pas qu'ils embêtaient beaucoup les Indiens », dit Harry.

« Aah, merde. Ces enculés d'Indiens. Ce sont encore à moitié des animaux. »

Larry serra les doigts autour de son verre de bière, comme s'il se préparait à le jeter au visage de Dirk, mais Axel lui saisit le bras pour le retenir.

« Oh-oh, du calme, p'tit gars », fit le gros type en chemise de flanelle bleu et blanc. Il s'adossa à sa chaise et examina Larry pour la première fois. Il n'avait pas remarqué que Larry était Ottawa. « Hé, je ne voulais blesser personne. Je parlais d'il y a cent ans. » Dirk eut un rire forcé. « Nom de Dieu, tout le monde sait que les Indiens sont des gens normaux maintenant. Regardez un peu Ted, là-bas. Pas de meilleur plombier dans tout le nord du Michigan. »

Larry bouillonnait, mais la seule réponse appropriée qu'il brûlait de formuler l'aurait immanquablement envoyé en prison.

Dirk haussa les épaules et chercha des yeux le soutien de ses amis. « Tout ce que je veux dire, c'est que l'ancien système était le bon : la chasse à l'ours ouverte en toute saison. »

« Harry », dit Axel pour essayer de donner à la conversation un tour moins primaire, « que penses-tu de la fille au canoë ? Elle affirme qu'il y avait deux ours. Crois-tu qu'il ait pu s'agir d'une ourse et de son ourson ? »

« Et que la mère ait attaqué pour protéger l'ourson, quand le canoë leur a foncé dessus ? C'est ce que tu veux dire ? » demanda Harry.

« Oh, arrête ça, Bouche d'Incendie, pourquoi cherches-tu à expliquer qu'un animal se conduise en animal ? » fit un homme assis sur un tabouret du bar.

« Voulez savoir comment un Ottawa explique tout ça ? » demanda Larry, presque par provocation.

« J' vais vous le dire », l'interrompit vivement Hiller. « Ils seraient d'accord avec les avertissements que Bouche d'Incendie nous répète depuis des années. Les ours se liguent contre les chasseurs. »

Tous les gens qui s'étaient attroupés autour de la table éclatèrent de rire. Hiller sourit nerveusement, mais ses yeux se rétrécirent en rencontrant ceux de Larry.

Dégoûté, Larry écarta sa chaise de la table. « Faut que j' pisse », dit-il en se levant, avant de se diriger vers les toilettes.

Ted se hâta de terminer son demi et suivit Larry aux toilettes. Quand il ouvrit la porte, Larry était debout devant un urinoir. Hiller s'installa devant l'urinoir voisin et fit glisser la fermeture Eclair de son pantalon.

« Tu sais que ça risque de faire du grabuge, si tu te mets à raconter cette connerie de légende indienne. »

« Mais bon Dieu, de quoi as-tu peur ? » dit Larry, excédé.

« Je connais ces types. Colle une idée comme celle-ci dans le crâne d'un type comme Dirk, et tu peux être sûr que les gens vont se mettre à jaser et rendre les Indiens responsables de tout. »

Larry ouvrit la bouche pour répondre, mais Hiller fut plus prompt : « Peu importe que la légende soit complètement farfelue. Ils nous tiendront pour responsables. »

« Nous ? » demanda Larry d'un ton sarcastique.

Ted n'avait pas uriné, mais il en avait fini. Il fit un pas en arrière et remonta sa fermeture Eclair. « Dans la région, ils peuvent vraiment en faire baver à un Ottawa, question affaires. »

Quand Larry revint dans le bar, un véritable attroupement s'était fait autour de Dirk.

« J'ai entendu assez de conneries à propos de ces malheureux ours », disait Dirk. « Si nous n'y prêtons garde, une bande de trous du cul ira bientôt les nourrir dans la forêt en prétendant qu'ils meurent de faim. »

« Une chose pareille n'est jamais arrivée », dit un vieillard ratatiné. « Que devrions-nous faire, à votre avis ? »

« Que devrions-nous faire ? » rugit Dirk. « Tuer ces cons d'ours ! »

« Que voulez-vous dire : " Tuer ces cons d'ours " ? » Les mots étaient sortis de sa bouche malgré lui ; Axel fut incapable de se contenir davantage. « Comment allez-vous procéder pour repérer les responsables ? Quels ours allez-vous tuer ? Combien d'ours allez-vous tuer ? »

« Nous tuerons tous les enculés d'ours que nous rencontrerons. »

« Fameuse idée... Vous comptez sans doute incendier toute la Forêt de l'Arbre Crochu pour les avoir tous ? »

« S'il le faut. Mais ce ne sera pas nécessaire. Nous constituerons un détachement. » Les yeux de Dirk passèrent en revue la rangée des visages attentifs. « Exactement. Un détachement de chasse à l'ours. »

« Et c'est vous qui dirigerez la meute, j'imagine. »

« Peut-être. Laissez-moi vous dire une bonne chose : moi, au moins, j'ai des couilles. »

« Pas besoin de couilles pour faire ça. Une tête fêlée suffit amplement. Vous vous rendez compte de ce qui risque d'arriver avec votre guerre sainte contre les ours ? Des centaines d'hommes armés se baladant dans la forêt. Qui tireront sur tout ce qui bouge. Il y aura plus de morts par balle que tués par les ours. »

« Ça serait pas un mal », dit un chasseur. « Bon Dieu, pendant la saison du cerf, y a davantage de fusils dans le

Michigan que de soldats américains en Europe durant la Seconde Guerre mondiale. »

« Et chaque année, une bonne douzaine de chasseurs se font tuer accidentellement », dit Axel.

« Rien de plus facile que de chasser l'ours », intervint Dirk d'une voix apaisante. « La première fois que j'ai chassé dans la péninsule Nord, j'ai tué sept ours en un jour. »

« Sept ? » demanda quelqu'un avec incrédulité.

« Parfaitement, sept. Ce n'est pas comme avec le cerf, qui bouge sans arrêt. Non, l'ours, il suffit de le surprendre dans sa tanière. Je me souviens qu'il avait neigé de bonne heure cette année-là : nous n'avions qu'à suivre les traces des ours jusqu'à leurs tanières et les tirer à bout portant. »

« Mais nom de Dieu, qu'avez-vous fait de leurs dépouilles ? »

« Nous avons dépecé les cinq premiers, mais étions trop fatigués pour dépecer les deux autres. Bordel, ça faisait assez de couvertures pour toute ma famille. » Le ventre de Dirk fut secoué d'un gros rire, auquel se joignirent presque tous les autres clients du bar.

« C'est de la folie », dit Axel à Harry. « Je m'en vais. »

Sentant que la partie était gagnée, Dirk se hâta de profiter de son avantage. Il monta sur sa chaise et étendit les bras. « Calmez-vous, les gars. Nous allons commencer à nous organiser dès ce soir. »

Un tonnerre d'applaudissements éclata dans le dos d'Axel au moment où il franchissait la porte. « Seigneur Tout-Puissant ! » s'écria-t-il. « Il faut les arrêter coûte que coûte. » Mais il était fatigué et avait bu trop de bière. Eux aussi, se dit-il. Il semblait improbable qu'ils veuillent ou puissent faire quoi que ce fût le soir même.

Axel regarda sa montre. Il était déjà 10 h 30. Il se surprit à penser qu'il n'aurait jamais dû venir en ville. Il aurait mieux fait de rester chez lui et de passer une soirée tranquille avec Janis. Mais comme tous les gens réunis chez Smidgeon's, il avait voulu découvrir ce qui se tramait. Et ce qu'il avait découvert était déconcertant. Il sentit le besoin d'en parler à sa femme.

Entraînées par la musique du vent, les feuilles dansaient gracieusement. Les longs cheveux noirs de Janis flottaient dans la brise. Les yeux levés vers le ciel, elle regardait les étoiles scintiller entre les branches qui se balançaient doucement. Les glaçons tintaient dans le verre qu'elle agitait d'une main nerveuse.

La forêt avait sur elle une action lénifiante. Tout était calme, ici. Paisible. Toute la soirée, elle avait été inexplicablement tendue. Peut-être à cause des rêves, se dit-elle. Elle se sentait tiraillée, sans savoir par quoi. Comme lorsqu'on part en voyage et qu'on tente de se souvenir de ce qu'on a oublié. Elle devait faire quelque chose, sans savoir exactement quoi.

Elle n'entendit pas Axel arriver. « Chérie ? » Sa voix venait de l'arrière de la maison. « Tout va bien ? »

Janis se retourna vivement. « Oui », dit-elle en se dirigeant lentement vers la maison.

« Je ne crois pas que ce soit une tenue parfaitement indiquée pour sortir », fit remarquer Axel en souriant.

« Je sais », dit Janis en baissant les yeux sur sa robe en soie. « J'étais assise sur le divan et je regardais par la fenêtre ; je m'étais servie un verre pour me détendre, mais tout d'un coup, j'ai ressenti le besoin de sortir, de prendre l'air. »

« Je comprends parfaitement. La soirée est superbe. »

Janis embrassa rapidement son mari sur la joue en franchissant la baie vitrée. « Dis donc, tu as bu combien de bières ? »

« Oh, quelques-unes », répondit évasivement Axel.

« Oh oh », fit-elle d'une voix traînante. « De quoi parlait-on chez Smidgeon's ? »

« C'est incroyable. »

« Pourquoi ? Que se passe-t-il ? » fit Janis, de nouveau inquiète.

« Viens t'asseoir », dit Axel en s'installant sur le divan.

« Non. Dis-moi ce qui est arrivé. »

Axel allongea ses jambes sur une table basse. « Ils sont cinglés. Complètement givrés. »

« Qui ça : " ils " ? »

« Tu connais un gros type nommé Dirk ? »

« Je l'ai vu une fois ou deux. Je crois qu'il a amené son chien, ou peut-être son chat, chez le vétérinaire. »

« Eh bien, figure-toi qu'il a réussi à prendre la direction des opérations. Quand je suis parti, ils venaient de former un " détachement de chasse à l'ours ". »

« Un quoi ? »

« Un " détachement de chasse à l'ours ". L'expression est de lui. »

« Tu veux dire qu'ils vont se mettre à chasser dans les bois près d'ici ? »

« Dans l'Arbre Crochu, mais heureusement pas aux environs de la maison », répondit Axel en tendant le bras vers la fenêtre. « Les gens ont été tués loin d'ici et on n'a jamais vu d'ours près de chez nous. »

Janis baissa les yeux vers le sol. « Que pense le shérif de cette idée de détachement ? »

« Il n'est pas encore au courant. Mais j'espère qu'ils vont se calmer, qu'ils seront plus raisonnables demain. Cela dit, je suis d'accord, il faut faire quelque chose. Il y a probablement un ours malade dans la forêt, mais c'est ridicule d'envoyer une armée tirer sur tout ce qui bouge. L'idéal serait d'attraper l'animal malade pour le soigner — et de le faire rationnellement, avec des gens normaux. Le shérif ou la police d'Etat devraient s'occuper de ça. »

« Espérons-le, Axel. »

« Ouais, autrement on risque de découvrir bien plus que trois cadavres dans les bois. »

« *Trois* cadavres ? » s'écria Janis en écarquillant les yeux.

« Oui, trois. Je ne sais plus si je t'ai dit qu'on avait retrouvé la fille qui s'était fait attaquer en canoë. »

« Où est-elle ? » demanda Janis d'une voix tremblante.

« On a retrouvé son corps au fond d'un des bassins de la rivière. »

« Non. Je veux dire : où est-elle maintenant ? » le pressa-t-elle.

Perplexe, Axel examina le visage de sa femme. C'est la fatigue, pensa-t-il. « Elle est morte, chérie. Son corps est aux pompes funèbres. On a réussi à joindre ses parents, qui ont insisté pour qu'elle ne reste pas à la morgue. Ils devraient être là demain matin. »

Le visage de Janis se détendit. Elle ferma les yeux et poussa un long soupir.

« Il est tard », fit remarquer Axel. « Allons nous coucher. »

« Vas-y, chéri », dit Janis. Sa voix était cassante. « Je serai de retour très bientôt. Je tâcherai de ne pas te réveiller. »

« Je ne crois pas que tu aies à te faire de souci pour ça. L'alcool me fait dormir comme une souche. »

Janis se contenta de hocher la tête. Son sourire satisfait suivit Axel jusqu'à la porte. Son incertitude avait disparu.

15.

Jennifer regardait son mari endormi sur l'oreiller chiffonné. Quand un léger coup de vent agita les rideaux transparents de la fenêtre, elle étreignit le drap et le remonta vivement vers sa gorge. Les lignes du tissu, incolores dans la pénombre, dessinaient des courbes compliquées sur la poitrine de Scott. Elle tendit la main vers les cheveux noirs et bouclés qui recouvraient le visage de son mari et enroula des mèches autour de ses doigts. Elle sentit la tendresse et l'amour poindre au creux de son ventre. Soudain, sa main se crispa.

Scott ouvrit immédiatement les yeux. « Hé, tu me fais mal. »

Jenny desserra les doigts. « Tu as entendu ? »

« Oh, merde. Encore ! »

« Mais il y a réellement quelque chose cette fois-ci. Je te jure. »

« Tu disais déjà ça la dernière fois. »

« Je sais bien, Scott, mais c'est plus fort que moi. » Jenny ne s'était pas encore habituée à porter le nom de son mari, et encore moins à vivre au deuxième étage des pompes funèbres. D'une voix ferme, elle continua : « Puisque je te dis que j'ai entendu quelque chose. »

Scott soupira et enfonça la tête dans l'oreiller. « C'est de ma faute, je n'aurais jamais dû prendre ce boulot. »

« Ne dis pas ça, chéri. Je ne vois pas comment deux jeunes de dix-neuf ans pourraient trouver un logement gratuit autrement. Et puis... » Jenny s'arrêta soudain et se dressa dans le lit. Tous les muscles de son corps se contractèrent pour chasser la peur de l'inconnu. Immobile, aux aguets, elle ne quittait pas Scott des yeux. »

« Bon, bon », dit-il quand il vit la peur sur le visage de Jenny. « Je vais demander aux fantômes de faire un peu moins de bruit. »

La plaisanterie fit son effet : Jenny sourit presque. « Sois prudent, Scott », dit-elle alors qu'il écartait le drap pour se lever.

« Tout ce que je risque, c'est de me fouler un orteil dans l'obscurité. Où est la lampe-torche ? »

« Là-bas », dit Jenny en tendant le bras vers la table de nuit. Il ramassa son *blue-jean* et l'enfila. « Surtout, ne t'en fais pas si je ne suis pas de retour dans quelques minutes. C'est que je serai en train de rigoler avec les macchabées. »

Jenny s'allongea dans le lit. Elle se sentait un peu rassurée. Mais pas Scott, car lui aussi avait entendu un bruit, un « clang » lointain, le bruit d'un objet métallique tombant sur le béton. Le bruit ne pouvait pas venir du premier étage, à cause de la moquette. Il provenait donc de la salle d'embaumement du sous-sol.

Il y avait deux salles dans les pompes funèbres, une dans chaque aile. Le bâtiment était de taille modeste, comparé à ceux des grandes villes, mais répondait amplement aux besoins de Wabanakisi. Au premier étage, Scott pénétra d'un pas décidé dans un salon. La lumière de la torche vacillait sur les meubles ; des ombres démesurées glissaient sur les murs. Il examina toute la pièce et constata que les chaises pliantes étaient à leurs places. La gerbe de fleurs également. Il tira les tentures qui couvraient un mur et s'assura que toutes les fenêtres étaient intactes et fermées. Vérifier les tentures qui dissimulaient le mur opposé était superflu, car il n'y avait pas de fenêtre derrière.

La porte du sous-sol jouxtait celle du bureau, au centre du bâtiment. Scott s'arrêta devant et éclaira le bouton de la porte. Il s'imaginait l'escalier étroit, les tables, les instruments. Surtout les instruments.

Le faisceau de la lampe abandonna le bouton de la porte pour éclairer le couloir. Scott pénétra dans la deuxième salle, exacte réplique de ia première, mais sans les meubles. A l'emplacement de la gerbe de fleurs de l'autre salle se trouvait une alcôve vide. Par-derrière, les rideaux tirés dévoilaient les sombres mâchoires métalliques d'un vaste monte-charge.

Scott retourna vers la porte du sous-sol. Le bruit venait de là, il le savait, et il devait découvrir son origine, non seulement pour rassurer sa femme, mais parce que cela faisait partie de son boulot. Scott tourna le bouton de cuivre à contrecœur, car il avait devant les yeux l'image macabre d'un cadavre déchiqueté par les ours.

Les marches étroites craquaient sous son poids et Scott pensait à la première fois où il les avait descendues. Un corps flétri était attaché par des courroies à une table de métal inclinée ; des filets de liquide striaient sa surface. L'image d'un plat pour découper la viande lui avait alors traversé l'esprit. Un liquide fluide et rougeâtre s'écoulait de tubes en caoutchouc jaune fixés sous la peau, suivait une rigole qui courait tout le long de la table inclinée, jusqu'à un drain. Scott se rappela qu'il avait dû serrer les dents pour ne pas s'évanouir.

Le souvenir déplaisant fut chassé par l'odeur du formol. Des marches inférieures, Scott scruta les tables. Les produits chimiques et les liquides d'innombrables cadavres avaient oxydé leurs surfaces, maintenant d'un gris brunâtre. Scott ne s'attarda pas. Il s'avança vers le centre de la pièce et frissonna quand ses pieds touchèrent le béton froid du sol.

Divers instruments et des tubes enroulés étaient suspendus au mur ; les pots contenant les produits chimiques étaient intacts. Scott faisait lentement le tour des tables quand il sentit un vent glacé envelopper sa poitrine nue. Il mit d'abord la sensation au compte de la peur.

La porte ! La porte de la chambre froide était ouverte ! C'était impossible. La lourde clenche ne pouvait s'être déplacée toute seule. Scott restait là, figé de stupeur. Un sifflement régulier frappa ses oreilles. Le vent. Non, ce ne peut être le vent. Pourtant, ce halètement régulier. On dirait un animal essoufflé. Mon imagination qui me joue un tour ? J'espère !

Les jambes tremblantes, Scott fit quelques pas. Ses doigts poussèrent la porte massive qui pivota lentement sur ses gonds. Scott frissonna dans l'air glacé, tandis que sa lampe-torche découpait un cône de lumière dans les ténèbres. Des ombres bizarres apparurent sur le mur. Scott avança prudemment un pied, dont la plante moite adhérait au béton. Ses yeux scrutèrent rapidement les recoins de la chambre froide. Rien. Il se sentit soulagé.

Il commença à reculer, mais son corps fut violemment poussé en avant. Une explosion éclata dans sa tête. Un coup puissant s'abattit sur sa nuque. Il s'écroula. A demi-conscient, il lutta pour se relever, mais les pulsations de la douleur le firent sombrer. Le bruit sec de la lourde porte qui se fermait résonna dans ses oreilles. Il s'écroula sur le béton glacé.

La lampe-torche oscillait lentement par terre en balançant son faisceau sur le sol. Elle s'immobilisa au bout de quelques secondes.

Des pensées incohérentes traversaient son esprit. Des images jaillissaient devant ses yeux et se mettaient à tourner en formant un tourbillon tridimensionnel. Elles descendaient lentement dans le vortex. Petit à petit, l'aspiration centrale se fit plus violente. Il sentit vaguement qu'on le secouait. Ses yeux s'entrouvrirent.

« Hmmm », fut tout ce que Larry parvint à articuler.

« Réveille-toi. »

« Mishoo ? C'est toi ? » demanda Larry en se dressant sur ses coudes.

« Oui. Tu es réveillé maintenant ? » Charley Wolf cessa de le secouer gentiment.

« Non, je dors à poings fermés. Mais nom d'un chien, que se passe-t-il ? »

« J'essaie de te réveiller. » Le grand-père de Larry le secoua derechef.

« Pourquoi ? Quelle heure est-il ? Je ne veux pas me lever. »

« Il est quatre heures et demie. Je t'emmène voir le lever du soleil. »

« Bon Dieu de bonsoir! Tu es cinglé? » Larry s'étendit de nouveau sur le matelas. Son grand-père se redressa et le fixa en silence. Larry ne distinguait pas l'expression de son visage, mais savait à quoi s'en tenir. Inutile de discuter, se dit-il. Il tira les draps et posa les pieds sur le sol. « Bon, d'accord, j'arrive », capitula-t-il en s'asseyant au bord du lit.

La réticence de Larry fut de courte durée. Il se réveilla complètement en éclaboussant d'eau froide son visage et dès cet instant, il fut heureux de s'être levé. Tandis qu'ils escaladaient la colline et que la silhouette de l'Arbre Crochu se profilait sur le ciel pâlissant, Larry bénissait son grand-père : il avait grande envie de voir le soleil se lever sur la forêt.

Leur respiration scintillait dans l'air glacé. La pente douce et trompeuse de la colline constituait un test efficace de la forme physique d'un homme ; les deux Indiens ahanaient. Larry sentit de l'humidité autour de ses chevilles. Il baissa les yeux vers ses chaussures qui brillaient de rosée. Les hautes herbes saturées d'humidité fouettaient ses jambes à chaque pas.

Larry s'arrêta au sommet de la colline et, pantelant, jeta un coup d'œil circulaire. Son grand-père le suivait à quelques pas. La carte du village Ottawa se dessinait à ses pieds. Au-delà du groupe des maisons, des rangées de peupliers délimitaient les terres cultivées. Une ligne d'arbres sombres longeait les champs de maïs. Larry s'assit dans l'herbe pour attendre que le soleil colore l'horizon.

« Nous ne sommes pas encore rendus », dit Charley Wolf.

« Mais nous sommes bien, ici », protesta Larry. « La vue est magnifique. »

« Nous ne sommes pas encore à l'Arbre. Nous devons y aller. » Charley Wolf n'attendit pas la réponse de son petit-fils. Il continua d'avancer d'un pas résolu. Larry n'avait pas d'autre choix que de le suivre.

La colline nue accentuait l'aspect massif du pin blanc solitaire. Il se dressait comme un pilier grec haut d'une quarantaine de mètres, avant de succomber à la force de Mudjekeewis, le vent d'ouest. Mudjekeewis était le plus fort de tous les manitous qui contrôlaient les vents, plus puissant encore que le dangereux Kabibonokka, qui apportait le froid et la glace du Nord. Après avoir séduit la mère de Hiawatha, Mudjekeewis se battit contre son bâtard, qui voulait prendre sa revanche.

La racine principale de l'Arbre Crochu descendait probablement aussi loin sous terre que l'arbre s'élevait vers le ciel, et ses ramifications plusieurs fois centenaires devaient fouir la terre sous la surface du village. Les haches des bûcherons l'avaient épargné, mais son bois valait une fortune ; il aurait suffi pour construire sept maisons de trois pièces.

Les fines aiguilles, groupées par cinq, sifflaient doucement au-dessus de leurs têtes. Charley Wolf plaqua ses mains sur l'épaisse écorce ; ses doigts suivirent les aspérités des profondes rainures.

« Touche-le, Larry », dit Charley Wolf à son petit-fils, tout en regardant l'arbre fixement. « Sens sa peau rugueuse. Ecoute le sang des Ottawas battre dessous. Ecoute la pulsation de tes ancêtres. » Il étendit largement les bras, colla ses mains sur le tronc ; ses yeux suivirent les sillons noirs et intriqués qui montaient vers la cime.

La voix de Charley Wolf tremblait. « Touche l'âme de ton peuple. Sens l'habileté des grands chasseurs. La sagesse des chefs. La tendresse des mères. Laisse-les t'imprégner comme la sève qui irrigue ce bois. »

Les paroles du vieillard s'insinuaient dans son esprit comme des racines rampantes. Les doigts de Larry se pressèrent contre l'écorce, ses articulations blanchirent sous l'effort. Quelque chose de profondément enfoui remua en lui, comme si une orfraie déployait lentement ses ailes endormies. Il se sentit fier. Au fur et à mesure que sa fierté grandissait et que l'orfraie prenait son essor, il sentit son corps faiblir.

Charley Wolf retira lentement ses mains de l'arbre. Son visage ridé se tourna vers son petit-fils. « Sens la force de tes cousins », dit-il d'une voix forte.

Larry mit un certain temps à comprendre les mots de son grand-père, puis ses mains quittèrent l'écorce rugueuse. Ses doigts étaient rouges. Il savait ce que son grand-père disait. Il savait aussi ce que son grand-père voulait qu'il répondît. Mais il ne pouvait pas. Son sang Ottawa était aussi pur que n'importe quel autre, mais la fierté qu'il tirait de son peuple et de ses traditions n'impliquait pas qu'il acceptât ses superstitions.

« Mishoo, je suis fier de mon peuple. Je sens réellement sa personnalité couler dans mes veines. Je suis fier de notre histoire. J'apprécie à sa juste mesure la sagesse qui est à l'origine de nos croyances, de nos légendes, car ces croyances et ces légendes nous ont aidés à survivre dans ce monde. Mais maintenant, le monde des Ottawas est un monde différent. Le monde est différent pour tout le monde maintenant. »

« *Non*. Gusan, ce n'est pas le monde qui est différent, ce sont *les gens*. » La voix de Charley Wolf était forte et claire. « Ils ne respectent plus la terre. Ils méprisent les manitous des animaux. Et qu'arrive-t-il ? Nous suffoquons dans l'eau, nous étouffons dans l'air. Les animaux refusent de mettre bas. Ils refusent de nous nourrir. Non, Gusan, le monde n'a pas changé. Et ce qui arrive dans ce monde correspond exactement à ce que prédisaient nos croyances, si les manitous étaient oubliés. »

Larry se sentait frustré. Il ne pouvait nier qu'on ne respectait plus la terre et il savait que les croyances Ottawas véhiculaient ce respect. Mais elles étaient des modes d'apprentissage et non des vérités scientifiques. Pourtant, il était persuadé que son grand-père ne serait pas d'accord, et il savait pertinemment que lui-même n'accepterait jamais la foi aveugle de son grand-père.

« Mishoo, maintenant je sais pourquoi tu m'as emmené ici. Je sais que tu penses que c'est pour mon bien. Mais je ne considère pas les légendes comme la vérité. »

« Tu dois, Larry », s'écria Charley Wolf en saisissant son petit-fils aux épaules. « Tout recommence comme jadis. »

« Mais je ne crois pas à la marche de l'ours. » La voix de Larry était ferme.

« Pourtant, c'est ce qui arrive. Exactement comme autrefois. »

« Je ne crois pas que l'esprit d'un homme puisse quitter son corps », insista Larry, « je ne crois pas qu'un esprit puisse posséder et diriger le corps d'un ours. »

« Tu dois croire ! » plaida Charley. « Nous devons tous croire, ou nous mourrons comme les Mush Qua Tah. Les Ottawas leur ont survécu et ils peuvent continuer à vivre. Que Shawonabe exerce sa magie noire sur l'homme blanc. *Nous vivrons !* »

Le visage de Charley Wolf était comme illuminé. Les rides de sa peau semblaient plus profondes. Larry avait froid. Il n'était pas sûr de ses motivations. L'affection qu'il portait à son grand-père ? Ou la peur de ses paroles ?

Larry faisait encore face au vieil homme quand il sentit la chaleur de l'aube sur son dos.

Les doigts de Jenny s'enfoncèrent soudain dans le matelas ; elle se dressa dans son lit. Un bruit sourd et profond traversa le plancher. « Scott ? » Pas de réponse. Elle appela de nouveau, plus fort. « Scott ? » Elle attendit de longues minutes sans bouger. Tout était calme.

Son estomac gargouillait. Elle ne pouvait rester plus longtemps sans rien faire. Elle repoussa le drap et se rua vers la fenêtre. Aucune ombre suspecte ne se profilait à la lueur des réverbères. Elle tendit l'oreille en espérant entendre son mari remonter l'escalier, mais tout était silencieux.

Puis elle sortit dans le couloir et appela de nouveau : « Scott ? Scott, tu es en bas ? » Toujours pas de réponse.

En haut de l'escalier, Jenny appuya sur l'interrupteur. Elle savait que le propriétaire n'aimait pas que la lumière fût allumée la nuit au première étage car, d'après lui, cela risquait de faire mauvaise impression sur d'éventuels passants. Mais Jenny s'en moquait ; un malheur était arrivé.

Elle descendit lentement l'escalier ; ses bas étouffaient le bruit de ses pas. Jenny arriva au centre du bâtiment, près du bureau, et fut glacée de terreur : la porte de la salle d'embaumement était ouverte.

La gorge nouée, elle avança vers l'escalier menant au sous-sol ; sa tête était pleine d'images de cadavres et de chair en putréfaction. Ses yeux scrutaient le trou sombre ; elle hésitait.

« Scott ? Tu es en bas ? » Silence. Elle comprit qu'elle devait descendre.

Tous ses sens en éveil, elle arriva au bas de l'escalier, où elle fit halte pour donner à ses yeux le temps de s'habituer à l'obscurité. Une faible lumière pénétrait par les vasistas de verre dépoli aménagés tout en haut du mur opposé.

Jenny examina lentement la pièce. Il n'y avait pas de cadavre. Des tables, mais pas de cadavre, Dieu merci. Mais cette odeur. Une odeur diabolique, puissante et âcre. Les muscles de ses joues se contractèrent ; elle serra fortement les dents pour tenter de se protéger de l'odeur.

Il faisait froid et humide. Tout était désagréable ici. Jenny se hâtait. Elle fit rapidement le tour de la salle. Personne. « Oh, bon Dieu, où peut-il être ? » chuchota-t-elle. « S'il vous plaît, s'il vous plaît, faites que... » Elle ne put terminer, mais eut comme un hoquet en sentant une présence derrière elle. Elle fit volte-face. Il n'y avait rien. Mais elle avait pourtant senti quelque chose. Un regard, des yeux rivés sur son dos. Et cependant, personne. Allez, allez ! Secoue cette peur, se dit-elle. Elle respira profondément. Deux fois. Puis elle déglutit. Son esprit se calma.

Une autre porte. Une porte épaisse munie d'une lourde clenche, comme chez le boucher. C'est l'endroit où l'on conserve les cadavres, pensa-t-elle. Le bruit sourd ! Son cœur partit au galop quand elle comprit : c'était cette porte ! Il a dû s'enfermer à l'intérieur. Jenny saisit la clenche métallique ; la porte s'ouvrit. Jenny appuya son corps contre la plaque de métal massive et la poussa à moitié.

Une faible lumière éclairait le sol froid. Jenny parvint à distinguer la silhouette sombre d'une jeune femme sur une table métallique. Elle grimaça. Elle tentait de se faufiler dans l'entrebâillement de la porte quand son pied heurta quelque chose.

« Scott ! » hurla-t-elle. « Scott ! » Il gisait, le visage contre le sol, la tête penchée. Jenny tomba à genoux et le saisit par les épaules. Sa peau froide ne réagit pas au contact des mains de la jeune femme. Jenny recula, terrifiée, regardant ses mains comme pour dire : « Ce n'est pas vrai ! »

« Ooh », gémit Scott, dont le corps frissonna.

« Je le savais », dit-elle d'une voix sourde, « je savais que tu ne m'abandonnerais pas. »

Ses yeux s'ouvrirent quand il se sentit rouler sur le dos. Il essayait de parler, mais ses mâchoires bougeaient à peine. Il sentait son corps glacé, comme s'il appartenait à quelqu'un d'autre. Les larmes de sa femme tombèrent sur son visage. Il essaya de sourire, mais son visage était comme gelé. La pensée du danger traversa soudain son esprit. Il se souvint de ce qui s'était passé. Il va nous avoir tous les deux ! Les muscles de son cou le brûlèrent quand il tenta de lever la tête. La porte. Elle bougeait ! Il allait de nouveau la fermer ! Ses lèvres se décollèrent vainement quand il voulut avertir Jenny. Il ne pouvait parler.

Elle se leva et tira Scott par le bras ; ses mots se transformaient en sons incohérents dans les oreilles bourdonnantes de Scott. Il réunit toutes ses forces et réussit à se tenir debout en s'appuyant sur Jenny. La porte était encore ouverte, mais elle bougeait toujours. Tout se mit alors à bouger ! Il bascula en arrière sur ses jambes raides et les murs semblèrent basculer avec lui.

Le corps de Jenny se pressa contre le sien et Scott parvint à se redresser. La chaleur de la jeune femme pénétrait dans sa poitrine et redonnait vie à son cœur défaillant. Ils se tenaient étroitement enlacés et leur étreinte semblait dissiper l'atmosphère morbide de la salle d'embaumement. Uniquement préoccupés du bien-être de l'autre, Jenny et Scott ne sentaient plus le froid. Ils avaient oublié le corps déchiqueté allongé sur la table voisine. Ils ne remarquèrent pas le liquide qui coulait du coin de la bouche de Marsha Gutkowski.

16.

La brise fit heureusement entrer un peu d'air frais par la fenêtre. A travers le panneau de verre translucide, on distinguait les silhouettes de longues tiges d'herbe qui se balançaient dans le vent. La fenêtre était à moitié ouverte et l'une des glissières sortie de son rail. Un technicien de la police d'Etat en uniforme bleu examinait soigneusement la glissière. Plein d'espoir, le shérif Luke Snyder le regardait d'en bas.

« Qu'en pensez-vous ? Vous trouverez des empreintes là-dessus ? » demanda Snyder.

« Je ne sais pas encore, shérif. »

« J'espère bien que si. C'est peut-être notre seule chance de résoudre cette énigme », dit Snyder.

Le technicien se tenait en équilibre sur un chariot métallique qu'on avait roulé sous la fenêtre du sous-sol. Il baissa les yeux vers Snyder et l'autre homme. « Il faut qu'il ait rudement secoué la fenêtre pour arriver à la forcer comme ça. Ç'a dû lui demander pas mal de temps. »

« Et de force », ajouta Scott. « Regardez comme la charnière est tordue. »

« Oui, effectivement », dit le technicien en se retournant vers la fenêtre. « Ça n'a pas dû être facile. Enfin, avec toutes ces manipulations et à moins qu'il ait porté des gants, il devrait y avoir de bonnes empreintes. »

Le shérif se détourna en secouant la tête. « Quelle raison peut-on bien avoir de pénétrer par effraction dans les pompes funèbres ? » demanda-t-il d'une voix à la fois dégoûtée et incrédule.

Un petit homme sec se pinça nerveusement la lèvre inférieure.

« Des gamins, peut-être », dit-il. C'était davantage une question qu'une réponse.

« Des gamins n'essaieraient jamais de tuer quelqu'un pour s'amuser », déclara Jenny avec colère, un bras passé autour de la taille de Scott.

« Ils ne se rendaient peut-être pas compte de ce qu'ils faisaient », dit doucement le shérif Snyder. « Ils ont peut-être eu peur et réagi comme un animal traqué qui essaie de fuir. » Il se tourna vers l'entrepreneur de pompes funèbres. « Oui, ce sont peut-être des gamins qui ont fait le coup, mais personnellement, je n'y crois pas. Vous êtes absolument certain qu'on n'a touché à rien en bas ? Tout est en ordre ? »

« Absolument », répondit l'homme sec et nerveux, en jetant un rapide coup d'œil circulaire dans la saile. « De toute façon, il n'y a rien à prendre en bas. »

« Le cambrioleur était probablement plus intéressé par ce qu'il pouvait trouver en haut dans votre bureau », décida Snyder. « Et Scott a dû lui faire peur. »

« Oh, Seigneur, c'est terrible, une véritable catastrophe. » L'entrepreneur fut incapable de se contenir davantage. « Que vont penser les gens ? Que vont-ils raconter ? Je suis un homme fini. Plus personne ne me fera jamais confiance. »

« Ne vous en faites pas. Les gens ne peuvent pas s'empêcher de mourir. »

« On dirait que celle-ci n'est pas mal », interrompit le technicien. Il souffla sur la poudre répandue sur la vitre et un petit nuage blanc se forma.

« Suffit-elle pour qu'on puisse la comparer à une autre ? » demanda Snyder.

« Il me semble, si l'on dispose d'une autre empreinte complète. »

« Parfait », dit Snyder en regardant la fenêtre. « L'homme devait être plutôt mince pour réussir à se glisser par cette étroite ouverture. »

« En tout cas », dit Scott, « il devait être sacrément fort, car il a vraiment mis le paquet quand il m'a frappé. »

Snyder regarda le garçon du coin de l'œil. Il se tourna ensuite vers lui. « Tu m'as bien dit que la porte était ouverte quand tu es descendu ? »

« Oui, entrebâillée. Mais suffisamment pour que je sente l'air glacé provenant de la chambre froide », déclara Scott.

Snyder se dirigea vers la chambre froide. « Les cadavres sont là-dedans, je suppose ? » demanda-t-il en plissant les yeux.

« Oui, il y en a actuellement deux », répondit l'entrepreneur.

« C'est par-derrière que j'ai été frappé », insista Scott. « Il ne pouvait donc pas se cacher à l'intérieur. »

« Je sais, petit. Mais quelqu'un avait ouvert la porte pour une raison X. Je peux jeter un coup d'œil à l'intérieur ? » demanda-t-il à l'entrepreneur.

« Mais bien sûr, shérif », répondit l'autre en gesticulant. « Je tiens pourtant à vous avertir que ce n'est pas très ragoûtant. »

Snyder eut un arrêt. « Pourquoi ? Une des victimes des ours est enfermée là-dedans ? »

« Oui, la jeune femme. »

Snyder retroussa les lèvres et souffla par le nez. La perspective de revoir cette fille ne l'enthousiasmait pas outre mesure. La première et unique fois où il avait vu son corps disloqué et à demi dévoré, lui suffisait. « Les deux jeunes, vous restez ici. Inutile que vous voyiez ça », dit-il.

Scott obéit et s'éloigna en emmenant Jenny. Snyder souleva la lourde clenche et ouvrit la porte en évitant soigneusement de regarder le corps de la jeune femme. Il avait déjà vu de nombreux cadavres et aidé à sortir maints automobilistes malchanceux de leurs voitures accidentées, mais aucun ne l'avait remué comme celui-ci. Il se baissa pour examiner le sol, à la recherche d'un indice que le cambrioleur aurait pu laisser derrière lui. Le béton froid lui donna la chair de poule.

L'entrepreneur de pompes funèbres se dirigea droit vers le cadavre de la fille. La veille au soir, il l'avait nettoyé de son mieux. L'état du corps ne provoquait chez lui aucune émotion particulière, car seule l'intéressait la perspective de donner une apparence présentable à la jeune fille. Il s'était surtout concentré sur le visage. Heureusement, se dit-il, des vêtements couvriraient le reste de son corps.

Tandis qu'il se tenait au-dessus d'elle, les coins de sa bouche s'affaissèrent soudain. Il examinait son visage d'un œil professionnel et remarqua quelque chose d'anormal sur sa joue, une ligne ressemblant à du liquide séché, qui partait de la commissure des lèvres pour rejoindre le bas de l'oreille. L'entrepreneur était perplexe car il aurait juré avoir nettoyé le visage du cadavre.

Il toucha la joue. Quand ses doigts effleurèrent les croûtes sèches, elles tombèrent en poussière. On aurait dit qu'un liquide lui avait coulé de la bouche ; pourtant, c'était impossible, réfléchit-il, car la gravité aurait entraîné vers le bas les humeurs du corps. La vie n'était plus là pour résister à la force de pesanteur.

Malgré le froid, une goutte de transpiration apparut sur son front. Il voulait ouvrir la bouche du cadavre, mais quelque chose semblait le retenir. La peur ? Il n'en avait pas ressenti depuis ses études à l'hôpital. Ce n'était pas cela.

Il inséra résolument l'index et le pouce de chaque main entre les lèvres de la morte, qui s'ouvrirent facilement.

« Quoi ? » s'écria-t-il. Il approcha son visage en louchant. « Mais c'est impossible ! C'est impossible ! » hurla-t-il, en proie à une horreur qui lui fit vivement retirer ses mains.

Le shérif Snyder bondit sur ses pieds. « Qu'y a-t-il ? » fit-il d'une voix pressante.

L'entrepreneur s'éloignait de la table en vacillant, la mâchoire pendante. « Sa langue ! » éructa-t-il enfin. « Sa langue a disparu ! »

« Quoi ? » glapit Snyder. Il avait entendu sans comprendre.

L'entrepreneur déglutit avec difficulté et reprit son souffle non sans mal. Il se libéra de l'étreinte de Snyder et détourna le regard. Luke regarda le cadavre. Ses yeux étaient clos. Elle avait l'air apaisé. Il saisit fermement la mâchoire entre ses mains et ouvrit la bouche. Quand les dents de la morte se séparèrent, celles du shérif se mirent à grincer.

L'éclairage avait beau être insuffisant, Snyder vit clairement ce qu'avait voulu dire le petit homme sec. Il n'y avait plus de langue. Au fond de la bouche, la blessure était nette.

Sur chacun des innombrables carreaux de faïence jaune se reflétait un petit personnage en blouse blanche. Les deux plafonniers formaient deux taches lumineuses sur chaque carreau du mur. L'éclairage dirigé sur les longues tables donnait à la pièce des allures de bloc opératoire, mais en plus nu. Car il n'y avait ni bonbonne d'oxygène, ni moniteur cardiaque, ni oscilloscope. La salle ressemblait également à un laboratoire de recherche, avec ses vastes paillasses et ses flacons de produits chimiques rangés sur des étagères en verre.

Au centre de la pièce, à un ou deux mètres l'une de l'autre, se trouvaient deux tables massives en acier inoxydable. Longues d'environ deux mètres cinquante, elles se relevaient sur leur pourtour. A un bout, un filet d'eau régulier s'écoulait d'un robinet. L'inclinaison des tables était à peine visible, mais l'eau coulait en une fine pellicule sur l'acier inoxydable.

A l'extrémité opposée, le liquide s'évacuait par de profonds éviers. Une sorte de poubelle était fixée au tuyau d'écoulement de chaque évier. C'était sur ces tables que les pathologistes pratiquaient les autopsies.

Le docteur Joseph Owanish appréhendait de se mettre au travail. Borje Sorensen, son assistant, comprenait ses réticences, car les deux cadavres avaient été mutilés par des bêtes sauvages et l'un d'eux était déjà en putréfaction. L'odeur d'un corps humain en décomposition est à peine soutenable et le docteur Owanish ne s'y était toujours pas habitué, malgré cinq ans passés dans le comté de Wabanakisi en tant que médecin légiste.

Mais ce n'était pas l'odeur qui le dérangeait. Ses narines ne pouvaient pas l'ignorer, mais il ne la laissait jamais interférer avec son travail. Les torses profondément déchiquetés ne l'arrêtaient pas davantage ; il avait déjà vu pire. Il savait pourquoi les paumes de ses mains étaient moites ; il savait pourquoi son cœur battait plus vite, pourquoi son estomac se contractait. Mais il ne pouvait l'avouer à personne, pas même à lui-même et encore moins à son ami Mitchell Caulley.

Il avait fait ses études de médecine avec le docteur Caulley et travaillé avec lui à Detroit à l'institut médico-légal du comté de Wayne. Mitch était resté là-bas pour devenir l'un des pathologistes judiciaires les plus renommés. Quant à Joe, il était parti peu après l'examen final pour revenir dans son pays. Wabanakisi s'était développé et le comté avait besoin d'un pathologiste. Mais Joe n'était pas revenu parce que ses concitoyens avaient besoin de lui ; il était revenu parce qu'il avait besoin de ses concitoyens. C'était un Ottawa fier de son sang.

« Quelque chose qui ne va pas ? » demanda Caulley.

« Non, pas vraiment », répondit Joe.

« Tu ne connaissais pas ces gens-là, Joe ? »

« Je connaissais seulement l'avocat de nom. Il habitait la région depuis un certain temps. Mais on ne nous avait jamais présentés. »

« Je peux m'occuper de lui, et toi du campeur, si tu veux ? »

« D'accord », acquiesça Joe. Peu lui importait en réalité quel corps il devrait autopsier. Mais si telle était l'impression de Mitch, il ne tenait aucunement à le détromper. Lui demander son aide l'avait d'abord gêné ; après tout, Mitch était en vacances et, de surcroît, son invité. Mais la demande de Joe l'avait ravi. A Detroit, Mitch avait rarement l'occasion d'autopsier le cadavre d'un homme tué par un ours.

Borje choisit un scalpel sur un panneau accroché au mur. Il examina la lame comme s'il pouvait distinguer à l'œil nu les imperfections du fil du rasoir. Son boulot consistait à ouvrir les cadavres et à les préparer avant l'examen du pathologiste. Sans dire un mot, le docteur Caulley lui fit signe de se mettre au travail sur la dépouille de Davis.

Borje commença par la traditionnelle incision thoraco-frontale et repoussa ce qui restait de peau sur la poitrine. Dénudée de la couche de graisse jaunâtre, la cage thoracique était parfaitement visible. Il prit les cisailles et se prépara à ouvrir la cavité. Les cisailles ressemblaient aux sécateurs ordinaires des jardiniers, mais elles avaient de longues poignées en bois et de courtes lames incurvées, de façon à ce que le levier fût maximal. Il commença par la côte droite inférieure, qu'il sectionna nettement d'un coup sec. Puis il progressa rapidement en remontant vers le cou ; les côtes se brisaient facilement. Mais la clavicule résista. Borje monta sur la table, en prenant garde de ne pas mettre son pantalon dans l'eau, et cala un genou contre la poitrine du cadavre. Il appuyait de toutes ses forces sur les cisailles ; son visage grimaçait sous l'effort. La clavicule céda enfin avec un bruit mat. Il poussa un profond soupir et se détendit un moment avant de passer au côté gauche. Quand il eut terminé, il enleva les côtes et ouvrit la poitrine de Davis comme une boîte de conserve.

Joe Owanish regarda son assistant passer à la table voisine. Le docteur Caulley s'avança vers Davis et se mit au travail. Il ne put s'empêcher de remarquer la répugnance et le teint cendreux de son ami.

« Joe, tu veux rentrer chez toi ? Me les laisser tous les deux ? » demanda Caulley.

Owanish sursauta, comme si on l'avait tiré d'un rêve. « Hmmm ? Quoi ? »

« Veux-tu que je m'occupe des deux autopsies ? » répéta Caulley en fronçant les sourcils.

« Oh non, ça va aller », répondit-il en sentant qu'il n'allait pas bien du tout.

« Ça ne me fait rien, tu sais. Tu es sûr ? »

« Evidemment que je suis sûr », dit Owanish d'un ton cassant. Borje s'arrêta de travailler et leva les yeux. « Excuse-moi, Mitch, je suis désolé. Je ne sais pas pourquoi, aujour-d'hui ça ne va pas. Je sais pas ce qui m'arrive, mais je vais me reprendre. »

Le docteur Owanish mentait ; il savait parfaitement ce qui lui arrivait. Mais il avait aussi peur de le regarder en face que d'y penser. Oh, Seigneur, il ne parvenait pas à se détendre. Il était pourtant un homme de science, un individu raisonnable. Alors pourquoi ne réussissait-il pas à se raisonner ? Pourquoi transpirait-il autant ?

Borje s'écarta de la deuxième table. Pour l'instant, son travail était terminé. Owanish regarda le cadavre ouvert. Il n'entendait que le bruit régulier de l'eau qui coulait autour du corps. Il aurait aimé pouvoir retourner chez lui et laisser Mitch s'occuper des deux autopsies ; mais il savait qu'il ne pouvait pas. C'était son boulot. Ses pieds se déplacèrent lentement sur les carreaux de faïence. Le docteur Owanish arriva à hauteur de la table et saisit un couteau. Ses yeux se posèrent sur la poitrine du campeur, incapables de remonter plus haut. Il se mit à couper dans les tissus pour détacher les organes internes, mais il ne pensait qu'à une chose : la bouche.

Il avait entendu les discussions de certains Ottawas après les attaques des ours. Il avait commencé par mettre les commen-taires au compte des ragots colportés par les vieux, mais toute la nuit, quelque chose l'avait tenu éveillé, fait se tourner et se retourner dans son lit. Au matin, ses draps étaient trempés de sueur.

Il était arrivé à la morgue en sachant que ses frères attendaient son jugement. Certains savaient d'avance ce qu'il découvrirait, mais la plupart espéraient que Joe apporterait un démenti à leurs appréhensions. Il sentait que toute la terreur de son peuple se focalisait sur lui et le paralysait.

Le docteur Owanish posa son couteau, saisit ce qui restait

des organes de Karl Waldemeir et les arracha. Le cœur, le foie, les poumons, les intestins vinrent avec les autres organes, que le pathologiste déposa sur les jambes du cadavre. Il prit une seringue de 30 millilitres et plongea l'aiguille dans les reins. Il pompa lentement et la seringue se remplit d'urine. Le docteur Owanish la vida dans une fiole destinée aux analyses. Il préleva ensuite un échantillon de sang coagulé au fond de la cavité thoracique. Owanish plaça le prélèvement dans une autre fiole. Il en avait terminé avec la seringue et choisit un scalpel. Il devait maintenant réunir des échantillons de foie, de cœur et d'autres organes. Quand les flacons de verre furent tous remplis et fermés, il sut qu'il lui restait une seule chose à faire : examiner la bouche.

Joe regarda Mitch à la dérobée. Son ami travaillait régulièrement, lentement, exactement comme à l'école. A l'autre bout de la pièce, devant une paillasse, Borje préparait des solutions chimiques en vue de l'analyse des échantillons. Joe lécha les gouttes de sueur qui couvraient sa lèvre supérieure. Pour la première fois, ses yeux examinèrent le visage du cadavre. Il jeta un autre regard en coin à Borje et Mitch, pour s'assurer qu'ils n'entendaient pas le battement de son cœur. Ils travaillaient comme si de rien n'était. Son attention se concentra de nouveau sur le visage, dont le calme dissimulait l'horreur que l'homme avait dû vivre. Les lèvres étaient serrées, dénuées de la moindre expression — une conséquence du relâchement des muscles faciaux. Le regard d'Owanish ne quittait pas ces lèvres. Il s'imagina en train d'ouvrir la bouche et de regarder à l'intérieur. Il observa sa propre expression par curiosité : il était impassible. Puis l'image disparut. Les lèvres étaient de nouveau devant ses yeux.

Ses mains tremblaient quand il les leva vers le visage du cadavre. Il ne pouvait sentir le grain de la peau à travers ses gants de caoutchouc, mais il percevait le froid, un froid qui remonta le long de ses bras jusqu'à sa poitrine. Ouvre-la, nom de Dieu ! Débarrasse-t'en ! Son esprit céda à l'horreur et il espéra presque voir ce qu'il craignait. Alors l'angoisse et le sentiment qui le paralysaient disparaîtraient.

« Hé, c'est étrange », dit Mitch en interrompant le cours des pensées de Joe. « Sa langue a disparu. »

L'air explosa dans la poitrine de Joe. Ses mains s'éloignè-rent du visage de Karl Waldemeir.

« Bizarre », commenta Mitch, les yeux fixés sur Davis. « Donnez-moi une lampe-stylo, Borje, voulez-vous ? Que je puisse voir un peu mieux. »

Borje apporta une petite lampe-stylo à Caulley. Il la saisit d'une main moite et la dirigea vers la bouche ouverte. « C'est bien la chose la plus étrange que j'aie jamais vue », s'écria-t-il, tandis que Borje jetait un coup d'œil par-dessus son épaule. « Joe, viens un peu, faut absolument que tu voies ça. La langue a été complètement sectionnée. »

La tête de Caulley s'inclinait de droite et de gauche et la petite lampe dansait dans sa main. « Hé, Joe, viens voir ça », insista-t-il impatiemment.

Owanish ne bougeait pas. Il restait debout près de l'autre table, les lèvres fermées, les yeux fixés sur le mur derrière Caulley.

Mitch se redressa, ennuyé. « Je désire que tu voies ça, Joe », dit-il. « Je me demande si l'ours a pu faire ça. »

« Non, ce n'est pas un ours », dit Owanish avec émotion. « La blessure est trop nette. »

Caulley le regarda, étonné. « Tu as raison, c'est vrai. »

« Seule une lame peut faire une blessure aussi nette », poursuivit Joe. « Une lame maniée par des mains humaines. »

Caulley se redressa complètement. Le regard vide de son ami l'effrayait plus encore que ses paroles. « Comment le sais-tu ? » dit-il enfin.

Joe ne répondit pas. Son expression ne se modifia pas. Intérieurement, il se sentait étrangement calme. L'anxiété avait disparu. Le poids de la peur de son peuple ne pesait plus sur ses épaules. Il restait seul avec sa propre peur.

« Et ton gars ? » demanda Caulley.

« Ce sera pareil », répondit Owanish en regardant Caulley pour la première fois. « Sa langue est également coupée. »

Caulley respira plus librement. « Il n'y a pas eu d'hémorra-gie. La langue a donc été tranchée après la mort. » Joe ne dit rien. « Tu ferais bien d'appeler le shérif », suggéra Caulley.

« Oui, je vais le faire », dit Joe en enlevant ses gants de caoutchouc. Il se retourna, passa devant le téléphone fixé au mur et franchit la porte. Shawonabe est revenu, pensa-t-il. La marche de l'ours est sur nous.

17.

Michelson mordillait l'extrémité d'un stylo bille en étudiant une affaire dans les *Annales* de la Cour d'Appel du Michigan. Posé devant lui sur un sous-main carré en cuir, un bloc-notes à moitié couvert de griffonnages à peine lisibles. Les yeux d'Axel se déplaçaient le long de la page, mais il lisait mécaniquement, sans comprendre. Il jeta le livre sur son bureau d'un air dégoûté et s'enfonça dans son fauteuil. Il revint une page en arrière et reprit l'affaire depuis le début.

Ses yeux quittèrent le livre pour se poser sur l'horloge murale. La matinée était déjà à moitié écoulée ; il se rendit compte qu'il n'avait pas fait grand-chose. L'audience concernant l'injonction préliminaire relative à la Forêt d'Etat de l'Arbre Crochu était prévue pour le lendemain à Bay City, mais Michelson ne parvenait pas à chasser de son esprit le « détachement de chasse à l'ours » qui risquait de sévir juste derrière chez lui. Il savait qu'il serait incapable de se concentrer tant qu'il n'en aurait pas parlé au shérif.

Prenant une décision, Axel se leva rapidement et empila l'un sur l'autre plusieurs comptes rendus d'affaires qu'il avait commencé de lire. Grace leva les yeux de sa machine à écrire quand il entra avec la pile de livres.

« Larry est toujours là-bas ? » demanda Michelson en faisant signe vers la pièce du fond.

« Oui, je crois. Si vous le prenez par surprise, il ne remarquera peut-être pas les livres que vous portez. »

« C'est exactement ce que je compte faire. » Axel sourit en passant devant son bureau.

De toute façon, se dit Axel, Larry préfère travailler sur l'injonction.

Larry avait les pieds sur la table et bâillait ostensiblement quand Axel entra.

« Tu as dû rester tard au bar hier soir », dit Axel.

« Tu plaisantes ; si j'étais resté, je serais en prison ce matin. »

« Pour coups et blessures ? »

« Non, pour meurtre. »

« Je te comprends. Ils étaient vraiment cinglés. » Axel rit. « Dis-moi, Larry, pourrais-tu lire ces comptes rendus d'affaires et m'en parler ensuite ? »

« D'accord. Mais que devient le bail dans tout ça ? » demanda Larry en montrant son bureau.

« Il attendra un peu. Jusqu'à demain, je veux dire jeudi. »

« Parfait. Oh, à propos, cela t'ennuierait-il que mon grand-père nous accompagne demain ? » demanda Larry.

« Pas du tout. Vous avez de la famille à Bay City ? »

« Non, mais grand-père a un vieil ami là-bas, avec qui il travaillait dans les chemins de fer. Je crois que tu connais son neveu, Moozganse. »

« Bien sûr. Si son oncle lui ressemble, je ne demande pas mieux que de le rencontrer. »

« Il est encore plus attachant que Moozganse. »

« Notre voyage risque donc d'être intéressant. »

« J'espère qu'il ne sera pas *trop* intéressant », dit Larry.

Axel sourit. « Je serai dans mon bureau. Je vais appeler le shérif. »

Axel laissa Larry à ses livres et sortit dans le couloir. Passant devant le bureau de sa secrétaire, il lui dit : « Grace, tâchez donc d'appeler le shérif Snyder de ma part, s'il vous plaît. »

Grace hocha la tête et fit pivoter son fauteuil vers le téléphone. Une minute plus tard, elle dit : « Axel, il est absent en ce moment. On m'a dit qu'il enquêtait sur un vol avec effraction qui a eu lieu hier soir. »

« Un vol avec effraction ? » répéta Axel.

« C'est ce qu'on m'a dit. »

« D'accord. Merci, Grace. » Axel raccrocha lentement. Un vol avec effraction. Il retourna l'expression dans son esprit. Ce genre de chose n'était pas fréquente à Wabanakisi. Il arrivait qu'une villa se fît cambrioler, mais Snyder ne se donnait jamais la peine d'enquêter personnellement. Axel connaissait parfaitement les idées de Snyder sur son travail. Les propriétaires des résidences d'été ne votaient pas à Wabanakisi.

Son téléphone bourdonna de nouveau. « Le docteur Routier est en ligne », dit Grace. « Voulez-vous lui parler ? »

« Oui, passez-le-moi », répondit Axel.

Grace appuya sur un bouton du récepteur. « Allô », fit le vétérinaire.

« Bonjour, docteur. Comment allez-vous aujourd'hui ? »

« Très bien, Axel. Mais je me fais du souci pour Janis. »

« Janis ? Pourquoi ? » Axel se figea.

« Depuis deux jours, je trouve qu'elle n'est pas dans son assiette. Pourtant, jusqu'ici, elle n'a jamais eu le moindre problème avec le chenil, mais maintenant... » Routier s'arrêta pour chercher ses mots.

« Qu'y a-t-il ? » demanda anxieusement Axel.

« Euh, je ne sais pas comment dire ça. C'est difficile à décrire. Elle ne s'intéresse peut-être plus aux chiens, ou bien... Je sais que ça va vous sembler bizarre, mais c'est comme si elle avait peur d'aller les voir. Comme si elle avait peur des chiens. »

Axel ne sut quoi répondre. Les paroles du docteur Routier lui parurent invraisemblables, car Janis ne travaillait pas uniquement au chenil pour gagner de l'argent : elle aimait les chiens. « Puis-je lui parler ? » finit par demander Axel. « Est-elle là ? »

« Non, elle est partie. C'est d'ailleurs pour cela que je vous téléphone. Quand elle est arrivée ce matin, elle est restée assise dans l'entrée pendant une bonne heure. Au point que Leslie a dû lui ordonner de venir l'aider à donner leurs médicaments aux chiens. »

« Lui ordonner ? Pourquoi ne voulait-elle pas y aller ? »

« Je ne sais pas, Axel. Ensuite, il s'est passé quelque chose d'incroyable. Quand elle est arrivée derrière, les chiens ont commencé par se calmer et se terrer dans leurs cages. Puis quelques-uns se sont mis à aboyer ou à grogner, comme s'ils allaient attaquer. En quelques secondes, tous les chiens grognaient et sautaient dans leurs cages. Je suis arrivé en courant et au moment où je passais la porte, Janis a failli me faire tomber en me bousculant. Elle est sortie en trombe du bâtiment. Je l'ai appelée, mais elle ne m'a pas répondu. Elle semblait terrifiée. »

« Où est-elle partie ? »

« Je ne sais pas. Elle a sauté dans sa voiture et a démarré. J'espérais que vous me donneriez de ses nouvelles. »

« Non, je n'en ai aucune. Tout cela s'est passé il y a combien de temps ? » demanda Axel.

« Il y a une vingtaine de minutes. Je voulais téléphoner plus tôt, mais Leslie était vraiment secouée. Le plus étrange, c'est les chiens. Dès que Janis est partie, ils se sont calmés. Je n'ai jamais vu ça. »

Axel resta un moment silencieux. Il ne savait que penser.

« Leslie va bien, maintenant », continua le docteur Routier. « Elle aura beaucoup de travail, mais elle pourra s'occuper du chenil pendant un certain temps. » Le docteur Routier fit une pause pour laisser à Axel le temps de répondre.

« Merci beaucoup, docteur. Je vais immédiatement essayer de joindre Janis pour lui demander ce qui se passe. »

« Bien. Vous savez, ça ira très bien pour Leslie. Je me fais simplement du souci pour Janis. »

« Bien sûr, je comprends. » Axel comprenait parfaitement. Le docteur Routier jugeait injuste que la jeune fille dût s'occuper du travail de Janis ; Axel ne pouvait que l'approuver. « Janis va reprendre le dessus. Elle ne se sentait pas très bien ces derniers temps. »

« Je comprends ça, avec les ours et le reste », dit le docteur Routier.

« Oui. Les gens tués dans la forêt ont mis tout le monde mal à l'aise », fit Axel.

« Non, je ne voulais pas dire ça. Je parlais de la fourrure. »

« La fourrure ? » demanda Axel, interloqué.

« Oui. Les poils d'ours. »

Axel imaginait parfaitement l'expression étonnée de Routier. « Je ne comprends pas. »

« Elle ne vous en a pas parlé hier ? »

« Non, je veux dire, je ne crois pas. Parlé de quoi ? »

« Les longs poils trouvés sur le colley et le doberman appartiennent à un ours noir. »

« Quoi ? » cria Axel.

D'une voix claire et posée, Routier répéta : « C'est un ours noir qui a tué les chiens que vous avez retrouvés derrière chez vous. »

« Mais c'est impossible », rétorqua Axel. « Ils étaient dans le garage. Il fallait bien que quelqu'un ouvre la porte pour les avoir. »

« Je ne sais pas comment c'est arrivé, Axel. Tout ce que je sais, c'est qu'il y avait des poils d'ours sur les chiens et que cet ours les a tués. »

Axel se sentit pris de vertige. Les mots « ours » et « derrière chez moi » tourbillonnaient dans son esprit. Les paroles du docteur Routier le secouèrent davantage que la nouvelle des attaques des ours sur Davis et les campeurs. Lui-même et sa femme étaient maintenant directement menacés. Il ne s'agissait plus d'un drame lointain qui ne frappait que les autres. Il remercia le docteur Routier de son appel et raccrocha.

Il resta plusieurs minutes assis sans bouger, presque hébété. Il était perpétuellement confronté à des problèmes difficiles, mais qui admettaient une solution logique ; une réflexion rationnelle aboutissait obligatoirement à une solution tout aussi rationnelle. Mais que des ours se mettent à attaquer ou à errer derrière chez lui pour tuer des chiens — cela semblait parfaitement déraisonnable. Il devait pourtant exister une explication rationnelle.

Axel se redressa dans son fauteuil et porta la main droite à son visage ; son index recouvrait sa lèvre supérieure et son pouce touchait presque son œil. Il regarda l'horloge murale. Janis était peut-être arrivée maintenant. Il décrocha le téléphone, dont le plastique était encore chaud, et composa le numéro de sa villa. Personne ne répondit.

Il se leva et marcha jusqu'à la fenêtre pour regarder les voitures passer lentement devant les vitrines. Une Chevrolet noir et blanc portant une étoile à six pointes sur la portière passa dans la rue. Il reconnut le profil familier de Luke Snyder à l'intérieur de la voiture.

Axel suivit des yeux la Chevrolet qui se dirigeait vers le Bâtiment officiel du Comté. Il désirait plus que jamais parler à Snyder. Il fallait arrêter Dirk, car quand il saurait que les ours s'approchaient de la maison des Michelson, il commencerait sûrement par lancer son « détachement » dans cette partie de la forêt. Axel se retourna et se rua hors de son bureau.

Pour un mardi, il y avait beaucoup de passants dans la rue. Axel se demanda s'ils étaient aussi bouleversés que lui par les attaques des ours. Il se mit à dévisager les gens en se rendant au Bâtiment officiel du Comté. Il s'attendait à découvrir un regard soucieux, une lèvre mordillée ou une expression anxieuse, mais en vain. Il ne remarqua aucun signe de tension. Les gens souriaient et riaient ; comme d'habitude. Axel ne savait pas si c'était bon signe ou un présage de mauvais augure. Il aurait trouvé normal de voir des visages légèrement soucieux.

Dès qu'Axel pénétra dans le bâtiment, l'air conditionné lui donna la chair de poule. Le bureau de Snyder était une vaste pièce meublée de plusieurs tables en acier gris alignées à égale distance les unes des autres. Axel entra dans la réception, séparée du reste de la pièce par un comptoir haut d'un mètre cinquante. Assis sur le bord d'un bureau, le shérif parlait avec un homme qu'Axel ne connaissait pas. L'adjoint Shank les écoutait.

Luke Snyder leva les yeux en entendant le groom à air comprimé fermer la porte. « Bonjour, monsieur le Conseiller », dit-il. Axel avait souvent soumis le shérif à des contre-interrogatoires pendant des procès, mais Snyder lui gardait toute son amitié. Car Michelson traitait toujours les témoins avec respect.

« Bonjour, shérif. Il paraît que vous êtes débordé ? »

« Tu parles du vol avec effraction ? Et comment ! Mais ce n'est pas le plus important. »

« Ah bon ? C'est confidentiel ? »

« Non, pas du tout. Je suis sûr que tout le Comté et probablement tout l'Etat seront bientôt au courant. Viens par ici », dit Snyder en montrant du menton la partie relevée du comptoir.

Axel était intrigué. Il franchit le comptoir et dit : « Qu'y a-t-il de si important dans un vol avec effraction qui puisse intéresser l'Etat tout entier ? »

« D'abord, il s'agit des pompes funèbres », dit Luke.

« Quelqu'un a cambriolé les pompes funèbres ? » demanda Axel, incrédule. « Mais pourquoi donc ? »

« Une langue. »

« Quoi ? »

« La fille qui a été tuée à la Grande Rivière des Deux Cœurs n'a plus de langue. On est venu la lui trancher la nuit dernière. »

« Bon Dieu de merde ! »

« Et quand je suis revenu ici, un ami pathologiste d'Owanish m'a appelé ; il aidait Joe à faire les autopsies à la morgue. Davis et le campeur avaient eux aussi la langue tranchée. »

« Les ours peuvent-ils avoir fait ça ? » demanda Axel.

« Non. La blessure était trop nette. Si tu l'avais vue, tu comprendrais ce que je veux dire. »

Un souvenir de la nuit dernière traversa l'esprit d'Axel. Mais il le chassa comme on se débarrasse d'un mille-pattes qui vous grimpe sur le bras. « Je ne sais pas si c'est lié, mais j'ai quelque chose à vous apprendre. »

« Quoi donc ? » fit le shérif.

Axel fit signe vers l'homme qu'il ne connaissait pas. « Est-ce que je vous interromps ? »

« Non, pas du tout », dit l'homme. « Si cela se rapporte aux ours, je serai également intéressé. »

« Axel, je te présente John Orson, dit Snyder. « Il enseigne à l'Université du Michigan. Spécialiste des ours, d'après ce que j'ai cru comprendre. »

« Vous tombez à pic », dit Axel en serrant la main du professeur. « J'espère que vous apporterez un peu de logique dans tout ça. »

« Je vais essayer », rétorqua Orson. « Mon premier objectif consiste à capturer le ou les ours qui ont attaqué des gens. »

« Vous ne pouvez pas savoir le plaisir que j'ai à entendre cela », dit Axel. « C'est même la raison de ma visite. Hier soir, au bar, il y avait plusieurs hommes qui parlaient de former « un détachement de chasse à l'ours », que dirigerait ce gros type, Dirk. »

« Ouais, j'ai entendu parler de ça », dit Snyder. « Je crois que l'affaire se tasse et qu'il n'y aura jamais de « détachement de chasse ». Ils ont dû passer une bonne nuit et oublier tout ça, sûrement. »

« Peu importe », insista Axel. « J'aimerais beaucoup que tu parles à Dirk, que tu lui dises de se calmer. »

« Dirk Vanderlee est davantage une grande gueule qu'autre chose. Tant que personne ne le suit, il est inoffensif. Mais je lui en toucherai un mot, Axel. »

« Parfait. Je craignais qu'ils ne se mettent à chasser près de chez moi. »

« Je te comprends », dit Snyder. « Mais je ne crois pas que tu aies à te faire de souci, car les attaques se sont passées loin de chez toi. »

« Les attaques des gens peut-être, mais je viens d'apprendre que les chiens qui ont été mis en pièces derrière chez moi ont été tués par des ours. »

« Pas possible ! » s'écria Snyder.

« Si. On a retrouvé des poils d'ours noir sur les deux chiens. »

« C'est à peine croyable », dit Orson. « Où habitez-vous ? »

« Ma femme et moi vivons un peu à l'écart, dans les bois, juste à l'orée de la Forêt d'Etat », dit Axel.

« Et les ours sont venus sur votre terrain pour tuer les chiens ? »

« Je ne sais pas comment ils les ont eus. On avait laissé les chiens dans le garage, mais à notre retour, je les ai retrouvés dans les bois, derrière la maison, morts. »

Le front d'Orson se plissa tandis que le professeur réfléchissait en caressant son bouc.

« Cela vous dérangerait-il que je vienne chez vous pour examiner les lieux ? » demanda-t-il.

« Bien sûr que non. Quand voulez-vous venir ? Maintenant ? »

« Non, je dois d'abord examiner les autres sites. Ce soir vous conviendrait-il ? »

« Tout à fait. Nous serons à la maison », dit Axel, « si vous pensez que nous ne courons aucun danger en restant là-bas. »

« Non, je ne crois pas », répondit Orson. « Faites simplement attention en sortant, car si vous rencontrez un ours loin de chez vous et qu'il décide de vous poursuivre, vous avez peu de chances de vous en tirer. Il court plus vite que vous. »

« Et si je grimpe dans un arbre ? »

« L'ours noir a plus vite fait de monter dans un arbre qu'un homme de parcourir la même distance en terrain plat. »

« C'est difficile à croire », dit Snyder.

« Oui, à moins que vous n'ayez étudié leur anatomie. L'épaule de l'ours noir possède un muscle qui exerce une force directement opposée à son mouvement quand il marche normalement. Ce muscle a longtemps constitué une énigme scientifique, jusqu'au jour où des études ont prouvé son extraordinaire efficacité pour hisser l'ours le long d'un tronc d'arbre. »

Orson s'animait peu à peu et se mit à gesticuler. Axel l'écouta parler de ses pièges à ours ; il se sentait impressionné, soulagé à la perspective que cet homme allait capturer les animaux et, du même coup, court-circuiter le détachement de chasse. Axel faisait entière confiance à cet homme de science, cet homme rationnel, pour dissiper le mystère qui enveloppait Wabanakisi.

Un filet d'eau éclaboussait la laitue dans la passoire argentée. Axel enfonça une deuxième fois les tranches dans le grille-pain ; il voulait qu'elles soient croustillantes pour les croûtons. Près du grille-pain se trouvait un petit paquet de forme oblongue enveloppé de papier blanc. Axel le saisit et glissa le doigt sous le rebord de l'étiquette du boucher pour ouvrir le paquet comme une enveloppe. Il avait acheté deux steaks en se disant que Janis ne serait sûrement pas d'humeur à l'aider à préparer le dîner.

En posant la viande sur le gril, il songea à la façon dont sa femme avait réagi à l'incident des chiens, un peu plus tôt. Une réaction bizarre, se dit-il. Quand il avait commencé à en parler, elle avait d'abord fait celle qui ne savait rien. Mais Axel la connaissait suffisamment pour se douter qu'elle savait parfaitement de quoi il parlait. Elle essayait peut-être simplement de chasser de son esprit un événement déplaisant. Cela expliquerait pourquoi elle avait fini par tout envoyer promener en qualifiant l'incident de « broutille » et en partant dans sa chambre. Axel espérait que l'affaire était close, mais il savait qu'il ne s'agissait pas d'une « broutille ».

Il prit une gousse d'ail frais, dont il enleva un morceau, qu'il éplucha et mit au fond d'un grand saladier en bois ; puis il tendit le bras vers le râtelier à coûteaux accroché au-dessus de l'évier. Il utilisait toujours le même couteau pour préparer la salade, un petit couteau à parer, doté d'une lame solide. Il aimait son fil tranchant. Il y avait une case vide dans le râtelier en bois : le couteau à parer n'était pas là. Axel regarda dans la machine à laver la vaisselle ; elle contenait les assiettes du petit déjeuner, mais pas de couteau.

« Janis ? » dit-il. Pas de réponse. Axel se rinça les mains sous l'eau froide, puis traversa la pièce commune pour se diriger vers la chambre.

Janis était près de sa commode, dont le tiroir supérieur était ouvert. Elle se retourna en entendant Axel entrer. Elle portait une chemise bleue ; ses seins pointaient à travers le fin tissu du soutien-gorge.

« Je ne trouve pas le couteau à parer », dit Axel du seuil de la chambre. « Sais-tu où il est ? »

Janis le regarda fixement quelques secondes, puis se retourna vers sa commode. « Je ne sais pas. »

« Tu es sûre ? » insista Axel. « D'habitude, il est dans le râtelier, mais on dirait qu'il a disparu. »

Janis ferma le tiroir de la commode. Sans violence, mais son geste exprimait l'énervement. « Je t'ai dit que je ne savais pas », répéta-t-elle d'une voix crispée en disparaissant dans son cabinet privé. De l'autre côté de la salle de bains, un cabinet identique servait de garde-robe à Axel.

Axel décida de laisser tomber le sujet. Il ne voulait pas harceler Janis, car il avait autre chose à lui dire. « Janis, ce matin j'ai bavardé avec le docteur Routier et il m'a parlé des poils d'ours sur les chiens. » Les cintres cessèrent de s'entre-choquer dans le cabinet. « Pourquoi ne pas m'en avoir parlé ? »

« J'ai dû oublier », dit-elle en recommençant à remuer les cintres.

« Cesse de répondre aussi évasivement à mes questions.

Sois un peu franche, bon Dieu », cria Axel en entrant dans le cabinet de sa femme.

Janis sursauta et croisa les bras sur sa poitrine pour se protéger.

« Ne fais pas cette tête », dit Axel, dont la colère montait. Il avait envie de la secouer par les épaules, mais n'avança pas. « Tu aurais dû m'en parler. »

« Je... j'aurais dû », balbutia Janis, « mais j'ai tout simplement oublié. »

« C'est important. Je ne comprends pas comment tu as pu oublier. » Axel observait sa femme. « Un spécialiste des ours doit venir ici ce soir. Il désire jeter un coup d'œil autour de la maison. »

Janis se mit à son tour en colère. « Quoi ? » hurla-t-elle.

« Un professeur de l'Université du Michigan », dit Axel en manière de défi. « Il est venu pour capturer les ours responsables des meurtres. »

« Pourquoi ne m'as-tu pas demandé mon avis avant de l'inviter ? »

« Mais pourquoi donc ? Nous serons simplement davantage en sécurité ici. »

« Davantage en sécurité ? Si une bande d'inconnus viennent rôder autour de chez nous ? »

« Pas une bande, il est tout seul. » Axel était sur la défensive.

« Comme ça, tu crois que personne d'autre ne viendra ? Alors qu'hier soir, tu te rongeais le sang à propos de ce détachement de chasseurs ? Aujourd'hui, tu retournes ta veste et tu leur montres le chemin. »

« Mais ce n'est pas pareil. Lui est un savant, pas un chasseur. Et puis on ne peut pas laisser ces ours malades en liberté. »

Janis tourna le dos à Axel et fixa le mur du cabinet. Aucun des deux ne bougea pendant au moins une minute. L'attention d'Axel se concentra graduellement sur quelque chose. « Seigneur, qu'est-ce que c'est que cette odeur ? »

Janis fit volte-face et regarda le sac à main en daim accroché au portemanteau du mur.

« Qu'y a-t-il là-dedans ? » Il grimaça.

« Rien ! » déclara Janis d'une voix péremptoire en enlevant le sac du portemanteau. Elle fila devant Axel et se précipita dans la salle de bains en balançant le sac par la bandoulière. La porte claqua et Axel entendit le verrou tourner.

Il resta plusieurs minutes devant la porte de la salle de bains, incapable de penser et encore moins de parler. Pas un bruit ne filtrait par la porte. Finalement, il fit demi-tour et retourna dans la cuisine. Il choisit un autre couteau et continua à préparer la salade.

Le dîner avait été silencieux ; Axel avait à peine touché à la nourriture. Les assiettes non rincées étaient entassées dans l'évier de la cuisine. La voix nasillarde du présentateur de la TV, qui annonçait la météo du lendemain, tira Axel du *Detroit News*. Axel abandonna la rubrique sportive, ferma le journal et jeta un coup d'œil autour de lui. Assise à l'autre extrémité du divan, Janis avait remonté ses jambes sous elle et regardait sans la voir la lueur bleuâtre de la télévision.

Axel tendit l'oreille et entendit le bruit d'une voiture qui s'arrêtait devant la maison. Janis n'avait apparemment rien entendu. Axel plia son journal, se leva du divan et se dirigea vers la porte de devant. La voiture du shérif était arrêtée devant le garage, ainsi que la remorque qu'elle tirait.

Axel ouvrit la porte au moment où Luke Snyder et John Orson claquaient les portières avant de la voiture de police.

« J'espère que nous n'interrompons pas votre dîner », dit Orson.

« Pas du tout ; nous venons de terminer », répondit Axel en marchant vers la remorque. A l'avant de celle-ci était fixé un tube en tôle ondulée. « Dites donc, les gars, vous travaillez dans les égoûts ou dans la chasse à l'ours ? »

« Un peu dans les deux », dit Snyder en se passant la main sur la nuque.

« Voici un de nos pièges », fit Orson en frappant le gros tube. L'écho du bruit métallique leur fut renvoyé par la forêt.

« Je ne m'attendais vraiment pas à un truc pareil », dit Axel. « Je pensais que les " pièges " étaient des petits machins ronds bardés de piquants qui se fermaient dès qu'on mettait le pied dessus. »

« Celui-ci est un piège spécial. J'ai déjà vu ce que les pièges dont vous parlez sont capables de faire à une patte d'animal, si bien que maintenant je m'en méfie. »

Axel s'approcha pour voir de plus près le tube en acier. « Il doit bien faire deux mètres cinquante. Pourquoi aussi long ? »

« Pour que l'ours soit obligé d'aller tout au fond pour atteindre l'appât. Si le tube est trop court, l'ours peut s'emparer de la nourriture et s'enfuir avec. Ou pire, la porte peut se fermer et lui briser les reins. »

Axel examina l'épaisse tôle d'acier de la porte. « Ça doit être rudement lourd », remarqua-t-il.

« Il faut qu'elle le soit », dit Orson. « Presque aussi lourde que l'ours, car l'ours noir est le plus puissant de tous les animaux vivants. »

« Vraiment ? »

« Oui. Un jour, dans les années cinquante, en Floride, on entraînait un ours noir et un lion d'Afrique en vue d'un numéro de cirque. Le lion a attaqué l'ours, mais d'un seul coup de patte, l'ours noir lui a brisé la nuque et l'a envoyé valser à l'autre bout de la cage. »

« Tu aurais dû voir ce canoë », ajouta Snyder. « Ecrabouillé comme un moule à pâtisserie en aluminium. »

Axel frissonna. Il s'imagina un ours noir prisonnier essayant de glisser la patte sous la lourde porte. Quelque chose se cristallisa subitement dans son esprit. Le garage !

Il tourna le dos aux deux hommes et se rua vers la maison. « Qu'y a-t-il ? » cria Snyder en courant derrière lui avec Orson.

« J'étais persuadé que quelqu'un avait ouvert la porte pour faire sortir les chiens », dit Axel à voix basse, sans terminer son raisonnement.

Orson s'accroupit à côté d'Axel. Il examina la bosse sur la porte métallique et suivit des doigts les égratignures verticales. Puis il tourna un visage renfrogné vers Axel. « C'est très possible. Les griffes de l'ours peuvent parfaitement laisser ce genre de marque. Mais sapristi », s'écria-t-il, « je n'imagine pas un ours essayant de pénétrer dans une maison comme celle-ci. Surtout avec des chiens là-dedans. Leurs aboiements auraient dû l'effrayer », dit-il, posant presque la question.

Orson se leva lentement. « Y a-t-il des ordures à l'intérieur ? »

« Non, les poubelles sont derrière. » Axel manœuvra la poignée de la porte du garage et la leva. « Entrez, jetez un coup d'œil. »

Orson inspecta le garage. Des outils de jardinage, quelques sacs de graines. Une scie électrique, des cables, un tuyau d'arrosage accroché au mur. Pas la moindre chose susceptible d'attirer un ours. « Je ne parviens pas à expliquer pourquoi un ours est entré ici afin de massacrer ces chiens. »

Axel hocha la tête. Il avait espéré une explication, quelque chose capable de soulager ses angoisses. « Suivez-moi, je vais vous montrer l'endroit où j'ai trouvé les chiens. »

Ils passèrent par la porte attenant à la cuisine. La télévision était encore allumée, mais il n'y avait personne sur le divan. Axel éteignit le poste avant de pénétrer dans l'arrière-cour par la baie vitrée coulissante.

« Avez-vous trouvé des indices sur les sites que vous avez visités aujourd'hui ? » demanda Axel tandis que le lourd panneau de verre glissait sur son rail.

« Suffisamment pour en déduire que les deux sites — celui du campeur retrouvé dans sa tente et celui du juriste dans les bois — avaient reçu la visite d'un ou plusieurs ours. Nous avons laissé un piège à chaque endroit. »

« Et vous en avez gardé un pour moi ? »

« Oui. Par chance, j'en avais un de plus que prévu. Je les ai fabriqués voici plusieurs années, en vue d'une étude sur le terrain. »

« Je dormirais mieux, si je sais qu'il y a un piège à proximité de chez moi, mais je doute que vous capturiez quoi que ce soit. L'ours de l'autre jour devait être complètement cinglé. Je n'en ai jamais vu dans le coin depuis que nous avons emménagé. »

Orson s'arrêta brusquement dans la partie la plus éloignée du jardin de Janis pour examiner le sol. Il y avait une empreinte de pied dans la terre meuble. L'empreinte était plus large que longue, mais ressemblait à celle d'un pied humain. On distinguait clairement les cinq orteils et la plante du pied. Le talon n'avait pas touché le sol.

« Un ours ? » demanda Axel.

« Oui. Sa patte avant gauche. »

« Pouvez-vous évaluer son poids ? »

« Grosse bête. Dans les deux cents kilos. J'ai déjà vu des empreintes plus larges, mais pas dans le Michigan. » Orson se releva et regarda les bois. Il ne découvrit aucun sentier bien frayé. « Continuons », dit-il.

Axel approuva et repartit. « Alors, qu'en pensez-vous, John ? Que peuvent bien avoir les ours de la région ? »

« Je dirais que, normalement, un ours noir qui attaque un être humain est soit malade, soit affamé, soit menacé. Mais cet été, il y a de la nourriture en abondance et je vois mal comment un campeur enfermé dans sa tente pourrait menacer un ours qui l'attaque. Les ours sont donc probablement malades. Ce qui me pose un sacré problème ; car, vu l'éloignement des sites, il s'agit presque certainement de trois ours différents, et c'est une foutue coïncidence que trois ours perdent la boule en même temps. »

« Si vous ne voulez capturer que quelques-uns des nombreux ours qui vivent dans l'Arbre Crochu, comment saurez-vous que l'ours pris au piège est le bon ? »

« Je ne pourrai pas en être sûr, mais il y aura une bonne chance que ce soit le bon si le piège a été posé sur son territoire. La plupart des ours mènent une existence solitaire et restent sur leur territoire. Ils le marquent avec leur urine ou en se frottant contre des arbres de façon à laisser leur odeur. Il y a probablement quelques chevauchements, mais ils obéissent assez bien aux odeurs, surtout quand la nourriture ne manque pas. Durant toute sa vie, l'ours ne s'éloigne probablement pas de plus d'une vingtaine de kilomètres de son lieu de naissance.

« D'autre part, les ours aiment leurs habitudes. Ils passent et repassent sans cesse sur les lieux où ils ont trouvé de la nourriture à leur convenance. Il y a donc toutes les chances pour que le tueur revienne à un moment ou un autre sur les lieux de son forfait. Nous ne serons pas certains que l'ours pris au piège sera le bon, mais au moins nous serons sûrs qu'il est déjà venu plusieurs fois à cet endroit. »

Sous leurs pieds, les feuilles mortes de l'automne précédent craquaient bruyamment. En ce milieu d'été, la chaleur montait du sol et les arbres formaient un écran efficace contre la lumière du soleil couchant, maintenant au raz de l'horizon. Les trois hommes se frayaient un chemin dans les sous-bois ; Axel cherchait l'endroit où il avait découvert les chiens, quand Orson repéra les fougères toujours accrochées à la branche où Michelson les avait coincées. « C'est là que j'ai trouvé l'un des chiens », dit Axel montrant l'arbre du doigt. Il s'approcha de l'arbre avec précaution, comme s'il s'attendait à faire une autre découverte macabre.

« On va pas rigoler pour transporter le piège jusqu'ici », fit Snyder en suivant des yeux le chemin qu'ils venaient de parcourir.

« Nous ne serons peut-être pas obligés. Attendez donc une minute. » Orson fit le tour de l'arbre. Une petite mèche de fourrure jaune signalait l'endroit où le colley était mort.

Axel remarqua les coups d'œil anxieux que le shérif jetait dans la forêt. Il ressent la même appréhension que moi, pensa Axel. Puis il examina les environs avec Orson, à la recherche d'éventuels indices. Il n'y en avait apparemment pas.

« Ne devrions-nous pas retourner vers la maison, maintenant ? » dit Snyder. « La nuit tombe vite et vous disiez que les ours aiment à se nourrir au crépuscule, n'est-ce pas ? »

« En fait, ils mangent n'importe quand. Mais vous avez raison, ils préfèrent la nuit. » Orson regarda sa montre, puis le ciel. « Il nous reste une bonne heure avant la nuit. Nous ne sommes pas aux pièces. »

« Nous ferions mieux de revenir demain matin », insista Snyder.

« Oui, mais nous voulons capturer les ours cette nuit. »

Axel était d'accord. Si l'ours devait revenir pour roder autour de chez lui, autant que le piège soit installé le plus tôt possible. Il regarda sa maison à travers les arbres et se sentit momentanément rassuré. Il se demanda s'il devrait suggérer à Janis de voir un médecin. On a parfois du mal à surmonter une série de coups durs, sans pour autant souffrir de troubles mentaux nécessitant l'aide d'un psychiatre : la frontière séparant les deux états avait beau être imprécise, Axel pensait que Janis n'en était pas loin.

Axel vit Orson accroupi dans une petite dépression, qui observait une partie de sol noir humide. « Qu'y a-t-il ? » demanda-t-il.

« D'autres traces d'ours », dit Orson sans lever la tête. « Plus des empreintes de pied humain, exactement comme dans le marécage où on a retrouvé le corps du juriste. »

Axel rejoignit rapidement Orson. Le cœur battant, il se pencha au-dessus de l'épaule du professeur. Il distingua le contour bien visible d'un pied humain.

« Je n'y comprends rien », fit Orson d'une voix tremblante d'incertitude.

« S'agit peut-être du type qui tranche les langues ? » avança Snyder.

« Quand un ours suit un sentier fréquenté par d'autres ours, il marche dans les empreintes de ses congénères. Je ne sais pas pourquoi, mais c'est comme ça. Pourtant, il y a une chose que je ne comprends pas. »

« Quoi donc ? » demanda Snyder.

Axel voyait ce que voyait Orson et il ne comprenait pas davantage.

« Les empreintes humaines suivent exactement celles de l'ours, comme au marécage. Chaque pied se trouve au milieu d'une trace de patte. » Orson se leva lentement et dévisagea les deux hommes. « On dirait presque que la personne qui a parcouru ce chemin possède les instincts d'un ours noir. »

Axel se sentit soudain très seul, comme s'il ne pouvait se raccrocher à rien. Il ne réussit pas à chasser son malaise, même quand les trois hommes luttèrent de vitesse avec la nuit pour installer le piège.

19.

Le village était calme. Aucun moteur de voiture ne troublait le silence. Au loin, l'eau du grand lac montait incessamment à l'assaut de la plage. Le chuintement rythmé des vagues qui s'écrasaient sur le sable rappelait un battement de tambour dont l'écho n'aurait retenti que dans les rêves des Indiens assoupis. Seul témoignage des cérémonies nocturnes de la veille, un mince trait de fumée s'élevait lentement au-dessus de la colline.

« Tu es prêt, Grand-Père ? Il ne va plus tarder maintenant. »

« Se presser, toujours se presser. Tu ne sais donc pas qu'il ne faut pas bousculer les vieillards ? »

« Tu es peut-être vieux, mais pas lent. Tu as terminé ? »

« Presque. Encore cinq minutes. »

Larry jeta un coup d'œil par la fenêtre de devant. La voiture d'Axel n'était toujours pas en vue. « Leon Moozganse n'est-il pas l'homme dont tu me parlais souvent quand j'étais petit ? Celui dont le père était shaman, Midewiwin ? »

Le bruit de l'eau coulant dans le lavabo cessa et Charley Wolf s'essuya les mains. Il entra dans le salon, regarda attentivement son petit-fils et lui dit : « Oui, c'est lui. Tu t'en souviens ? »

« Il me semblait bien. Maintenant je sais pourquoi tu veux venir avec nous. »

« Tu es malin. D'ailleurs, j'espérais que tu comprendrais. »

« *Toi,* je te comprends », dit Larry en se retournant vers son grand-père, « mais je ne comprends pas le Midewiwin. »

« Tu n'es pas le seul, Gusan. Hier soir, sur la colline, tu as dû remarquer que personne ne savait plus rien. Nous avons besoin de Moozganse. J'espère seulement que lui n'a pas oublié, comme tant d'autres. »

Une portière claqua devant la maison. Sans un mot, Charley Wolf retourna dans la salle de bains pour terminer rapidement de se préparer. Axel se redressa après être sorti de la Renault. Il s'engagea dans l'allée menant à la maison et remarqua un mince nuage de fumée pris dans les branches de l'Arbre Crochu. Il suivit des yeux le trait de fumée jusqu'au sol, sous l'arbre. Bizarre, songea-t-il. Les festivals Ottawa sont d'habitude ouverts à tous et annoncés longtemps à l'avance.

Par la fenêtre, Larry aperçut son patron qui observait la fumée. Il n'avait absolument pas honte des légendes de son peuple, mais quand même, il ne se sentait aucune envie d'expliquer à Axel les raisons de la réunion de la veille.

« As-tu réussi à déchiffrer les notes que j'ai prises sur les affaires de la Cour d'Appel ? » demanda Larry par la porte ouverte.

Pris à l'improviste, Axel baissa les yeux sur Larry. « Oh, oui, je crois. Oui, sans problème. Puisque je réussis à lire ma propre écriture, je peux lire celle de n'importe qui. »

Larry éclata de rire. « Je t'offrirais volontiers un petit déjeuner, mais je crois que nous ferions mieux de partir. »

« Tout à fait. D'autant que j'ai déjà pris un jus d'orange avec des toasts à la maison. »

« J'ai préparé une bouteille thermos de café pour le voyage. »

Le grand-père de Larry apparut derrière le garçon. « Je suis prêt. Nous pouvons partir. »

« Nous serions bien allés jusqu'à chez toi », s'excusa de nouveau Larry. Il avait déjà téléphoné à Axel la veille au soir pour lui dire qu'il devait mettre sa voiture au garage.

« Oh, ce n'est pas grave », dit Axel.

Larry attendit qu'ils soient sur la route 621 pour servir le café. La grand-route construite aux frais du Comté était nettement meilleure que le chemin à l'asphalte inégal qui conduisait au Village Ottawa. Larry ne remplit qu'à moitié les gobelets en plastique, avant d'en passer un à son grand-père assis à l'arrière et un autre à Axel. Il tenait le troisième en équilibre instable entre ses genoux, tandis qu'il refermait le thermos.

« Comment va Janis aujourd'hui ? » demanda Charley Wolf.

« Elle était encore au lit quand je suis parti, mais ça avait l'air d'aller. Larry vous a-t-il dit ce qui est arrivé hier au chenil ? »

« Oui, tout le monde a dû être effrayé », répondit le vieil Indien. « Je me demande pourquoi les chiens ont réagi de la sorte. »

« Je ne sais pas. Mais les animaux sont malins. Ils sentent parfaitement quand un humain ne se comporte pas normalement. J'ai presque passé la moitié de la nuit à retourner tout ça dans ma tête et l'explication la plus raisonnable à laquelle j'ai abouti est que les chiens du chenil ont senti quelque chose d'anormal chez Janis. Et le pire, c'est qu'elle agit vraiment bizarrement depuis quelque temps. »

« Que veux-tu dire ? » demanda Larry d'une voix soucieuse.

Axel but une gorgée de café. Bien que connaissant Charley Wolf depuis quelque temps, il ne le considérait pas vraiment comme un ami intime. Axel se demanda rapidement s'il était sage d'aborder un sujet aussi personnel en sa présence, mais il ne put s'en empêcher car il avait désespérément besoin de parler de Janis à quelqu'un.

« Je ne peux pas dire qu'elle soit réellement malade. Quand j'y repense, je ne lui en veux vraiment pas de son comportement bizarre ; il s'est passé tellement de choses déroutantes ces temps derniers. Hier soir, par exemple, on a trouvé des empreintes de pied humain juste derrière chez nous, qui correspondent à celles découvertes autour du corps de Davis. On pense que c'est le type qui se débrouillait pour retrouver les victimes des ours et leur trancher la langue. »

« Des empreintes de pied ? » fit Charley Wolf. « A quoi ressemblaient-elles ? »

« Elles étaient petites et, chose étrange, suivaient les traces des ours, presque pas à pas. »

Charley Wolf se pencha et appuya ses avant-bras sur le siège avant. Il donna un léger coup de coude à Larry, mais son petit-fils refusa de se retourner. « Les traces d'ours étaient derrière votre maison ? » demanda Charley Wolf.

« Oui. Et il y a autre chose. Vous avez entendu parler des deux chiens massacrés l'autre jour ? »

« Ce sont des ours qui les ont tués ? »

« Oui. On a découvert des poils noirs sur les chiens, qu'on a fait analyser à Lansing. Janis a su dès lundi qu'ils appartenaient à un ours, mais elle ne m'a rien dit. Si le docteur Routier ne m'avait pas téléphoné pour m'en informer, et si je n'avais pas soulevé le sujet hier soir, elle ne m'en aurait probablement jamais parlé. » Axel jeta un coup d'œil latéral vers Larry. Il aurait voulu que Larry lui dît qu'il ne trouvait rien d'anormal à cela, qu'elle avait dû juger la nouvelle sans importance, mais Larry ne dit rien.

« Hier soir, je lui ai posé une question toute simple à propos d'un couteau de cuisine qui avait disparu, et elle a bien failli exploser. Ça ne lui ressemble pas de réagir comme ça, tu ne trouves pas, Larry ? »

« Non, c'est vrai », répondit calmement Larry.

Les paumes moites d'Axel frottaient nerveusement le volant. Par la fenêtre, les arbres défilaient à toute vitesse dans un vert indistinct. « Reste le plus bizarre. Une odeur âcre émanait de son sac qui pendait dans le cabinet de toilette ; quand j'y ai fait allusion, Janis a sauté sur le sac et s'est enfermée dans la salle de bains. »

« Quel genre de sac ? » demanda Charley Wolf d'une voix que l'appréhension faisait trembler.

« Un sac à main en daim, fabriqué par un garçon Kishigato. Je l'ai acheté à Janis il y a quelques années. »

« Et l'odeur venait de l'intérieur du sac ? »

« Il me semble. Un peu plus tard, elle m'a parlé d'un produit spécial pour traiter le cuir. Cela explique l'odeur, évidemment, mais ce qui m'ennuie, c'est sa réaction. »

« Je comprends que tu te fasses du souci », dit Larry. Il continua, davantage pour son grand-père que pour Axel. « Tu as probablement raison : les massacres des ours ont dû la perturber. Prend-elle un congé au chenil ? »

« Oui. Aujourd'hui au moins. Je pensais qu'elle aurait peut-être besoin de voir un médecin. »

« Je ne crois pas », dit Larry pour le rassurer. « Elle a simplement besoin de repos. »

« J'espère. Bon Dieu, après tout c'est peut-être moi qui ai besoin de consulter un médecin. Samedi soir, quand je suis arrivé à la maison après la réunion, j'ai cru qu'il y avait une bête sauvage avec Janis dans la chambre à coucher. »

A travers son dossier, Larry sentit le coup de genou de son grand-père.

« Pourquoi dites-vous : " j'ai cru " ? » dit Charley Wolf.

« J'ai sûrement imaginé ça », répondit Axel, d'une voix assurée. « Il ne pouvait y avoir que Janis dans la pièce. »

Charley Wolf se renfonça dans son siège en gardant les yeux

rivés sur la nuque d'Axel. Larry ne bougeait pas ; il craignait de se retourner, craignait de penser — il souhaitait n'avoir rien entendu. Mais il parvenait presque à entendre son grand-père penser. Tout semble concorder, reconnut-il en son for intérieur. Axel demeura silencieux pendant les trois autres heures que dura le voyage.

Avec sa façade massive constituée de blocs de pierre jaunes, le Tribunal de Bay City était un parfait exemple du style grec classique qu'affectionnaient les architectes officiels des années 30. La crème des juristes composait le barreau de Bay City. Parmi eux, le juge de district Moss avait une haute idée de sa fonction ; il prenait son travail très à cœur et tranchait les litiges le plus équitablement possible. Axel avait donc entière-ment confiance en lui. Il savait que le juge Moss prenait davantage en considération les intérêts humains que ceux des grosses sociétés et n'était pas prêt à faire des compromis.

Comme la maison de Leon Moozganse n'était pas très éloignée du centre ville, Charley Wolf insista pour qu'on le laissât au tribunal. Tant mieux, se dit Axel, car l'audience était prévue pour dix heures et il ne restait que quelques minutes.

Il tendit sa mallette à Larry en lui demandant de la porter dans la salle d'audience, car il voulait d'abord passer voir le juge.

« Monsieur Michelson. » Axel se retourna et vit un homme aux vêtements austères et au crâne presque rasé. « Bonjour, Monsieur Mallory. Comment allez-vous ? » dit Axel d'un ton enjoué à l'avocat des compagnies *Sunrise Land* et *Home*.

« J'allais bien jusqu'à ce que je rencontre mon client, il y a une heure.«

« Oh ? Qu'y a-t-il ? »

Mallory jeta un coup d'œil agacé vers une femme assise sur un banc avec un calepin sur les genoux, et qui regardait dans leur direction. « Je crois que nous serions mieux là-bas », dit-il en montrant la salle d'audience. Il tint la porte pour Axel, qu'il suivit vers une longue table, où Larry était assis.

Après avoir été présenté au stagiaire d'Axel, Mallory dit : « J'aurais aimé qu'on m'informe plus tôt, car cela vous aurait peut-être évité un déplacement inutile en ville. »

« Que voulez-vous dire ? » s'enquit Axel, qui s'attendait à ce que Mallory demandât un renvoi de l'audience.

« Mon client accepte sans condition l'injonction préliminaire », dit Mallory, gêné.

« Diable, pourquoi donc ? »

« Il dit qu'il n'a aucune envie de payer deux fois pour une seule et unique procédure. Moss a déjà accepté l'interdiction temporaire ; il y a donc toutes les chances qu'il accepte aussi la préliminaire, si bien que les deux sociétés immobilières préfèrent attendre le procès final sur l'interdiction définitive. Contrairement à ce que vous pouvez penser, mon client ne dispose pas d'un capital inépuisable. »

« Vous savez comme moi que l'injonction préliminaire n'est accordée que si le plaignant a toutes les chances d'obtenir gain de cause lors du procès proprement dit. »

« Je sais bien. Je leur ai d'ailleurs expliqué ce point, mais les sociétés préfèrent agir de la sorte. Je suis sûr que vous et moi aboutirons à un accord. Voulez-vous que nous le rédigions ? »

« Quel genre d'accord ? »

« Nous pourrions peut-être insister sur l'importance de l'enjeu, sur le fait que, si nous sommes finalement déboutés, vous aurez malgré tout subi un dommage irréparable, et conclure en disant que, compte tenu de tout cela, nous acceptons l'injonction préliminaire, étant bien entendu que cette décision n'engage aucunement le verdict final. Le juge pourrait partir de là. »

« Mais ce n'est pas pour autant qu'il acceptera de renoncer à statuer sur l'injonction préliminaire. Il pourra à bon droit arguer que nous n'avons pas fait la preuve de notre probable victoire finale. Il faudra que j'expose tous les points du dossier et nous nous retrouvons exactement au point de départ. Avec une audience en bonne et due forme. »

« Je vois mal le juge refuser l'interdiction si j'abandonne quatre-vingt-dix pour cent de mes arguments. D'un autre côté », ajouta Mallory en souriant, « je lui en ai déjà parlé et il m'a donné son accord. Voyez-vous, cela lui facilite les choses. »

Axel éclata de rire. « Bien sûr. Eh bien, dans ce cas, je suis persuadé que nous en aurons terminé en quelques minutes. »

« Bien. Je vais en parler au greffier. Ecoutez, je suis navré de ne pas l'avoir su plus tôt ; je vous aurais prévenu. »

« Ce n'est rien. Il aurait malgré tout fallu que je vienne en ville pour enregistrer la décision », dit Axel. Pourtant, cela lui aurait épargné de nombreuses heures de travail.

Tandis que Mallory quittait la table pour se mettre à la recherche du greffier du juge Moss, Axel aperçut la femme qui les avait observés précédemment. Elle avait des cheveux bruns coupés court, portait des vêtements ordinaires et tenait toujours son calepin sur ses genoux. Axel se demanda pourquoi Mallory l'avait évitée.

« Hé, c'est fantastique », s'écria Larry, au comble de l'excitation. Il parvenait à peine à conserver le chuchotement de rigueur dans la salle d'audience. « Nous avons gagné. »

« Oui », dit Axel en examinant la femme. « Je crois bien. »

« C'est une bande de ploucs qui doit diriger cette compagnie immobilière. Ils ne vont pas économiser un centime. »

« J'espère que tu n'as pas cru toutes ces conneries », fit Axel.

« Euh, si... » bredouilla Larry. « Quelle autre raison auraient-ils d'accepter l'injonction préliminaire ? »

« Peut-être à cause de cette dame assise là-bas », répondit Axel en faisant un signe discret vers la femme.

« Je ne comprends pas. »

« Je parie que c'est une journaliste ; ils ne tiennent pas à ce que leur plan de développement fasse les gros titres des journaux au moment où tout le monde parle des massacres d'ours. Leurs ventes en prendraient un sacré coup. Qui aurait envie d'acheter une maison pour avoir comme voisins une bande d'ours amateurs de chair humaine ? »

Larry comprit et hocha lentement la tête. « Et si, pendant plusieurs mois, les journaux ne parlent pas du développement des zones sauvages, les gens oublieront les histoires d'ours et ne feront peut-être pas le rapprochement. »

« Exactement. La manœuvre est dangereuse, mais très astucieuse. En fait, ils n'ont pas le choix. »

Une lourde porte en chêne s'ouvrit et le greffier pénétra dans la salle d'audience. Il annonça l'arrivée de la Cour au moment où Mallory entrait par une porte latérale. Tout le monde se leva quand le juge Moss entra, dans un envol de toge et d'un pas vif, pour s'asseoir derrière son pupitre. L'accord établi par les deux parties fut enregistré et, comme Mallory l'avait prévu, le juge Moss entérina l'interdiction. Moss repartit dans son bureau aussi rapidement qu'il était entré. Axel serra la main de son confrère et ferma son attaché-case avant de partir. Il vit Mallory se hâter vers la porte en évitant soigneusement la journaliste. Mais il remarqua avec surprise qu'elle l'ignorait totalement ; quand elle se leva, c'est vers lui-même et Larry qu'elle se dirigea.

« Bon, passons maintenant à l'aspect publicitaire de l'affaire », murmura Axel à Larry.

« Bonjour. Sharon Heff du *Times* de Bay City », dit-elle en tendant la main. « Pourriez-vous m'accorder quelques minutes ? »

« Oui. J'ai toute la journée devant moi puisque l'interdiction a été prononcée. »

« Tant mieux. Vous habitez Wabanakisi, n'est-ce pas ? »

« Oui. Un peu au nord de la ville. »

« Près de l'Arbre Crochu ? »

« C'est ça. »

« Parfait. Que pensez-vous des attaques des ours ? Ont-elles modifié votre existence ? »

Axel lui lança un regard stupéfait. « Les attaques des ours ! Vous n'êtes pas ici pour couvrir l'injonction ? »

« Non, pourquoi ? Je désire entendre des réactions personnelles à propos des massacres d'ours. Vous savez, ce qu'on dit en ville, par exemple. »

Axel ne put cacher sa déception. « Les gens s'inquiètent, évidemment, mais la plupart pensent que les attaques ne sont dues qu'à quelques ours malades », dit-il en résistant à la tentation d'effrayer les acheteurs potentiels. « Un professeur de l'Université du... »

« Oui, je sais », coupa-t-elle. « Et vous ? Vous vivez dans la forêt ? »

« Oui », reconnut-il à contrecœur.

« Tout cela a-t-il modifié votre existence ? »

Axel se sentit mal à l'aise ; il ne pouvait exposer à un journaliste les détails de sa vie privée. « Bien sûr », dit-il. « J'ai momentanément interrompu mes promenades en forêt. »

Elle rit, mais c'était à son tour d'être mal à l'aise. D'habitude, les gens parlaient pendant plusieurs minutes et elle les remerciait poliment avant de partir.

« Veux-tu aller chercher mon grand-père ? Il ne comptait pas venir ici avant cet après-midi. »

« Nous ne sommes pas pressés. Il n'est même pas onze heures », dit Axel en regardant la grosse horloge sur le mur en marbre. « Il nous reste une ou deux heures à tuer avant le déjeuner. »

Les deux hommes quittèrent la salle d'audience. Larry était soulagé de savoir les droits des Ottawas reconnus et la forêt protégée, au moins pour quelques mois, mais il ne savoura leur victoire que peu de temps. Car ses pensées se tournèrent rapidement vers son grand-père et Leon Moozganse, le Midewiwin. Malgré la chaleur, Larry sentait sa peau glacée. Il savait de quoi discutaient les deux Indiens.

Les touches scandèrent un air endiablé et le chariot revint soudain vers la gauche. Grace tapa « Axel Michelson » puis, en dessous, « Avocat-Conseil ». Enfin terminé, pensa-t-elle ; elle poussa un soupir de soulagement. Ces derniers jours, elle avait beaucoup travaillé — beaucoup trop. Personnellement, les heures supplémentaires ne la gênaient pas, mais elle s'en voulait à cause de ses filles. Au moins maintenant, elles passaient le plus clair de leur temps à l'école et n'avaient plus besoin d'un *baby-sitter.*

Grace se dit qu'elle n'avait plus beaucoup d'énergie à leur consacrer quand elle rentrait chez elle. Personne ne leur accordait l'attention et la tendresse qu'elles méritaient et dont elles avaient besoin. L'absence de son père était particulièrement pénible pour Marcy, l'aînée. C'était une enfant timide et solitaire, voire sauvage. Seigneur, Grace souhaita pouvoir quitter son travail.

Elle sentit des picotements familiers au fond de ses narines et ses yeux s'embuèrent. « Oh », gémit-elle, dégoûtée, « c'est le bouquet, Gracie. Te voilà encore à pleurnicher sur ton sort. Ça t'avance à quoi ? »

Elle se redressa et regarda la machine à écrire. Demain,

nous irons au lac, songea-t-elle. Il avait fait si beau ces derniers jours. Je passerai la matinée sur la plage avec les enfants. L'idée lui plaisait de plus en plus. Le chariot grinça quand elle le fit tourner pour enlever la dernière page de la lettre. Elle pivota vers le téléphone et composa le numéro des Michelson en espérant que Janis serait chez elle.

Janis lui répondit. « Allô. »

« Bonjour, Janis. C'est Grace. Je vous téléphone du bureau. »

« Oui ? »

« Je suis contente de pouvoir vous joindre. Je téléphone simplement afin de laisser un message pour Axel. Voilà, je viens de terminer la lettre que le juge de Mackinaw réclamait à propos de l'affaire Barkley. »

« D'accord. Je lui dirai », répondit simplement Janis.

« Dites-lui aussi que je la laisse dans le tiroir d'en haut de mon bureau. Je ne peux pas venir demain matin et je tiens à ce qu'il sache où elle est. »

« Pourquoi ne pas l'amener ici ? »

« Quoi ? »

« Axel m'a dit qu'il en avait besoin immédiatement. Il ne sera peut-être pas là demain », dit Janis d'un trait, les mots se bousculant dans sa bouche. « Il faut qu'il la signe pour l'emmener à Mackinaw. Ça lui éviterait de retourner en ville demain matin. »

« Mais il ne doit pas aller à Mackinaw avant la semaine prochaine », dit Grace, éberluée.

« Si. Il a changé d'avis. Il y va demain. »

« Vous êtes sûre ? »

« Absolument. » Janis n'en était absolument pas sûre ; sa mémoire était confuse, mais il lui semblait qu'Axel lui avait dit cela.

« Je peux sans doute vous l'apporter », dit Grace d'une voix hésitante. « Mais Axel ne m'en a jamais parlé. »

« Ça lui ferait très plaisir. »

« Entendu. » La réponse de Grace équivalait à un haussement d'épaules. « Je partirai de bonne heure du bureau et vous l'apporterai cet après-midi. Vous serez là ? »

« Oui, tout l'après-midi. Vous vous souvenez du chemin ? »

« Oui, je crois. »

« Je vais vous l'indiquer de nouveau, juste par sécurité », dit Janis d'une voix égale.

« D'accord », fit Grace en prenant un crayon. « Allez-y. »

Janis commença à donner toutes les indications à Grace pour aller de Wabanakisi à leur villa située à l'orée de la Forêt d'Etat de l'Arbre Crochu, des indications qu'elle avait déjà données maintes et maintes fois à de nombreuses personnes. Elle se sentait cotonneuse, plongée dans une sorte de rêve qui l'empêchait d'être parfaitement consciente de ses paroles. Elle avait oublié à qui elle s'adressait. Ce n'était qu'une voix à l'autre bout de la ligne. Quand elle entendit un « click », elle raccrocha. Mon Dieu, je suis vraiment fatiguée, songea-t-elle, mais il fallait se hâter. Il y avait tellement de choses à faire.

Une ombre courte et trapue filait à côté de la Renault ; le soleil ne déclinait que depuis deux heures. L'autoroute traversait la plaine cultivée qui entourait Bay City, comme un tronc de bouleau abattu sur le sol moussu de la forêt. De longues rangées rectilignes de betteraves à sucre s'étendaient de chaque côté de l'autoroute. Pour l'instant, les quatre hommes étaient à leur aise, mais il n'y avait pas beaucoup de place dans la petite voiture.

« Je vous remercie d'avoir accepté de ramener Leon avec nous, Axel », dit Charley Wolf.

« Mais c'est tout naturel », répondit cordialement Axel.

« Je crois que ma visite lui a donné le mal du pays. »

« Non, ce n'est pas cela », dit Moozganse.

« Ma cuisine, alors ? »

« Bon Dieu, non ! Ta cuisine me ferait plutôt déguerpir à l'autre bout de la terre ! »

« Il a eu beau se faire tirer un peu par la manche, je n'ai pas eu beaucoup de mal à le décider à me rendre visite. »

« Tu as raison. Je suis content de revenir au pays, même pour quelques jours. »

« Depuis combien de temps habitez-vous Bay City ? » demanda Axel.

« Trente ans. Je m'y suis installé à cause des chemins de fer et quand j'ai pris ma retraite, j'étais trop vieux pour déménager. »

« Trop vieux pour déménager », se moqua Charley Wolf. « Quel baratineur. Je constate que finalement, tu portes bien ton nom. »

Larry et Moozganse rirent et regardèrent Charley Wolf.

Au bout d'un moment, Axel prit la parole : « Hum, que signifie " Moozganse " ? »

« Vas-y, dis-lui », l'incita Charley Wolf. Moozganse gloussa, mais ne dit rien. « Puisque tu ne veux pas, c'est moi qui vais le dire. Ça signifie " trou du cul d'élan ". »

Axel se retourna et jeta un coup d'œil ébahi vers le siège arrière. Un sourire apparut lentement sur son visage. « Je croyais que... »

« Allez, dis-lui le reste », ordonna Moozganse.

Charley Wolf pouffa. « D'accord, d'accord... »

« Vous me menez en bateau », dit Axel. « J'ai toujours entendu dire que le nom qu'on donnait à un nouveau-né était une sorte d'idéal vers lequel l'individu devait tendre. »

« C'est la stricte vérité », dit Charley Wolf. « Et si vous avez déjà vu un élan sauvage, vous devez comprendre que le fait de s'appeler trou du cul d'élan est un sacré idéal à atteindre. Voyez-vous, l'élan a l'habitude de frotter sa queue contre son anus, ce qui fait qu'autour du cul, sa peau est particulièrement épaisse. C'est ce qui fait toute la valeur de la peau du cul de l'élan. »

« Les meilleurs mocassins sont fabriqués dans la peau qui entoure le trou du cul de l'élan », ajouta Moozganse.

Axel jeta un coup d'œil dans le rétroviseur pour observer Moozganse. C'était un vieillard. Son visage était décrépi et son épaisse chevelure blanchie par les ans, mais il savait par Larry que Moozganse était en fait plus jeune que Charley Wolf.

« Vous venez pour les fêtes ? » demanda Axel.

Moozganse interrogea Charley Wolf du regard ; sa mimique ajouta d'autres rides sur son visage. Charley Wolf secoua la tête comme pour dire : Je ne sais pas. Larry restait coi. Il se demandait comment ils allaient s'en sortir.

Quelques secondes passèrent, puis Charley Wolf se décida :
« Je ne pense pas qu'il y en ait de prévue », déclara-t-il.

« Il n'y en avait pas une la nuit dernière, sur la colline ? J'ai
vu de la fumée ce matin. »

« Oh, c'était quelque chose de tout à fait informel. Décidée
sous le coup de l'inspiration. Il faisait tellement beau. »

Larry, qui savait qu'Axel connaissait la signification religieuse de l'Arbre Crochu, regardait son patron à la dérobée.
Axel savait que les Ottawas ne manqueraient jamais de
respect envers leur grand-père au point de faire un feu de joie
sous ses branches majestueuses. Larry voulait expliquer, mais
ne trouvait pas ses mots. Il sentait aussi que prendre la parole
serait impoli envers son grand-père. Mais Axel lisait clairement dans la réponse de Charley Wolf. De plus, sa femme
descendait des chefs indiens. Il avait donc le droit de savoir ce
qu'ils croyaient. Même s'il ne s'agissait que d'une légende, il
avait le droit de savoir.

« Hier soir,... le village s'est réuni sur la colline », finit par
dire Larry. « Comme disait grand-père, une réunion
impromptue. Causée par les attaques des ours. »

« Pourquoi les attaques des ours seraient-elles l'occasion
d'une fête ? » demanda Axel.

Charley Wolf et Leon Moozganse restèrent silencieux.
Larry se retourna pour les interroger du regard. Leur impassi-
bilité lui intimait le silence. « Parce que certains Ottawas
croient savoir pourquoi les ours attaquent », dit-il à Axel.

« Et pourquoi donc ? »

« La marche de l'ours. L'esprit d'un homme quitte son
corps pour s'emparer du corps d'un animal. En habitant le
corps de la bête, il peut l'utiliser comme bon lui semble. S'il
s'agit d'une chouette, il peut voler ; d'un poisson, il peut
nager. »

« Et s'il s'agit d'un ours, il peut tuer », dit Axel.

« Exactement. Nous appelons cela la marche de l'ours,
parce que l'ours est le plus respecté de tous les animaux. Il
ressemble tellement à l'homme, surtout quand il se dresse sur
ses pattes arrière, que les Ottawas en ont fait leur cousin.
S'emparer du corps d'un ours est en quelque sorte la plus
haute forme de l'art. »

« Ainsi, certains Ottawas pensent que c'est ce qui se passe actuellement ? Quelqu'un s'est emparé du corps des ours pour tuer des gens ? »

« La légende affirme que c'est déjà arrivé il y a longtemps. Un Indien nommé Shawonabe, dont les légendes ont ensuite fait la personnification du mal, habitait les ours et a anéanti toute une tribu, les Mush Qua Tah. »

« J'ai entendu parler d'eux. »

« C'était une petite tribu qui vivait dans la région de Wabanakisi avant l'arrivée des Ottawas. Leur nom signifie " les souterrains ", car ils vivaient dans des trous creusés sous terre. Tous les hommes, femmes et enfants ont été tués peu après notre arrivée. »

« Oui, mais parce que les Ottawas les ont vaincus. »

« Ce n'est qu'une supposition. En réalité, l'histoire ne peut expliquer ni pourquoi ni comment les Mush Qua Tah ont soudain disparu de la surface de la terre. Accuser les Ottawas revient à passer sous silence l'amitié qui lia les deux tribus et le fait qu'ils vécurent côte à côte sans problème pendant longtemps. Leur soudaine hostilité paraît bizarre, d'autant qu'on ne trouve pas trace de dégâts matériels ou de morts Ottawas à cette époque. Un événement aussi marquant qu'une victoire écrasante serait certainement commémoré encore maintenant par des chansons ou des légendes. Mais il n'y en a pas. Au lieu de cela, la légende affirme que c'est Shawonabe qui les a anéantis. C'était un puissant shaman, réputé pour son art de la marche de l'ours. »

« Intéressant », approuva Axel, intrigué. « Mais on a déjà vu des ours tuer des gens. Ça n'arrive pas souvent, mais quand même. Pourquoi, cette fois-ci, croient-ils que c'est Shawonabe ? »

« A cause des langues », répondit Larry.

« Que veux-tu dire ? »

Charley Wolf les interrompit ; il était maintenant disposé à parler. « Si un homme tue en empruntant le corps d'un ours, il doit revenir pour couper la langue et la conserver comme talisman. Autrement, l'esprit de la personne tuée tourmentera son âme. On raconte que, quand Shawonabe est mort, on a retrouvé les langues de ses innombrables victimes dans son sac de shaman. »

« Vous savez, je serais prêt à y croire, si tout cela n'était pas si saugrenu. Cette légende expliquerait beaucoup de choses. Mais dites-moi, qui croit encore à la marche de l'ours ? »

Il y eut un silence glaçant. Axel interrogea Larry des yeux.

« Beaucoup de gens », dit Larry. « Mon grand-père et Leon Moozganse, par exemple. »

Axel se retourna pour regarder les vieillards assis à l'arrière. Leurs visages étaient impassibles, mais sur celui d'Axel se lisait l'incrédulité.

« C'est d'ailleurs pour cela que Mishoo a demandé à Leon Moozganse de venir au village », poursuivit Larry. « Son père était Midewiwin, c'est-à-dire shaman ou *medecine-man,* à la fois chef religieux, professeur et médecin. »

« Mais je ne pourrai pas faire grand-chose », dit Moozganse, s'excusant presque. « Je ne sais pas tout, et puis j'ai tellement oublié. »

Axel gardait les yeux rivés sur la route et faisait de son mieux pour dissimuler ses sentiments. A son avis, il n'était plus possible, au vingtième siècle, de croire à ces légendes. Mais il devait se montrer prudent pour ne pas blesser M. Wolf ou Moozganse ; c'étaient des hommes très respectables, peut-être les derniers de leur espèce.

« Où est Shawonabe ? » demanda Axel. « Qu'est-il devenu ? »

« Il est mort voici deux siècles », répondit Charley Wolf. « On a enfermé son âme dans une prison et on l'a enterré loin du village, loin du lac, loin de tout endroit fréquenté. »

« Mais alors, on ne peut le rendre responsable de quoi que ce soit ? Ce ne peut pas être lui qui tranche les langues. »

« Non, ce n'est pas lui », dit Leon Moozganse.

« Alors qui ? »

« Un serviteur », dit Moozganse. « Il a besoin d'un serviteur pour perpétrer ses crimes à sa place. »

« Mais qui ? » insista Axel.

Moozganse regarda Charley Wolf. Il connaissait à peine cet homme, disaient ses yeux. Charley Wolf se pencha en avant et prit la parole. « Quelqu'un de disponible dans la région.

Quelqu'un dont les petits pieds correspondent aux empreintes découvertes dans la boue, quelqu'un qui marche dans les traces des ours. »

Moozganse s'avança lui aussi et appuya ses avant-bras sur le dossier du siège. Il se mit à parler, d'une voix basse, prenante. « Quelqu'un de son sang, quelqu'un dont les yeux luisent comme des braises la nuit. »

« Quelqu'un qui ne sait pas ce qui se passe », continua Charley Wolf, presque en chantant. « Quelqu'un qui, depuis quelques jours, n'est plus elle-même. Quelqu'un qui possède un sac en *peau de daim* pour y mettre les langues. »

Les deux Indiens se turent. Les mains d'Axel étaient crispées sur le volant; il refusait d'entendre, il refusait de comprendre.

« Ils parlent de Janis », conclut Larry d'une voix tranquille. Il était heureux qu'Axel sût enfin à quoi s'en tenir.

Axel adressa à Larry un regard brûlant. « Toi aussi, tu y crois ? » fit-il d'une voix dure.

« Non. Je ne crois pas à la marche de l'ours », chuchota presque Larry.

Axel se retourna brièvement vers Charley Wolf et Leon Moozganse. « Vous êtes cinglés ! Je n'aurais jamais dû vous parler de Janis à l'aller. Vous avez faussé tout ce que je vous ai confié pour le faire coller avec vos propres petites croyances imbéciles. » Axel s'était rarement mis dans pareille colère. Les légendes sont une chose, se dit-il, mais accuser sa femme d'actes aussi monstrueux, cela dépassait les bornes. Il était furieux.

« D'accord, Janis ne va pas bien; elle traverse une mauvaise passe. Ça arrive à tout le monde. Et vous croyez qu'elle ira mieux avec toutes vos conneries ? Ça risque tout simplement de l'enfoncer davantage. En fin de compte, vous ne m'avez convaincu que d'une chose : c'est un Indien complètement cinglé qui coupe la langue à ces pauvres gens. »

L'écho des paroles d'Axel résonna longtemps dans les oreilles des trois Indiens. Ils n'entendaient plus que le chuintement de l'air qui s'engouffrait par les fenêtres. Après tout, Grand-père avait peut-être raison, songea Larry. Peut-être aurait-il mieux valu ne rien dire à l'homme blanc. Mais c'est absurde, se révoltait sa raison : les légendes ne sont que des histoires sans rapport avec la réalité. Elles ne devraient pas blesser les gens. Il comprit soudain la réaction d'Axel, et lui-même se sentit blessé.

Axel regarda sa montre. Il était encore tôt et déjà, ils traversaient West Branch. Il avait hâte d'être chez lui, de retrouver sa femme. D'ailleurs, il y serait bien plus tôt qu'elle ne s'y attendait. Il imaginait sa surprise et sa joie de le voir arriver de bonne heure et d'apprendre la nouvelle de l'interdiction provisoire.

20.

Le petit mammifère rampait sur la branche maîtresse ; ses yeux perçants étaient rivés sur sa proie. Le soleil tropical chauffait comme une étuve l'air immobile et humide de la forêt sibérienne. Mais la chaleur ne gênait pas le miacide, qui concentrait toute son attention sur le paramyide.

Ses griffes s'enfonçaient dans l'écorce dure avec une facilité déconcertante ; le mammifère progressait aussi aisément qu'à terre. Des muscles épais adaptés à l'escalade et au meurtre enrobaient un squelette fragile. Malgré sa remarquable adaptation à l'environnement, le miacide devait disparaître durant la période oligocène — non parce qu'il ne réussit pas à survivre, mais parce qu'il y réussit trop bien. En effet, ses caractéristiques allaient évoluer rapidement : la bête grossit et l'espèce se ramifia.

Le paramyide cessa de mâcher la feuille. Il scruta anxieusement les environs, mais ses petites pattes ne lâchèrent pas son repas. Le miacide se déplaçait maintenant rapidement ; ses vingt-cinq kilos filaient le long de la branche. Sa gueule était ouverte. Le paramyide remua la tête nerveusement : il avait senti l'approche du danger. Soudain, il aperçut son assaillant en dessous de lui. Le paramyide abandonna sa nourriture et battit en retraite vers le haut de l'arbre. En dessous, le vacarme s'accentuait. Le paramyide était rapide ; ce ne fut pas le manque de vitesse qui le perdit, mais sa voracité. Il avait laissé le miacide approcher trop près.

Heureusement, tout fut terminé en quelques secondes. Le miacide sauta sur le paramyide et referma ses mâchoires sur la nuque de l'animal. Puis, visiblement satisfait et tenant fièrement le paramyide dans sa gueule, il fit demi-tour sur la branche. Il s'installa confortablement dans une fourche de l'arbre et, tenant le paramyide entre ses pattes, plongea ses crocs dans la chair tendre. Il avait des dents pointues et acérées, idéales pour déchirer et couper la chair.

Au cours des millénaires, ces dents se transformèrent en même temps que l'animal. Sa dentition devint celle de l'omnivore : des incisives pour déchirer et des molaires pour broyer. Ces mêmes incisives qui tranchaient dans la chair, pouvaient cueillir délicatement les mûres d'un buisson sans toucher la moindre brindille.

Les descendants du miacide émigrèrent à travers le détroit de Béring vers des terres vierges, jusque-là recouvertes d'une couche de glace. La famille des ursidés, genre *Ursus,* se répandit dans toute l'Amérique du Nord. *Ursus Americanus* devint l'espèce la plus commune, le mammifère le plus apte à s'adapter à toutes sortes de climats, à l'exception de l'homme.

Trente millions d'années après que son ancêtre ait chassé dans les arbres, un *Ursus Americanus,* un ours noir, se reposait sur le tronc d'un sapin du Canada. Ses pattes avant étaient tendues et son gros corps oscillait doucement. Ses griffes non rétractiles s'enfonçaient profondément dans le bois tendre. Les deux cents kilos de l'ours restaient facilement suspendus à un tronc d'arbre pendant plusieurs heures. Mais cette fois-ci, ce n'allait pas être le cas.

Car l'odeur du chevreuil en décomposition l'avait fait sortir de son territoire. Pourtant, cette partie de la forêt lui avait semblé familière, comme s'il s'y était déjà aventuré auparavant. L'attrait irrésistible de la viande avait failli l'empêcher de remarquer une deuxième odeur. Mais pas pour longtemps, car l'ours s'était soudain figé, sentant quelque chose. Ses narines palpitaient. Le danger ! Il venait de sentir l'odeur du danger, un danger proche, beaucoup plus proche que l'ours n'aurait aimé. Instinctivement, il était monté dans un sapin.

Le danger ne se concrétisait pas, mais l'odeur du chevreuil était toujours là. L'ours relâcha son étreinte autour du tronc et commença à descendre. Ses griffes égratignaient l'écorce et ralentissaient sa descente vers le sol. L'ours remua la tête dans le vent, à l'affût de la moindre brise ; puis il se décida et se mit en marche vers la carcasse du chevreuil.

Grace plaça la housse sur la machine à écrire. Quand la *baby-sitter* avait annoncé à Marcy et Mary Grace que leur mère viendrait les chercher plus tôt que prévu, Grace avait entendu leurs hurlements de joie dans le récepteur. La réaction de ses enfants l'avait fait réfléchir ; passer toute la journée avec une autre adulte risquait d'affaiblir leur affection pour elle, si bien que chaque fois qu'elle le pouvait, elle essayait de leur donner le meilleur d'elle-même, ce qui aboutissait à une autre inquiétude : peut-être les gâtait-elle trop.

Ses deux filles se précipitèrent vers la voiture dès que Grace s'arrêta devant la maison. Elles trouvaient épatant de retrouver leur mère à 3 h 30 plutôt qu'à 5 h 15, comme d'habitude. Mary Grace sauta sur le siège avant à côté de sa mère et Marcy s'installa à l'arrière, agenouillée sur la banquette. Quand elle montait en voiture, elle commençait toujours par s'installer de cette façon, pour être sûre de ne rien manquer.

« Où allons-nous, maman ? » demanda Mary Grace d'une voix distraite.

« Chez mon patron. Dis, fais attention à cette chemise », dit-elle en prenant la chemise qui contenait la lettre qu'elle venait de taper. Elle la tendit à Mary Grace. « Nous devons la remettre à sa femme. »

« Pourquoi ? »

« Parce qu'il l'a demandé. »

« Pourquoi ? »

« Parce que c'est comme ça. »

« Mais pourquoi ? »

« Arrête un peu avec tes questions, Mary Grace. Nous passons d'abord à la blanchisserie et ensuite, nous allons chez Mme Michelson. »

« Maman », dit Marcy sur le siège arrière, « c'est vrai que les Indiens sont sur le sentier de la guerre et tuent les gens ? »

« Bien sûr que non », répondit Grace. « Où as-tu entendu ça ? »

« C'est Mme Smith qui me l'a dit. »

« Cela m'étonnerait, Marcy. Tu as dû mal comprendre. »

« Si, c'est vrai », insista Marcy. « N'est-ce pas, Mary ? »

« Mme Smith nous a dit ça », confirma Mary Grace. « Elle a dit que dans l'Ouest, les Indiens scalpaient les gens, mais qu'ici, ils préféraient leur couper la langue. »

« Oh, mais c'est terrible », s'écria Grace. « Ils n'ont jamais fait une chose pareille. »

« Mais Mme Smith vit ici depuis toujours », contre-attaqua Marcy. « Elle sait tout. »

« Non, elle ne sait pas tout », déclara Grace d'un ton péremptoire. Elle ne parvenait pas à croire que Mme Smith pût raconter une histoire pareille à ses enfants. Elle s'efforça de retrouver son calme. « Mme Smith a peut-être entendu beaucoup d'histoires quand elle avait votre âge, mais ce n'est pas parce qu'elle les a entendues et qu'elle s'en souvient, que ces histoires sont vraies. Quand elle était petite fille, les gens n'aimaient pas les Indiens et racontaient des tas de méchancetés à leur sujet. Une enfant comme vous entendait ces mensonges et y croyait. Vous feriez mieux d'écouter votre mère : les Indiens ne tuent pas les gens ; ce sont les ours de la forêt qui ont tué ces gens. »

Marcy s'enfonça dans son siège et Grace ne vit plus son visage. Elle espérait que ses deux filles la croyaient.

La blanchisserie se trouvait dans la grand-rue, au-delà du pont à bascule. Etta Neilson avait commencé à laver des vêtements pour des voisins il y a vingt ans, quand une dystrophie musculaire avait frappé son mari, dès lors obligé de cesser toute activité. Etta resta chez elle pour laver le linge et s'occuper de son mari, au deuxième étage de leur maison. Après sa mort, elle continua à laver du linge pour gagner sa vie. Peu à peu, son commerce prit de l'ampleur et Etta avait maintenant trois employés sous ses ordres.

Mme Neilson était une femme bavarde, mais Grace n'avait pas de temps à perdre. Elle régla la note et retourna à la voiture d'un pas rapide, les bras chargés de draps repassés et de serviettes propres. Elle empila le tout sur le siège arrière, fit le tour de la voiture et s'installa au volant.

Les dernières maisons disparurent dans le rétroviseur, la route rétrécit et Grace regarda sa montre. Quatre heures. Ils seraient rendus dans un quart d'heure. Ensuite, ils auraient tout le temps de revenir, de manger avant de regarder le film de six heures. « Hé, les filles, voulez-vous aller au cinéma ce soir ? »

« Ouais ! » répondirent-elles en chœur.

« Parfait, moi aussi. » Grace accéléra et remonta sa fenêtre. La gamme des verts de la forêt défilait le long de la grande route. Tout était si beau, si calme, si tranquille. Ces bois n'abritaient sûrement aucun animal malfaisant, pensa-t-elle. Les attaques d'ours ne lui faisaient pas peur. Avec ses enfants, elle était en sécurité dans sa voiture.

Les mains posées en haut du volant, Larry fit le gros dos. Il ne conduisait que depuis un peu plus d'une heure, mais le temps lui semblait long, à cause du silence pesant qui régnait dans la voiture. Axel dormait à côté de lui ; sa tête se balançait entre le siège et la fenêtre. Il s'était senti fatigué sur l'autoroute et avait passé le volant à Larry sur une aire de dégagement, un peu au sud de Grayling. Ils approchaient de Wabanakisi, mais Larry hésitait à le réveiller.

Ce fut inutile, car Axel sursauta violemment et jeta autour de lui des regards effarés. La réalité lui revint en mémoire. Le cauchemar s'estompa. C'était impossible, pensa Axel en soupirant. Ce ne pouvait être vrai. Pourtant, la scène macabre de son rêve apparut de nouveau devant ses yeux : sa femme se tenait penchée au-dessus d'un cadavre mutilé, un couteau à la main, un couteau à lame courte et tranchante. Le couteau à parer ! Son corps frissonna, quand Axel se tourna vers la fenêtre pour cacher son visage. Il ferma les paupières en essayant de chasser la vision, mais elle restait gravée dans sa tête ; plus large, plus claire. Le couteau à parer bien en évidence. Il pénétra dans la bouche et Axel vit Janis détacher du cadavre le morceau de chair rose et flasque. Ses mains se

déplacèrent vivement vers un sac, son sac à main en daim !
« Non ! » hurla-t-il.

La voiture fit une embardée ; ses roues s'engagèrent sur le bas-côté. Mais Larry redressa à temps, puis jeta un coup d'œil à Axel. Sur le siège arrière, les deux hommes se penchèrent en avant. Axel haletait. Il craignait de tourner la tête ; ses yeux roulaient fébrilement dans leurs orbites. Il se sentait idiot de s'être laissé aller à crier comme un gamin.

L'air préoccupé, Larry regardait la route. Il voulait parler, mais ne savait que dire. Pourtant, il devinait parfaitement ce qui venait d'arriver à Axel. Il n'existait qu'une seule explication à son cri. Puis il en voulut à son grand-père. Cependant, c'était lui-même qui avait abordé le sujet, se dit-il brusquement. Il avait bien fait, finalement, car Axel avait le droit de savoir. De toute façon, tôt ou tard, il aurait eu vent des soupçons qui pesaient sur sa femme.

« J... Je... » Axel essaya de parler. Il déglutit avec difficulté. « Je ne sais pas pourquoi... Je suis désolé, Larry, je... »

« Ce n'est rien, boss. Ne t'en fais pas. Ce sont des choses qui arrivent. »

« J'étais en train de rêver, et... »

« Je sais, j'imagine tout à fait de quoi tu rêvais », dit Larry. « Je comprends que... que tu sois bouleversé. »

Que tu aies crié comme un imbécile, tu veux dire, pensa Axel. Il sentit une petite tape sur son épaule. Axel se retourna pour regarder Charley Wolf. Le vieil homme ne dit rien, car il savait que seul le silence pouvait exprimer certaines choses. Il lui serra amicalement l'épaule et Axel comprit. C'était un geste invitant à la patience, non une preuve de sympathie. Tu commences à voir, disait la main, et bientôt tu comprendras.

Axel se retourna vers le pare-brise et dégagea son épaule de la main de Charley Wolf. Son mouvement signifiait que jamais il n'accepterait de voir les choses de cette façon. Il disait : vos légendes sont des histoires, seulement des histoires. Il disait aussi : ma femme n'est en rien soumise à l'esprit d'un Indien mort depuis longtemps.

Un petit panneau vert — « Wabanakisi 3 » — fila à droite de la voiture. Axel était heureux d'être presque arrivé. Il désirait parler à sa femme, mais pour lui dire quoi ? —

« D'après Charley Wolf, un esprit maléfique s'est emparé de ton corps. C'est vrai ? » Axel faillit éclater de rire. Pourtant, il fallait trouver une explication, et il comptait bien le faire avec Janis. Axel était heureux que Janis ne fût pas allée à son travail : elle devait être à la maison et l'attendait.

Mais à trente kilomètres au nord de la Renault, la maison des Michelson était silencieuse. Janis n'était pas chez elle. Elle était dans la forêt.

Les pattes aux épais coussinets résonnaient sur le sol herbeux de la forêt. Attiré par l'odeur de la viande, l'ours se déplaçait rapidement, quoique avec précaution. L'odeur du danger était forte, mais dans l'esprit de l'ours, la perspective du festin qui l'attendait l'emportait.

Soudain l'ours s'arrêta net pour observer l'objet rond et brillant. Il était perplexe, perplexe et nerveux. Il voulut faire demi-tour et s'enfuir, mais l'odeur de la viande en décomposition était irrésistible.

L'ours décrivit un cercle complet autour de l'objet à la surface ondulée. L'odeur du danger était omniprésente, mais ce n'était pas une odeur récente, comme celle du chevreuil, et l'ours décida de poursuivre son exploration. Il tendit le cou en avant pour renifler l'objet dur. Puis il leva une patte et passa les griffes sur la surface froide, qu'il égratigna légèrement. Un peu rassuré, il frappa l'objet de la patte. Un « boum » sonore sortit des deux extrémités ; effrayé, l'ours recula.

Se tenant prudemment à quelques mètres, l'ours attendit que l'écho eût disparu pour s'approcher de nouveau, avant de longer le long tube creux. Au bout, l'odeur de la nourriture était plus forte. L'ours voyait le chevreuil, à quelques centimètres seulement. Mais la viande était hors de portée, car un obstacle troué le séparait du but. L'ours introduisit ses griffes dans les trous et tira, mais en vain : la plaque ne bougea pas.

L'ours fit le tour de l'objet circulaire ; à l'autre extrémité, il voyait aussi le chevreuil et salivait d'avance, mais jamais auparavant, il n'avait rencontré caverne aussi bizarre.

Il avança lentement une patte à l'intérieur, ses coussinets s'habituèrent au contact du métal froid. Il allait faire un autre pas en direction du festin quand il se figea brusquement. Le chevreuil lui sortit complètement de l'esprit, remplacé par un signal impérieux, plus impérieux que ses propres instincts. Il se détourna à contrecœur de la viande.

Quelques secondes plus tard, il pénétrait résolument dans les bois. Son hésitation avait disparu. Au lieu de revenir sur ses pas, l'ours se dirigea vers le sud.

« M. Michelson est-il un Indien ? » demanda Mary Grace.

« Non, il n'est pas indien, il est danois », répondit Grace.

« Mme Michelson est danoise, aussi ? »

« Non, elle est Ottawa. Ses arrière-grands-pères étaient de grands chefs indiens. »

« Elle habite un wigwam ? »

« Mais non. » Grace éclata de rire. « Et Axel ne vit pas dans une hutte en paille. »

« Tu crois que Mme Michelson sait si les Indiens coupent les langues ou non ? »

« Bien sûr, et elle te dirait exactement la même chose que moi. Mais je te défends bien de lui poser la question », dit Grace, soudain sérieuse. « Cela reviendrait à l'insulter. »

« Promis, maman », répondit Mary Grace en regardant par la fenêtre. Elle mit ses doigts dans sa bouche pour toucher les papilles de sa langue.

Grace fit les gros yeux à sa fille. Mais maintenant, elles étaient plus curieuses qu'effrayées. Pourtant, en pleine nuit, seules dans le noir, l'image d'Indiens coupant des langues leur ferait probablement très peur. Elle en voulait à Mme Smith de raconter des histoires aussi macabres à de jeunes enfants. Elle aurait dû songer à l'effet de ses paroles. Cependant, Grace savait qu'en confiant toute la journée ses gamines à une *baby-sitter,* elle s'exposait à ce genre de désagrément, surtout avec une vieille femme comme Mme Smith.

Ils approchaient de la bifurcation. « Mary Grace, ouvre la chemise et donne-moi la petite feuille de papier qui se trouve au-dessus de la lettre. »

La fille fit ce que lui demandait sa mère. Grace parcourut les indications notées au crayon. « Pas de boîte aux lettres » était souligné au bas de la feuille. Elle avait été surprise d'entendre Janis lui affirmer que sur la 621, aucune boîte aux lettres ne signalait le chemin qui aboutissait à leur maison. Mais elle se souvint brusquement que les Michelson avaient une boîte postale. Pourtant, elle avait beau ne pas être allée là-bas depuis longtemps, elle aurait juré qu'il y avait au moins une pancarte sur un arbre. C'était étrange, mais Janis lui avait dit qu'absolument rien n'indiquait l'embranchement de leur chemin. A en croire sa description, on aurait juré qu'ils vivaient au bout d'une ancienne piste de bûcherons.

La voiture traversait lentement le centre de Wabanakisi. Le malaise d'Axel disparut, remplacé par une résistance farouche aux idées de Charley Wolf. Il regrettait de s'être emporté contre le vieillard, mais vu les circonstances, sa réaction était compréhensible. Quand on aura capturé les ours et que tout se sera tassé, Charley Wolf comprendrait qu'il a eu tort de croire aveuglément en ses légendes, qu'elles sont des témoignages précieux de sa tradition, mais pas des faits.

« Je vais m'arrêter au garage pour voir si ma voiture est prête », dit Larry.

« D'accord », acquiesça Axel. « Mais je crois que tu en demandes trop à la mécanique. Les voitures ressemblent aux êtres humains, tu sais. »

« S'ils réussissent à prolonger d'un an son existence terrestre, je serai content. »

« Tu as déjà dit ça l'année dernière », gloussa Charley Wolf sur le siège arrière.

« C'est parce que je pensais gagner davantage d'argent cet été », expliqua Larry en faisant un clin d'œil à Axel.

« J'ai une mauvaise nouvelle à t'annoncer », rétorqua Axel. « Si tu trouves déjà ton salaire trop bas, attends un peu d'être sorti de la fac de droit... »

Larry éclata de rire et dirigea la Renault vers la voie d'accès de la station-service. Sa vieille Ford était garée à côté du garage entre deux carcasses de voitures accidentées. Larry parla avec le mécanicien, puis se retourna vers Axel en levant le pouce pour signifier que sa voiture était prête. Comme Charley Wolf et Leon Moozganse descendaient de la Renault, Larry disparut dans le bureau attenant au garage.

En traversant le pont à bascule, Axel accéléra à fond ; il avait hâte d'être chez lui.

L'ours trottait dans les bois ; il avait depuis longtemps oublié l'odeur du chevreuil. Sa démarche pataude manquait de grâce, mais ses deux cents kilos se déplaçaient rapidement. L'ours pénétra dans le nouveau territoire. Bien que ne l'ayant jamais fréquenté, il ne prenait aucune précaution particulière ; il ne s'arrêtait pas pour renifler le sol, ou humer l'air afin de repérer les parfums transportés par le vent. A quelques centaines de mètres à droite de l'ours, un étroit ruban d'asphalte serpentait à travers les arbres.

Le moteur baissa de régime quand Grace leva le pied de l'accélérateur. Sur sa gauche, elle aperçut les trois bouleaux qui poussaient d'un tronc unique, dont lui avait parlé Janis. « Ouvrez l'œil, les mômes », dit-elle. « Leur chemin n'est pas loin. Il devrait couper la route juste après cette pancarte jaune. »

« Le voilà », cria Mary Grace en tendant l'index vers une pancarte portant une flèche noire incurvée.

« Chut. Pas la peine de crier aussi fort. »

Mary Grace plaça sa petite main devant sa bouche et regarda sa mère avec des yeux rieurs.

« Tu es une sacrée coquine », dit Grace. La voiture quitta la grand-route pour s'engager sur l'étroit chemin de terre. Grace ne se souvenait pas de ce chemin. Elle aurait juré que celui des Michelson était plus large et couvert de gravillon.

La voiture d'Axel filait sur la route de comté 621. Il ralentit un peu. L'odeur des pins s'engouffra par la fenêtre ouverte. Il songeait au piège en acier installé derrière sa maison.

L'ours s'arrêta soudain, tous les sens en éveil. Une autre forme se déplaçait entre les arbres. Il huma l'air. Un autre ours ! Il banda ses muscles, prêt à faire volte-face, mais ne bougea pas. Puis il reprit sa lente progression. Apparemment, l'autre ours faisait tout aussi peu attention à lui.

La voiture cahotait sur le chemin de terre ; de longues tiges d'herbe passaient entre les roues. « Maman, il y a vraiment quelqu'un qui habite au bout de ce chemin ? »

« Oui, je pense », répondit Grace, mais elle commençait à

en douter. Elle se dit qu'elle s'était trompée de route ; pourtant, elle avait scrupuleusement suivi les indications de Janis. C'était peut-être Janis qui s'était trompée ? Non, pensa Grace, ses indications sont justes, à moins qu'elle n'ait voulu délibérément nous fourvoyer, ce qui ne tient pas debout. Mais rien ne tenait debout dans cette histoire. Axel, par exemple, n'avait jamais demandé qu'on lui apportât cette lettre. Que cherchait donc Janis ? Rien, absolument rien, tâcha de se convaincre Grace. Elle se sentait stupide ; les Michelson aiment l'isolement, se dit-elle, et leur maison se trouve sûrement après le prochain virage.

Axel aperçut la voiture arrêtée au bord de la route, un kilomètre devant lui. En approchant, il remarqua que l'avant droit du véhicule était relevé et qu'un homme en veste de sport démontait une roue.

Axel engagea sa Renault sur le gravillon du bas-côté et la gara devant la voiture en panne. « Voulez un coup de main ? » proposa-t-il en se dirigeant vers l'homme accroupi à côté de la roue.

« Non, j'ai presque terminé », dit l'autre en passant sa main sur son front couvert de sueur. « Mais c'est très aimable à vous de vous être arrêté. »

« Je ne suis pas pressé », dit Axel en faisant demi-tour vers sa voiture.

« Dites-moi, suis-je loin de Pike Village ? »

« Il n'existe pas de route directe pour y aller. Vous en aurez peut-être pour quarante-cinq minutes. »

« Pas de route directe ? Je croyais pourtant qu'il y en avait une. »

« Non, non. Mais vous pouvez aller jusqu'à Mackinaw et ensuite revenir sur vos pas. »

« Il n'y a pas plus court ? »

« Si. Attendez donc une seconde, je vais chercher ma carte. » Axel retourna à sa voiture.

L'ours approcha ses deux cents kilos de l'autre ours. Sur sa gauche, il repéra des formes mouvantes dans les arbres. Un troisième ours... non, deux autres ours. Il regarda dans leur direction.

« J'ai peur, m'man », gémit Mary Grace. « J'aime pas cet endroit. Rentrons à la maison. »

« Tu n'as rien à craindre, ma chérie », dit Grace pour la calmer, mais sa voix tremblait d'appréhension. « Nous sommes presque arrivées. Tu verras, dans quelques minutes, nous serons chez les Michelson. »

A vingt mètres l'un de l'autre, les ours marchaient d'avant en arrière. Soudain, l'un après l'autre, ils se figèrent : ils avaient entendu le bourdonnement régulier d'un moteur.

Grace espérait que tout se passerait bien. Au pire, si elle s'était trompée de route, il suffirait qu'elle fasse demi-tour jusqu'à l'embranchement. Mais elle sentait une sorte de démangeaison électrique sur sa nuque. Pourquoi Janis ferait-elle exprès de nous envoyer sur une mauvaise route ? se demanda-t-elle avec colère. Grace regarda dans le rétroviseur ; la 621 avait disparu. Si on ne voyait pas leur maison après le prochain virage, elle ferait demi-tour.

L'expression de contentement quitta le visage d'Axel quand les ombres des nuages atteignirent la grand-route. De nouveau, son estomac se noua. Il avait momentanément réussi à oublier ses soucis relatifs à la marche de l'ours, Charley Wolf et Janis ; mais maintenant, l'angoisse revenait, peut-être parce qu'en définitive, il redoutait de discuter de tout cela avec Janis. Mais il fallait absolument qu'il en parlât. Il devait l'aider à surmonter cette crise.

L'aiguille du tachymètre monta lentement. Axel n'aurait su expliquer pourquoi, mais il sentait qu'il devait se hâter.

Le piétinement nerveux des ours cessa. Ils s'ébranlèrent lentement vers un point bien précis. Rien ne les arrêtait, pas même les gaz délétères émanant de l'objet en mouvement.

Grace ralentit avant le virage. La voiture se mit à déraper dans le sable. Tout à coup, Grace pensa à l'enlisement et appuya à fond sur l'accélérateur ; la voiture bondit hors de l'ornière sablonneuse. Comme elle levait le pied, des perles de sueur apparurent sur son front. Elle chercha un endroit où faire demi-tour.

Les ours suivaient des yeux la voiture. Le rugissement soudain du moteur ne les effraya pas. Ils étaient calmes, résolus. Déconnectés de leurs instincts.

De modestes monticules de terre bordaient la piste. Au-delà poussaient des fougères. Impossible dans ces conditions de faire demi-tour, se dit Grace, qui appréhendait de devoir passer dans l'ornière sablonneuse en marche arrière. Ses yeux scrutaient l'autre côté de la route. Une forme sombre et basse apparut devant la voiture. Son pied enfonça la pédale des freins. Marcy glissa du siège arrière sur le plancher de la voiture. « Oh, non », gémit Grace. Un tronc d'arbre gisait en travers de la route. « Va falloir retourner là-bas en marche arrière. »

L'ours réagit instantanément. Sa proie était immobilisée. Ses deux cents kilos s'élancèrent à travers les sous-bois.

Mary Grace hurla. « Cachez-vous ! » cria Grace. Mary Grace étouffa ses sanglots dans ses mains et Marcy tira sur elle la pile de draps ; toute la pile de linge propre dégringola sur le plancher de la voiture.

L'énorme forme noire fonçait dans les bois. La fenêtre, elle est ouverte ! Grace lâcha le volant pour actionner frénétiquement la poignée de la fenêtre, mais elle lui échappa. Le bruit de tonnerre approchait. La fenêtre se remit à monter, par à-coups, lentement. « Vite, plus vite ! » haletait-elle.

Grace distingua une deuxième forme noire qui fonçait sur l'avant de la voiture. Mary Grace cria « Là, là, au secours ! » Grace regarda sur sa droite : une troisième forme sombre. Un troisième ours ! « En arrière ! En arrière ! » hurla Mary Grace.

Il faut s'échapper coûte que coûte ! ordonna l'esprit de Grace. Elle poussa le changement de vitesse en marche arrière. L'ours arriva sur la voiture. La fenêtre de sa portière trembla. Elle poussa un cri et se prit le visage entre les bras. La fenêtre s'était transformée en toile d'araignée, mais elle tenait bon. Grace saisit de nouveau le volant. La fenêtre explosa ! Des morceaux de verre éclaboussèrent le siège avant ; une patte noire pénétra dans la voiture. Grace fit un bond jusqu'à l'autre bout de la banquette et prit dans ses bras sa fille qui sanglotait.

Le rugissement de l'ours submergea leurs cris. Le deuxième ours sauta sur le capot de la voiture et se rua sur le pare-brise. Grace leva sa main devant les yeux de sa fille et serra sa tête sur sa poitrine. Mary Grace se débattait. Le pare-brise trembla, le verre sécurit se transforma en un cristal laiteux. Terrifiée, Grace gardait les yeux fixés sur les trois griffes noires qui passaient à travers le verre éclaté.

Grace ferma les yeux et se lova sur elle-même, protégeant de son mieux Mary Grace. L'ours se jeta à travers le trou et l'élargit en remuant son corps massif. Il saisit l'enfant tremblant entre ses mâchoires.

Les yeux écarquillés d'horreur, Marcy regardait la scène par la fente qui séparait les deux sièges avant. Elle entendit sa mère hurler. Elle entendit la fenêtre avant droite voler en éclats. Elle entendit les sanglots de sa sœur. Elle entendit les grognements gutturaux des ours. Mais elle ne vit rien !

Les trois animaux passaient la tête par les fenêtres et le pare-brise ; leurs crocs lacéraient et déchiraient. Un quatrième allait et venait nerveusement devant le véhicule. Il n'y avait plus assez de place pour lui autour de la voiture. Les grondements des ours faiblirent, leurs mouvements se firent moins vifs quand leurs proies cessèrent de se débattre. Sentant la mort, le premier ours extirpa sa tête et son torse de la fenêtre du conducteur, se laissa tomber à quatre pattes et disparut rapidement dans les bois. Les trois autres le suivirent rapidement, comme si la peur les gagnait de nouveau.

Tandis que les ours filaient dans les sous-bois, le corps de Grace s'effondra lentement sur le côté. Sa tête tomba au milieu du siège avant, à quelques centimètres des yeux de sa fille aînée. Hypnotisée, Marcy regardait fixement entre les deux sièges. Le tumulte s'était calmé ; après quelques secondes d'épouvante, le silence régnait de nouveau. Les grondements et les rugissements des ours résonnaient encore dans ses oreilles, son cœur battait encore au rythme de la terreur, mais elle ne bougea pas. Puisque sa mère était immobile, il fallait qu'elle le fût aussi. Puisque sa mère se cachait pour que les ours ne reviennent pas, il fallait qu'elle se cachât. Son regard ne quittait pas le visage de sa mère ; sa bouche surtout, car Marcy attendait qu'elle dît quelque chose.

21.

Le mât en aluminium se balançait d'avant en arrière quand le voilier pénétra dans le clapotis de l'étroit canal. Tels des ligaments fixés à un squelette, les haubans faisaient un angle bizarre avec le mât nu. Le bateau avançait grâce à un petit moteur hors-bord à deux temps qui pétaradait bruyamment, tandis que les voitures attendaient.

Larry regarda le grillage métallique du pont à bascule revenir lentement à l'horizontale. Le voilier était maintenant à l'abri, dans le lac Muhquh Sebing. La file de voitures s'ébranla lentement. La vieille Ford déglinguée passa en première ; Larry retournait chez lui.

Tout était si simple pour son grand-père, se dit Larry. La marche de l'ours. L'esprit de Shawonabe quittant sa tombe pour s'emparer du corps des ours. Et tuer dès qu'il en a l'occasion. Contrôler Janis Michelson, l'utiliser pour trancher les langues, afin de se protéger contre les esprits vengeurs des victimes. Tout s'expliquait alors si facilement. Larry enviait la résolution de son grand-père, son calme intérieur. Il enviait ses certitudes. Il aurait aimé pouvoir tout expliquer aussi facilement. Il aurait aimé se débarrasser de son angoisse chronique.

Larry réfléchit aux meurtres apparemment absurdes de la semaine passée. Il réfléchit aux Mush Qua Tah, absurdement anéantis voici deux siècles. Tous ces meurtres étaient aussi absurdes les uns que les autres. Mais la légende de Shawonabe fournissait une explication : elle affirmait que Shawonabe était la personnification du mal, que ses pouvoirs maléfiques s'étaient développés jusqu'à se manifester dans le moindre de ses actes, dans la moindre de ses paroles. La légende expliquait comment il avait tué les Mush Qua Tah, pour ensuite se faire adopter par les Ottawas en prétendant être le seul survivant de ses malheureux frères. La légende parlait des expériences de Shawonabe, de ses pouvoirs maléfiques sans cesse croissants, de sa soif de puissance. Elle racontait comment il avait menacé la tribu des Ottawas d'une fin encore plus terrible que celle des Mush Qua Tah. Mais la légende disait aussi comment les Ottawas avaient mis fin aux sortilèges, comment il avait été enterré loin de leur territoire, et comment son esprit avait été privé de tout moyen de poursuivre sa magie noire. Si la légende disait vrai, songea Larry, elle répondait à toutes ses questions. Si la légende disait vrai.

Mais elle mentait, Larry en était convaincu. Mais alors pourquoi les ours tuaient-ils, pourquoi perdaient-ils tout à coup leur timidité, leur gentillesse ?

Les langues représentaient une énigme plus obscure encore. Son grand-père y voyait un argument décisif, mais Larry était sceptique. C'était sûrement Axel qui avait raison. Un type qui connaissait bien la légende faisait une plaisanterie macabre. Il retrouvait les cadavres et leur coupait la langue. Mais comment faisait-il pour savoir où étaient les corps ? Comment savait-il à l'avance où frapperaient les ours ? Toutes ces questions sans réponse constituaient autant d'arguments en faveur de la thèse de son grand-père. En fin de compte, l'explication d'Axel était tout aussi invraisemblable, mais Larry la trouvait plus facile à accepter.

Larry jeta un coup d'œil à son grand-père, assis à côté de lui dans la voiture, son grand-père qui l'avait élevé. Pour la première fois, il ne pouvait lui demander conseil. Mais il avait entendu les paroles de son grand-père, il avait chanté les chants de son peuple. Ils étaient mensongers. Pourtant, d'une façon légèrement perverse, il était tenté d'y croire.

L'aiguille du tachymètre avoisinait le chiffre 80. Axel se sentait anxieux, il transpirait, mais les virages de la 621 l'empêchaient de rouler plus vite. Sur le bas-côté, les cailloux se transformaient en une nappe bleu-gris uniforme qui défilait par la fenêtre de la Renault. Au milieu de la route, le pointillé blanc devint une bande jaune continue. Un peu plus loin sur la gauche, trois bouleaux blancs jaillissaient d'un tronc unique. Dans un kilomètre, il serait chez lui.

Soudain, une silhouette humaine apparut entre les arbres, sur la droite. Axel scruta le chemin de terre. C'était une femme. Il freina sèchement. Une femme courait sur l'ancienne piste de bûcherons en tenant quelque chose à la main.

Le moteur de la voiture s'emballa quand Axel fit marche arrière sur le gravillon, jusqu'à la piste en terre. Les pneus dérapèrent sur un bon mètre avant que la voiture ne s'arrêtât. Axel bondit hors de la Renault et examina le chemin. Personne.

« Oh ! » cria-t-il. « Il y a quelqu'un ? » Pas de réponse. « Oh-Oh ! » cria-t-il de nouveau. Pas le moindre mouvement. Axel regarda de part et d'autre de la 621. Tout était calme. Il pensa un instant à remonter en voiture et partir chez lui. Après tout, il n'y avait rien d'extraordinaire à voir quelqu'un dans la forêt. Pourtant, aucune voiture n'était visible et la seule maison à des kilomètres à la ronde était la sienne. Cette femme avait peut-être besoin d'aide, pensa-t-il. Il pénétra dans les bois.

Axel marchait lentement sur le monticule herbeux du milieu de la route, attentif au moindre bruit de feuilles ou de brindilles. Tout semblait tranquille, mais Axel percevait une sorte de tension sourde, contenue, comme des braises rougeoyantes dissimulées sous une mince couche de cendres grises. Il avançait avec précaution, à l'affût du moindre mouvement.

Le silence explosa. Des fougères piétinées griffaient l'air. Cinquante mètres devant Axel, la femme jaillit de sa cachette au bord de la piste. « Hé, je veux vous aider ! » hurla Axel en se lançant à sa poursuite. Mais elle ne ralentit pas, si bien qu'Axel la perdait parfois de vue entre les arbres et les zones d'ombre. Ce n'était pas une femme qui courait devant lui, il s'en aperçut quand il eut gagné quelques mètres sur elle. C'était une petite fille ! « Stop ! » cria-t-il. Encore quelques mètres.

Il la saisit par l'épaule et l'obligea à s'arrêter. Elle se retourna et s'écroula à terre. Ses mains couvraient son visage, sa respiration sifflait entre ses dents.

« Tout va bien. Je ne vais pas te faire de mal », dit rapidement Axel. « Je ne vais pas te faire de mal. Calme-toi, écoute-moi, s'il te plaît. Tout va bien. »

Le tremblement de son corps s'atténua peu à peu, mais ses

bras restaient crispés et son visage enfoui dans ses mains. Elle serrait une serviette de bain en tissu bouclé. Axel fit une grimace en découvrant que la serviette brune était trempée de sang. « Là, ouvre ta main », dit-il doucement en tirant sur la serviette. « Je veux t'aider. »

Les mains de la petite fille se détendirent lentement. Axel lui prit la serviette et la laissa tomber sur le sol. Il saisit tendrement les fins poignets de la gamine et lui enleva les mains du visage. « Marcy ! » dit-il, surpris. Elle ouvrit grands les yeux, étonnée. « Marcy, je suis Monsieur Michelson. Tu te souviens de moi ? » Elle ne fit aucun effort pour parler. La terreur se lisait sur son visage. « Où est ta mère ? » Ses yeux restaient écarquillés, ses lèvres immobiles. « Marcy, où est ta mère ? » Pas de réponse. Comme si elle n'entendait pas. Axel examina minutieusement sa tête, mais ne découvrit aucune blessure. Elle ne paraissait pas saigner. Pourtant, le sang qui imbibait la serviette était frais.

« Viens, lève-toi et viens avec moi. Nous allons retrouver ta mère. » Marcy ne bougea pas. « Allez, viens, Marcy », répéta Axel en lui prenant le bras pour la soulever du sol. La tenant par la main, il la ramena sur la piste en terre. Marcy se laissait faire ; ses pieds traînaient dans les feuilles mortes.

Quand Axel arriva à la piste, il regarda à droite et à gauche. « Grace ! » appela-t-il. Sa voix résonna dans les sous-bois. Il se tourna vers Marcy pour lui demander : « Ta mère est-elle en bas du chemin ? » Marcy ne regarda même pas Axel. Il s'accroupit, saisit d'une main le menton de la petite fille et tourna son visage vers le sien. « Ta mère a-t-elle pris cette route en voiture ? » Elle cilla, mais son expression demeura inchangée. Perplexe et inquiet, Axel serra les lèvres en observant le visage de la petite.

Il avait dû arriver quelque chose de terrible. Axel le savait, mais il avait peur d'envisager certaine éventualité. Il craignait de se demander pourquoi la serviette était imbibée de sang frais, pourquoi Marcy semblait en transe. Il chercha un indice sur le visage de la fillette. Il n'y en avait aucun. Tout ce qu'il y lut fut le besoin pressant de soins médicaux. Mais il devait d'abord retrouver Grace.

Il regarda le chemin de terre s'enfoncer dans la forêt. Il le connaissait bien : la végétation le recouvrait toujours davantage, jusqu'à ce que le chemin disparaisse finalement dans les bois. Que faisait ici cette petite fille ?

Axel la prit par la main et se mit en marche sur le chemin, vers la forêt. Après quelques pas, Marcy arracha soudain sa main de celle d'Axel et se mit à trembler de tous ses membres. « D'accord, Marcy, d'accord », dit-il pour la réconforter. Une sorte de ululement rauque sortit du plus profond de sa gorge. Axel la souleva de terre et la serra étroitement contre sa poitrine en la berçant. « Marcy, Marcy, tout va bien. Tu es en sécurité, maintenant. Rien ne peut t'arriver, tout ira bien. Nous ne retournons pas dans les bois. Viens, partons d'ici. »

La tenant toujours étroitement serrée contre lui, Axel se mit en route vers la 621. La petite avait cessé de gémir quand ils arrivèrent sur la grande route. Axel installa Marcy sur le siège avant et coupa le contact. Il mit les clefs dans sa poche et dit : « Je reviens dans une minute. Je vais chercher ta maman. Reste ici. Tu m'entends, Marcy ? Reste ici. » Axel essaya de savoir si elle avait compris, mais son regard restait vide. Il ferma la porte et retourna vers le chemin de terre.

Il se sentit frissonner malgré lui en se souvenant des mots prononcés par Orson la veille au soir : si un ours passe une fois dans un endroit, il y retourne immanquablement. Axel surveillait la forêt. Ce n'était plus Grace qu'il cherchait, mais l'ours qui avait déchiqueté les chiens. Il comprit avec un certain effroi que si un ours l'attaquait, il n'avait pas la moindre chance de s'en tirer.

A l'endroit où la route avait érodé la mince couche de terre, on distinguait une cicatrice sablonneuse. Les chaussures d'Axel s'enfonçaient dans le sable. Il remarqua une profonde ornière et une traînée de sable derrière. Une roue tournant à vide, une voiture ! « Grace ! » cria-t-il en se mettant à courir.

La roue arrière était coincée contre un monticule de terre. La voiture avait quelque chose de bizarre, d'anormal. Il était presque arrivé à sa hauteur quand il vit les fenêtres et le pare-brise pulvérisés. Il s'arrêta net. Il comprit soudain, en un éclair, ce qui s'était passé. Les fenêtres, le sang. « Oh, Seigneur », dit-il en fermant les yeux. Il dut se forcer pour s'approcher de la voiture et regarder à l'intérieur.

« Ahhh », hurla Axel.

C'était pire que ce qu'il avait imaginé. A l'avant, Grace était allongée sur le côté, un pied sur le plancher, l'autre coincé contre le tableau de bord. Sa tête était atrocement tordue, sa nuque brisée. Une petite fille était recroquevillée par terre. De minuscules fragments de verre recouvraient tout l'intérieur de la voiture et réfléchissaient les mares de sang comme des rubis. Elles étaient mortes, il n'avait pas le moindre doute. Il se détourna pour partir, mais le visage de Grace restait gravé dans son esprit. Il voyait le regard fixe de ses yeux bleus sous les paupières immobiles. Il voyait le filet de sang qui coulait de sa bouche, grotesquement ouverte, jusqu'à son cou.

Axel se hâta en jetant des coups d'œil inquiets autour de lui. Il savait ce que signifiait la bouche ouverte de Grace. Il savait que quelqu'un était passé sur les lieux du crime avant lui. Il se ruait littéralement vers sa voiture. Les ours sont sûrement encore dans les environs. Ils peuvent surgir des bois n'importe quand. Peut-être même l'ont-ils déjà repéré.

Il se sentait menacé. Le danger était réel. Rien à voir avec l'appréhension ressentie en apprenant la mort de Davis. Rien à voir avec le pincement de cœur en entendant la nouvelle de la mort des campeurs. Tout cela ne se passait plus à des kilomètres de lui. Il était directement concerné. Le danger était proche. Une peur mortelle lui perça la poitrine comme une lame glacée. Il imaginait les ours en train d'attaquer. Il sentait presque leurs dents. Maintenant c'était lui qui risquait sa vie. Les muscles de ses cuisses lui faisaient mal. Sa voiture était juste devant. Encore quelques mètres.

Il arriva à l'embranchement de la piste en terre. Axel émergea des bois et fonça sur la portière de la voiture. Il réussit à regarder l'ancienne piste. Elle était déserte. La forêt était tranquille. Il se sentit enfin en sécurité, s'effondra sur le capot de la voiture et reprit difficilement son souffle. Peu à peu, sa peur disparut, absorbée par le calme de la forêt.

Il s'installa derrière le volant en se demandant ce qu'il allait bien pouvoir dire à Marcy. Il fit claquer la portière et lui jeta un coup d'œil à la dérobée. Elle était assise, immobile, et regardait sans voir, droit devant elle. Axel ne la dérangerait plus. Il comprit pourquoi elle se réfugiait dans son monde intérieur. Il avait vu ce que ses yeux avaient vu, il savait que seuls des soins assidus et patients pourraient la ramener à la réalité. Il savait que toute parole serait inutile.

Axel fit accomplir un demi-tour à la voiture et se dirigea vers la ville. Pourquoi donc les ours attaqueraient-ils une automobile ? Cela paraissait tellement incroyable, tellement anormal. On comprenait à la rigueur les autres meurtres, mais pourquoi briser les fenêtres et le pare-brise d'une voiture pour en tuer les occupants ? Axel savait qu'il devait exister une explication rationnelle. Pourtant, il n'en trouvait aucune.

La vieille Ford déglinguée approchait rapidement sur la voie d'en face. Quand Axel aperçut la voiture de Larry, sa première réaction fut de freiner pour se garer sur le bas-côté et lui faire signe de s'arrêter. Il voulait demander à Larry de passer chez lui pour téléphoner au shérif et s'assurer que Janis allait bien, mais Axel ne freina pas. Car il savait qui était dans la voiture avec Larry ; il savait ce que diraient les deux autres Indiens. Il ne répondit pas au geste de Larry, ignora la voiture. Les légendes ne lui faisaient pas peur, mais il fut secoué d'un frisson inexplicable quand Larry, son grand-père et Leon Moozganse croisèrent la Renault.

La salle d'attente de l'hôpital était à peine plus large que le couloir central qu'elle prolongeait vers l'entrée. Elle était meublée de quelques divans couverts de vinyle et de chaises assorties alignées contre le mur, et dont l'extrémité des bras avait perdu toute couleur. Accoudé à la petite tablette en formica sous le téléphone, Axel dansait d'un pied sur l'autre.

« Allô ? » répondit Janis d'une voix sans expression.

« Bonjour, ma chérie. Je suis en ville. »

« Oh, Axel, je suis contente que tu sois rentré. » Sa voix tremblait.

« Quelque chose qui ne va pas ? »

« Non », dit-elle, puis elle se reprit. « Si, Axel, si. »

« Janis ! Janis, qu'y a-t-il ? »

Incapable de parler, Janis éclata en sanglots. « Je ne sais pas », finit-elle par dire. « Je ne sais pas ce qui ne va pas. »

« Tu es blessée, malade ? »

« Non. Quand seras-tu à la maison ? »

« Bientôt, chérie, mais je ne peux partir tout de suite. »

« Pourquoi ? » fit-elle en pleurant.

Axel se demanda s'il devait lui parler de la tuerie au téléphone ou attendre d'être rentré. Mais il était trop fatigué, trop épuisé émotionnellement pour lui cacher la vérité. « Je suis à l'hôpital. »

« Quoi ? »

« Je vais bien, Janis. Calme-toi. Mais Grace est morte. Des ours l'ont tuée ainsi que sa fille cadette cet après-midi. »

La respiration malaisée de Janis demeurait régulière. « Je suis contente que tu ailles bien. Mais quand rentres-tu ? »

« Tu as entendu ce que je viens de dire, Janis ? Grace est morte. »

« Oui, j'ai entendu », dit-elle entre deux sanglots. « Mais si elle est morte, pourquoi dois-tu rester à l'hôpital ? »

« Parce que sa fille aînée est en vie. Les ours l'ont épargnée. »

« Elle était dans la voiture ? » fit-elle d'une voix pressante.

« Oui, elle y était aussi. » Axel marqua un temps. « Mais qui t'a dit qu'elles étaient en voiture ? »

« Toi. Tu viens de me l'apprendre », répondit Janis d'un trait, la voix soudain tendue.

« Peut-être, mais je ne me suis même pas rendu compte... » Axel ne termina pas sa phrase. Il devait avoir mentionné qu'elles étaient en voiture cet après-midi, quand les ours les avaient attaquées. Tout était si confus. « Elle s'est cachée à l'arrière sous une pile de linge. Les ours ne l'ont pas trouvée. »

« Qu'a-t-elle dit ? » demanda brusquement Janis.

« Rien. Elle est sous le choc. »

« A-t-elle vu ce qui s'est passé ? »

« Je ne sais pas. Je viens de te dire qu'elle est sous le choc. C'est pour ça que je reste à l'hôpital. »

« Elle doit bien avoir dit quelque chose », hurla Janis d'une voix qui ne tremblait plus. La détermination avait remplacé les sanglots. « Elle doit avoir tout vu. »

« Probablement. Elle a sûrement tout vu. Mais quant à savoir si elle sera jamais capable de nous raconter ce qu'elle a vu, c'est une autre histoire. »

Janis resta silencieuse quelques secondes. « Elle ne pourra peut-être plus jamais parler », conjectura Janis.

« J'espère que si. Mais j'aimerais rester ici un moment pour voir si son état s'améliore. Cela ne t'ennuie pas ? »

« Non, comme tu veux. »

« Bon. Tu m'as fait peur il y a une minute. »

« Excuse-moi, Axel. Je ne sais plus où j'en suis. »

« Nous en parlerons quand je serai à la maison. A tout à l'heure. »

« D'accord. Au revoir. »

« Au fait, l'injonction préliminaire est adoptée. »

« Tant mieux », dit Janis sans enthousiasme.

La main d'Axel resta longtemps posée sur le récepteur après qu'il eut raccroché. Il regretta que Charley Wolf fût allé à Bay City avec eux, car l'Indien l'avait déboussolé avec ses idées stupides, se dit Axel. Il secoua la tête et se retourna pour rejoindre Larry, assis dans un fauteuil en vinyle. Larry avait senti quelque chose d'anormal en le croisant sur la 621 ; il avait donc fait demi-tour pour revenir en ville, après avoir raccompagné son grand-père et Leon Moozganse.

« Comment va Janis ? » demanda Larry en posant le magazine sur la table.

« Bien, elle va bien. »

« Tu lui as dit pour Grace ? »

« Oui. Ça l'a bouleversée, évidemment », répondit Axel, sans être vraiment convaincu que la nouvelle ait bouleversé Janis.

« Je m'en doute. Moi aussi, ça m'a secoué de voir tous ces gyrophares et l'ambulance quand je suis revenu en ville. »

« Snyder t'a appris quelque chose ? »

« Tu me l'a déjà demandé, Axel », fit Larry. « Il m'a simplement dit que leurs langues avaient été coupées, comme les autres fois, et que tu avais emmené Marcy à l'hôpital. »

« Oui, c'est vrai ; excuse-moi. »

« Nous devrions rentrer, tu ne crois pas ? Ils nous téléphoneront s'il y a du neuf. »

« Oui, mais je voudrais attendre le retour du docteur Lewis. »

« Ça risque de prendre du temps », dit Larry en hochant la tête.

« Mais non de Dieu », explosa Axel, « il faut quand même que quelqu'un s'occupe d'elle. Il n'y a personne d'autre. »

Larry approuva et ouvrit de nouveau son magazine. Ses yeux se déplaçaient sur la page, mais il lisait sans comprendre. Il réfléchissait à la marche de l'ours.

La salle d'attente de l'hôpital demeura longtemps silencieuse. Des voix étouffées ou le grincement d'une chaise roulante filtraient parfois par la porte battante. Le téléphone n'avait pas sonné depuis une heure et l'infirmière tuait le temps comme elle pouvait derrière son comptoir ; elle attendait la fin de son travail, à dix heures du soir.

Luke Snyder franchit les lourdes portes vitrées ; ses pieds traînaient sur le carrelage. « Axel, je suis content que tu sois encore ici », dit-il.

« Bonjour, shérif. Tu as fini ton travail, là-bas ? »

« Non, j'ai à peine commencé. Comment va la petite ? »

« Toujours pareil. Je crois qu'elle dort maintenant. »

Snyder avança jusqu'aux portes battantes, colla son visage à l'étroite fenêtre et scruta le couloir de l'hôpital. « C'est le truc le plus horrible que j'aie jamais vu de toute ma vie. » Le shérif se détourna de la porte et glissa la main dans la poche de sa chemise. « Vous pouvez peut-être m'aider. Qui a écrit cela, à votre avis ? »

Axel prit la feuille de papier des mains de Snyder. « Grace, tu ne crois pas, Larry ? »

« Sans aucun doute. Qu'est-ce que c'est ? »

« Des indications qui aboutissent exactement à l'endroit où tu l'as retrouvée, en plein milieu de nulle part », dit le shérif.

« Mais c'est impossible », rétorqua Axel. « Elle a dû mal les suivre. »

Le shérif se contenta de hocher la tête en regardant la feuille. Axel lut rapidement. Les trois bouleaux... avant le virage. Oui, comprit Axel, tout cela aboutissait effectivement à l'endroit où il avait retrouvé Grace. Il regarda Snyder d'un air perplexe.

« Que penses-tu du " Pas de boîte aux lettres " en bas de la feuille ? » demanda Snyder.

Axel réfléchit un moment. « On dirait qu'elle s'attendait à trouver une maison au bout du chemin. »

« Ouais, je me suis dit la même chose », grogna Snyder. « Avais-tu demandé à Grace d'apporter quelque chose chez toi ? »

« Non, je ne crois pas lui avoir demandé une chose pareille. »

« Je te pose la question parce qu'on a retrouvé une de tes lettres dans une chemise, sur le siège avant. Une lettre datée d'aujourd'hui, non signée. »

« L'affaire Rasmussen ? »

« Ouais, je crois que c'est ça. »

Axel adressa un regard stupéfait à Larry. « La lettre doit partir à Mackinaw, mais pas avant la semaine prochaine », dit-il. « Elle était au courant. »

« Crois-tu que Janis ait pu lui demander de la lui apporter ? »

« Evidemment pas. Elle ne connaît même pas l'existence de l'affaire Rasmussen. »

« C'est bien ce que je me suis dit », fit le shérif en se frottant la nuque. « Mais je ne parviens pas à comprendre pourquoi quelqu'un veut faire plonger Janis. »

« Faire plonger Janis ? » s'écria Larry. « Mais il s'agit d'ours, non ? »

« Oui, ce sont des ours qui ont tué Grace et sa fille, d'accord. Mais il y avait un arbre fraîchement abattu en travers de la route. Plus ces indications qui dirigent Grace vers le tronc d'arbre. Les ours devaient l'attendre à l'endroit fatidique et ont foncé sur la voiture tellement vite, qu'elle n'a pas eu le temps de s'enfuir. Après la tuerie, quelqu'un est venu leur couper la langue. Tout était arrangé d'avance, vous ne trouvez pas ? »

« Je ne sais pas », dit Axel.

« Pour moi, c'est un meurtre », fit Snyder en regardant attentivement Axel. « Nous ne comprendrons vraisemblablement jamais le mobile du meurtrier, pas plus que sa manière de procéder ; j'espère simplement que nous le découvrirons. Et la petite fille détient la clef de l'énigme. »

Les portes battantes s'ouvrirent. « Vous feriez mieux de rentrer chez vous », dit le docteur Lewis. « Elle va dormir toute la nuit. »

« Pourra-t-elle parler demain ? » demanda Snyder.

« J'en doute fort. Et même si c'est le cas, je ne crois pas que ce serait une bonne idée de l'interroger aussitôt sur ce qui s'est passé. »

« Sera-t-elle un jour capable d'en parler ? » le pressa Snyder.

« Je ne peux pas me prononcer. Elle a surtout besoin de repos. Il faut prendre notre mal en patience. »

« Y aura-t-il quelqu'un avec elle cette nuit, au cas où elle se réveillerait ? Je ne voudrais surtout pas qu'elle se réveille seule dans un endroit qu'elle ne connaît pas », dit Axel.

« Elle ne se réveillera pas avant demain matin. Je lui ai administré un puissant somnifère. Mais comme l'hôpital ne peut lui affecter une infirmière à plein temps, demain j'enverrai Mme Whitesun à son chevet. »

« Parfait. Pourrai-je la voir ? » demanda Axel.

« Oui. Je pense même que cela lui ferait du bien de voir des visages amicaux. »

« Je passerai aussi », proposa Larry.

« Très bien. A demain matin », dit le docteur Lewis.

Le moteur de la voiture de Larry toussota plusieurs fois avant de lancer un rugissement sonore. Une semaine auparavant, la controverse touchant à l'Arbre Crochu obnubilait son esprit et il piaffait d'impatience en songeant à l'interdiction provisoire. Tout cela lui semblait maintenant si loin, car la marche de l'ours occupait toutes ses pensées.

Si la marche de l'ours était bien à l'origine de tous les meurtres, se disait Larry, il n'y avait qu'un seul Indien capable de réussir pareil tour de force. La légende affirmait qu'un seul Indien pouvait s'emparer simultanément du corps de plusieurs ours. Shawonabe avait étudié cet art, et s'était entraîné jusqu'à ce que, chacun de ses succès augmentant ses pouvoirs, il pût contrôler tous les ours de la forêt, jusqu'à ce qu'il pût détruire une tribu tout entière. A chaque meurtre, à chaque langue glissée dans son sac de sorcier, ses pouvoirs magiques s'accroissaient. Et avec les langues de tous les Mush Qua Tah, sa puissance atteignit un niveau inouï : personne ne savait exactement de quoi il était capable.

Bien que les événements de la semaine passée eussent renforcé sa résistance aux croyances surnaturelles de son peuple, Larry sentait ses certitudes vaciller. Certes, la marche de l'ours n'existait que dans l'esprit d'Indiens supersticieux, et puisque Shawonabe était décédé voici deux siècles, on ne pouvait lui imputer les morts récentes. Larry était amer mais déterminé : il avait une entière confiance en la logique. Mais tandis qu'il conduisait dans la nuit, il sentait un malaise s'infiltrer en lui. Comme le faisceau conique que ses phares dessinaient sur la route, tout lui semblait parfaitement clair quand ses pensées se dirigeaient droit devant lui, mais dès qu'il jetait un coup d'œil de côté, il se heurtait à l'obscurité.

Qu'un Indien mort pratiquât la marche de l'ours était impossible ; mais lentement, inexorablement, le malaise s'insinuait dans son cerveau. Il se rappela pourquoi et comment était mort Shawonabe. Il se rappela également ce qui était arrivé — ou plutôt ce qui n'était *pas* arrivé — après la mort de Shawonabe.

Axel avait suivi les feux de position rouges de la voiture de Larry Wolf. Il se sentait responsable de la petite fille qu'il venait de laisser derrière lui, à l'hôpital. Sa mère avait longtemps travaillé pour lui et était une amie dévouée. De plus, c'était lui qui l'avait retrouvée dans la forêt. Il se demanda si son père, qu'elle n'avait pas vu depuis des années, accepterait de la prendre avec lui. Il pensa même aux procédures impliquées par son éventuelle adoption par Janis et lui-même.

En plus de son inquiétude pour Marcy, Axel se demandait qui avait fourni ces indications à Grace, qui avait scié l'arbre pour bloquer la route. Il savait que ce ne pouvait être Janis, mais que d'autres pussent le croire le troublait. Si, par-dessus le marché, Charley Wolf répandait ses insanités sur la marche de l'ours, la situation risquait de s'aggraver.

Quand Axel s'arrêta devant son garage, il pensait toujours à la marche de l'ours. En d'autres circonstances, il eut été heureux d'arriver, mais il se sentait nerveux, inexplicablement angoissé. Soudain, il redouta le pire : la même porte de garage que les ours avaient levée pour tuer les chiens était entrouverte. Juste assez pour permettre à un ours noir d'entrer, se dit Axel. La maison était obscure ; on ne voyait pas la moindre lumière aux fenêtres.

Axel sortit de sa voiture et s'approcha délibérément de la porte du garage. Quand il la leva, les phares de la Renault dissipèrent l'obscurité et projetèrent son ombre sur le mur opposé, au milieu des outils accrochés. Tout était calme dans le garage. Aucune forme ne se rua sur Axel, agacé de sentir son embarras à l'idée de pénétrer dans sa propre maison.

Janis doit dormir, se dit-il en entrant dans la cuisine. Elle s'est probablement endormie avant la nuit et a oublié de laisser une lumière allumée pour lui. Comme il s'avançait vers la table de la cuisine, il sentit soudain un courant d'air traverser la maison. La baie vitrée coulissante était grande ouverte, exactement comme la dernière fois. « Janis ? »

Il passa rapidement dans la pièce commune. La porte de leur chambre à coucher était fermée ; il songea que samedi dernier, il se tenait au même endroit et tentait d'ouvrir la même porte close. Il se souvint du grognement, du rugissement inhumain, des yeux qui luisaient dans les ténèbres.

Mais cette fois-ci, ce n'était pas pareil : son cerveau n'était pas embrumé par le Darvon ; sa vue n'était pas brouillée par les médicaments. Prêt à vaincre toute hallucination, il ouvrit la porte. La chambre à coucher était silencieuse.

Il entra. Le sang martelait ses tempes. Il distingua une silhouette allongée sur le lit. Axel alluma le néon de la salle de bains. Janis avait les yeux clos ; elle dormait profondément. Il résista à l'envie de la réveiller et alla faire sa toilette dans la salle de bains.

Quand il revint dans la chambre, sa femme était toujours allongée sur le côté ; son visage était doucement éclairé par la lumière qui venait de la fenêtre. Axel tira le drap et se glissa à côté d'elle. Il hésita avant de la réveiller. Il voulait goûter sa beauté, admirer sa peau que l'obscurité rendait plus soyeuse encore. Il suivit des yeux la courbe gracieuse de ses reins, jusqu'à sa taille exceptionnellement mince. Il avança la main vers elle et lui saisit tendrement l'épaule. Dès qu'il toucha sa peau, il comprit qu'il avait commis une erreur : le corps de Janis se tendit brusquement. Jamais il n'aurait dû la réveiller. L'obscurité de la pièce parut se charger d'électricité. Il voulut dire quelque chose pour détendre l'atmosphère, mais son cerveau ne réagit pas assez vite.

Il entendit un gargouillement sourd sortir du plus profond de la gorge de Janis. Une sorte de grondement rauque, presque un grognement. Axel se dressa sur un coude et regarda avec horreur la nuque de sa femme. Le grognement s'amplifia. « Ma ch... » dit-il. « Réveille-toi, chérie, c'est... » Il la toucha. Elle se retourna en un éclair et sa voix explosa. Ses yeux dardaient sur lui deux disques lumineux. Axel recula. Les yeux de Janis brillaient dans l'obscurité, reflétaient la stupéfaction et la peur de son mari. Ils le forcèrent à sortir du lit. Axel recula en rampant sur le plancher, jusqu'au mur contre lequel il s'assit, hypnotisé par la lueur des yeux de Janis. Seigneur, ce n'est pas possible ! Mais ce n'était pas son imagination cette fois-ci, rien que la réalité. C'était comme la dernière fois, mais en plus réel.

22.

Une stridulation éclata dans les bois, comme pour répondre au soleil matinal. Le bois sombre du mur de la maison se fondait presque parfaitement avec la forêt. Sur le mur, des ombres dentelées bougeaient au rythme des feuilles frémissantes. Axel regardait d'un air absent un écureuil s'enfuir sur le toit.

Il s'était réveillé bien avant que l'aube n'illuminât le ciel. Son sommeil lui avait paru pire que les heures d'insomnie. Des cauchemars avaient ballotté son inconscient jusqu'à ce qu'il s'éveille, les yeux poisseux de sueur salée.

Janis était calmement allongée à côté de lui. Il ne l'avait pas regardée depuis qu'elle s'était endormie, en larmes. Axel pensa au choc de la nuit dernière, à l'engourdissement de son esprit tandis qu'il regardait ces yeux inhumains. Il avait passé de longues minutes assis par terre ; les braises qui luisaient dans les yeux de Janis s'étaient lentement refroidies, ou peut-être ses propres yeux s'étaient-ils finalement éclaircis. Toute la nuit, il s'interrogea sur ce qu'il venait de voir. A chaque fois, la réponse était la même. La scène avait été si réelle. Mais plus il en comprenait l'absurdité, moins il était sûr de sa réponse. Elle lui avait affirmé qu'elle faisait un cauchemar quand il l'avait réveillée. Mais le cri qu'elle avait poussé était inhumain, inouï et tellement réel.

Comme de nombreuses fois au cours de la nuit, Axel pensa à la marche de l'ours. Charley Wolf était persuadé que Janis subissait la même influence que les ours, et certains indices semblaient effectivement le prouver : les chiens du chenil, le sac en peau de daim, les petites empreintes de pied, les grognements et les yeux de Janis dans la chambre à coucher. Mais tous ces indices, pensa Axel, ne constituaient au mieux qu'une bien faible présomption.

Axel savait que plus la thèse défendue par un procureur devant un jury était invraisemblable, plus les preuves qu'il avançait devaient être solides. Il arrivait toujours un moment où les présomptions ne suffisaient plus. Axel s'imagina attaquant devant un jury son propre témoignage à propos des événements de la veille au soir. Réfléchissez un instant, mesdames et messieurs, plaiderait-il, aux déclarations de ce témoin. Jugez de sa crédibilité comme vous le feriez de n'importe qui, quotidiennement. Surtout demandez-vous ceci : tiendriez-vous son récit pour la vérité ? Demandez-vous qui serait disposé à le croire. Quelle personne raisonnable accepterait cette histoire de « marche de l'ours » ? Est-il concevable, mesdames et messieurs, est-il concevable que l'esprit d'un Indien mort s'empare des ours, et que la femme de cet homme coupe la langue des victimes pour que leurs esprits ne hantent pas celui de l'Indien ? Dites-vous bien qu'on vous demande de croire cela, tout simplement parce qu'un homme épuisé, physiquement et psychiquement, qui a déjà cette vision dans le crâne avant même d'ouvrir la porte, vous raconte que les yeux de sa femme brillent dans le noir ! Axel se dit que, s'il faisait partie d'un jury, il refuserait de croire à son propre témoignage. Il lui fallait une preuve indiscutable.

Janis était malade, réfléchit Axel, elle avait besoin de voir un médecin. Mais l'origine de ses problèmes n'était pas la marche de l'ours. Tout cela n'était que pure superstition. Et plus il laissait ces croyances l'égarer, plus il s'éloignait de la véritable solution.

Il roula sur le côté et tendit la main pour la réveiller, mais sa main s'arrêta à mi-course. Allongée sur le flanc, sa femme faisait face à la fenêtre, comme la nuit dernière. Elle était aussi tranquille. Axel sauta hors du lit et l'appela du seuil de la salle de bains. « Janis. Janis, réveille-toi. » Elle bougea faiblement. « Janis, tu es réveillée ? »

Ses yeux s'ouvrirent à moitié. « Oui », dit-elle.

« Comment te sens-tu ce matin ? » demanda-t-il.

« Fatiguée. Et effrayée », répondit-elle. « Axel, qu'est-ce qui m'arrive ? »

Axel lut de la peur sur son visage. « Je ne sais pas, chérie. Mais ça ne va pas durer éternellement. Il y a tellement de choses que nous ne pouvons expliquer pour l'instant. Mais quand nous y parviendrons, tout redeviendra comme avant. »

« J'ai peur de ne pas vouloir comprendre, Axel », dit Janis en détournant les yeux. « J'ai peur de ce que je pourrais découvrir. »

Axel sentit son pouls s'accélérer. Il avança vers Janis et s'assit au bord du lit. « Tu as peur uniquement parce que tu ne comprends pas. C'est parfaitement naturel. Crois-moi, ma chérie, tout va bientôt s'arranger. »

Janis se força à sourire. Elle se pencha et l'embrassa sur la joue.

« Je vais voir Marcy ce matin. J'aimerais savoir si son état s'est amélioré », dit Axel.

« On ne devait pas t'appeler si elle allait mieux ? »

« Si, mais elle dort peut-être encore. »

« J'espère qu'elle va se rétablir. Ça me fait tellement de peine. »

« Pourquoi ne viendrais-tu pas avec moi ? » suggéra Axel.

« Oh, non. »

« Allez, ça lui fera peut-être du bien. »

Janis sentit son estomac se nouer. Quelque chose lui disait d'y aller, mais elle ne voulait pas. « Ça ne servira à rien de lui rendre visite. Elle est encore sous le choc, non ? Elle ne nous reconnaîtra même pas. »

« Peut-être, mais au moins nous serons ensemble. Tu ne veux pas venir, plutôt que de rester ici toute seule ? »

Janis s'imagina la petite fille endormie à l'hôpital. Elle essaya de se représenter sa chambre, son emplacement, sa décoration, mais en vain. Elle ne voyait que la petite fille immobile, ses yeux fixes. Une impulsion irrésistible lui commandait d'y aller ; elle céda.

Axel observa sa femme pendant tout le petit déjeuner. A son réveil, il y a à peine une demi-heure, elle était redevenue Janis, la femme sensible et tendre qu'il connaissait, mais maintenant elle se réfugiait de nouveau dans le silence. Axel se demanda si Janis avait raison, s'il ne valait pas mieux ne pas chercher à comprendre.

La tringle du rideau grinça quand Mme Whitesun tira sur le cordon. Elle ouvrit lentement les voilages pour atténuer le grincement métallique. Elle était dans la petite chambre depuis environ une heure et l'obscurité commençait à lui peser. Mais ce n'est que quand le docteur Lewis et Larry Wolf entrèrent qu'elle décida de laisser le soleil pénétrer à flot dans la chambre.

Marcy était calmement étendue sur le dos ; ses yeux vides reflétaient l'ameublement terne et fonctionnel de l'hôpital. A côté de la table de chevet se trouvaient deux chaises en vinyle, semblables à celles de la salle d'attente. Un meuble bas jouxtait la porte du cabinet de toilette. Il n'y avait qu'un lit dans la petite pièce.

« Qu'en pensez-vous, docteur Lewis ? » demanda Larry.

« Je ne suis pas très optimiste. J'espérais qu'elle reprendrait le dessus après une nuit de repos. »

« Elle est peut-être encore sous le coup des médicaments que vous lui avez donnés hier soir. »

« Non, leurs effets s'étaient déjà dissipés quand je suis venu l'examiner de bonne heure ce matin. Sinon, elle n'aurait pas les yeux ouverts comme ça. » Le docteur Lewis secoua légèrement la tête en baissant les yeux vers Marcy. « Vous savez, un choc est une chose complexe. Aucun être humain n'en est à l'abri. L'intensité du stimulus et la résistance de l'individu sont les deux facteurs déterminants de l'effet du choc. Voici une fillette de sept ans qui a assisté à quelque chose de plus horrible que tout ce que nous pouvons imaginer. Il est même parfaitement possible, Larry, qu'elle ne retrouve plus jamais un état de conscience normale. »

Les yeux d'Emma Whitesun quittèrent le docteur Lewis pour se fixer sur l'enfant alité. Elle travaillait comme infirmière depuis plusieurs années, dont la moitié passées à l'hôpital. Elle avait souvent assisté à des scènes dramatiques, mais aucune ne l'avait bouleversée comme le spectacle de cette petite fille allongée, immobile, que la mort et la mutilation de sa mère et de sa sœur avaient entraînée dans un autre monde. Dans son for intérieur, elle maudissait la légende, elle maudissait Shawonabe.

« On doit bien pouvoir faire quelque chose pour l'aider, pour la ramener à la réalité », dit Larry.

« Elle ne le désire peut-être pas », dit Emma Whitesun dont le regard était toujours fixé sur Marcy. « Ce serait peut-être pire pour elle. »

« Peut-être », fit le docteur Lewis, « mais je ne peux me prononcer à ce sujet. » Il se tourna vers Larry pour ajouter : « La médecine ne peut tout guérir. S'il existe un traitement psychiatrique susceptible de l'aider, je ne le connais pas. Nous allons devoir envoyer Marcy chez un spécialiste. Dès qu'elle sera physiquement rétablie. »

Axel et Janis laissèrent la Renault au parking et gravirent les marches de l'escalier de l'hôpital. Tandis qu'Axel parlait à l'infirmière de la réception, Janis nota mentalement que le guichet était à environ un mètre vingt du sol. On ne pouvait passer directement de la salle d'attente dans le bureau de la réceptionniste.

Chambre 170, entendit-elle l'infirmière répondre. Elle était contente que la chambre fût au premier étage. Et heureusement, dans la partie est du bâtiment, face aux bois. Elle suivit son mari à travers les portes battantes et dans le couloir carrelé. Un interne en blouse blanche les croisa, marchant d'un pas vif. Elle le regarda s'engouffrer dans une porte nantie d'un panneau « Soins Intensifs ». Il y a sûrement toujours quelqu'un dans cette salle, se dit-elle.

Axel tourna à gauche. Ses chaussures claquaient doucement sur le sol. Chambre 170. L'aile est du bâtiment. Trop beau pour être vrai, pensa Janis. Il fallait maintenant qu'elle s'occupe de la fenêtre. Mais elle hésitait à entrer dans la chambre. Soudain, elle entendit la voix du docteur Lewis, puis celle de Larry, et elle suivit Axel à l'intérieur. Elle leur dit bonjour et écouta Axel leur demander comment allait Marcy. Etat stationnaire. Son appréhension s'évanouit. Elle se désintéressa discrètement de la conversation, puis s'éloigna du groupe des trois hommes pour s'approcher de la fenêtre. L'infirmière était assise sur une chaise, dans un coin de la chambre.

« Que faites-vous ici ? » demanda sèchement Janis.

Emma Whitesun fut prise au dépourvu. Derrière Janis, la discussion s'interrompit brusquement. « Euh... je suis avec Marcy », bafouilla Mme Whitesun. « Il n'y a pas assez d'infirmières à l'hôpital pour en affecter une à temps complet, et... »

« C'est moi qui lui ai demandé de rester avec Marcy », interrompit le docteur Lewis.

« Doucement, Janis. Mme Whitesun est infirmière diplômée, depuis des années », fit Axel.

« Excusez-moi, Mme Whitesun. Je ne sais pas ce qui m'a pris. J'ai été surprise de vous voir ici et, hum, je crois que toute cette histoire me perturbe un peu. »

« Il n'y a pas de mal, ma chère, je comprends parfaitement. » Emma Whitesun n'était pas une femme rancunière ; elle comprenait la réaction de Janis. Néanmoins, elle suivit Janis des yeux jusqu'à la fenêtre.

Au plus profond du cerveau de Marcy, quelque chose bougea. Elle avait l'impression d'être au bout d'un long tunnel obscur, et qu'à l'autre extrémité, des gens parlaient. Elle prit conscience de la lumière. Elle avançait dans le tunnel. Elle sentit quelque chose la toucher dans l'obscurité ; son cerveau réagit.

Par la fenêtre, Janis regardait dans les bois. Les arbres poussaient presque contre le mur de l'hôpital. Les buissons étaient touffus, sauvages et le paysage reposant, idéal pour des malades en convalescence ; c'est exactement ce que s'était dit le docteur Lewis, quinze ans auparavant, alors président du comité chargé de construire l'hôpital.

Janis sourit. Elle savait qu'à l'est de Wabanakisi, la forêt s'étendait sur des kilomètres, seulement interrompue par quelques routes isolées, avant de rejoindre l'Arbre Crochu proprement dit. Elle jeta un coup d'œil dans la chambre. Mme Whitesun tourna aussitôt la tête. Tout en surveillant les occupants de la chambre, Janis saisit la poignée de la fenêtre et fit courir ses doigts sur le panneau en aluminium. La fenêtre s'ouvrit sans bruit. Elle se retourna et s'avança vers le lit.

La nappe uniforme de lumière se craquela, telle une couche de glace qui, en fondant, laisse apparaître des mottes de terre noire. Des ombres informes entrèrent dans le champ de vision de Marcy. Elle essaya de les percevoir plus nettement, mais ses yeux ne lui obéissaient pas.

Janis regarda le corps menu allongé sous les draps : un éclair traversa brusquement son esprit. Un autre drap. Une pile de draps. Mais il n'y avait pas de petite fille. Que se passait-il ? Elle ne savait pas, mais quelque chose se préparait. Elle sentit sa respiration s'accélérer, sa peau se couvrir de sueur, ses pensées tourbillonner. Elle glissa la main dans son sac rouge et ses doigts touchèrent l'étroite lame de métal. Elle n'entendait plus les voix des autres. Elle ne les voyait plus. Elle était seule ! Le fil de la lame était tranchant ; il aboutissait à une pointe, comme s'il s'agissait d'un couteau. Maintenant ! hurla son esprit, mais elle ne comprenait pas ce qui se passait.

Marcy regardait l'ombre indistincte devant elle. Elle avait renoncé à bouger. Toute son attention se concentrait sur l'ombre floue. Ses pupilles rétrécirent. Les contours flous se précisèrent. La silhouette de Janis apparut nettement. L'image fut transmise au cerveau.

Janis se figea. Elle gardait les yeux rivés sur la fillette allongée ; sa main était immobile dans son sac. Janis observait le visage de Marcy : un masque de mort, se dit-elle. Mais soudain, les yeux de la fillette se fixèrent sur le visage de Janis, qui essaya de regarder ailleurs, mais se sentit prise au piège. Le sac de Janis tomba à terre.

Le cou de Marcy se mit à trembler, puis tout son corps. Un souvenir vieux de dix-huit heures se fraya douloureusement un chemin dans son cerveau. Elle avait voulu crier, mais en vain ; après quoi elle avait sombré dans l'inconscience. Mais elle se réveillait ; maintenant, elle pouvait bouger les bras, qu'elle leva au-dessus du drap. Ses coudes se plièrent et ses mains se dirigèrent vers son visage. Sa bouche lui obéissait de nouveau. Les muscles de ses joues se contractèrent, ses lèvres s'ouvrirent. Sa bouche s'arrondit en un cri silencieux. La terreur convulsa son visage. Tout à coup, le cri explosa et la terreur devint son.

Le cri se répercuta dans la pièce nue. Axel et Larry tournèrent brusquement la tête et le médecin bondit vers la commode. Il prit une seringue préparée sur un plateau et imbiba d'alcool un morceau de coton. Assise dans son lit, Marcy regardait droit devant elle. Elle regardait Janis, remarqua Axel. Le cri se prolongeait.

Janis recula en vacillant, le visage tordu d'angoisse. Ses mains se plaquèrent sur ses oreilles ; elle secouait violemment la tête. Alors que le docteur Lewis plantait l'aiguille dans la chair tendre de l'enfant, Janis évita Axel et se rua dans le couloir. Le hurlement de la petite fille faiblit rapidement et se transforma en sanglots étouffés.

Janis s'enfuyait dans le couloir en s'appuyant contre les murs. Axel la rattrapa en trois longues enjambées. Il la saisit aux épaules et tenta de la faire pivoter vers lui, tandis qu'elle se débattait. Un infirmier en blouse blanche vint au secours d'Axel et saisit l'autre poignet de Janis. Le docteur Lewis arriva ensuite dans le couloir avec une nouvelle seringue et se hâta vers les deux hommes et Janis qui luttait encore.

Dans la chambre, le calmant irrigua rapidement le cerveau de Marcy. Elle était pliée en deux sur le lit ; Emma Whitesun la tenait par les épaules. Elle regardait sans ciller la porte par où Janis venait de disparaître.

Larry se tenait à côté du lit, hagard, les bras pendants. La fillette qui avait survécu à l'attaque des ours et probablement assisté à l'horrible mutilation de sa mère, venait de perdre la tête en voyant Janis Michelson. Janis, que le grand-père de Larry disait être le serviteur de Shawonabe, la femme dont le mari assurait qu'elle traversait une mauvaise passe. Les faits parlaient d'eux-mêmes, mais Larry refusait d'entendre. Soudain, il se rendit compte qu'Emma Whitesun le regardait. Elle savait quelles pensées tourbillonnaient dans l'esprit de l'Indien ; ces mêmes pensées l'obsédaient encore tout récemment. Mais elle avait réussi à se calmer, en tirant la conclusion que Larry refusait de tout son être.

« C'est Shawonabe, Larry », dit-elle. Il se détourna pour ne plus l'entendre. « C'est Shawonabe », répéta-t-elle.

« Non, ce n'est pas lui, c'est impossible », cria-t-il.

« Si, c'était lui. Je l'ai vu dans les yeux de la femme. Et tu l'as vu aussi. »

« Non ! »

« Exactement comme l'autre jour à la clinique, quand le sergent nous a mis au courant pour Davis. Nous savions tous les deux ce que les autres ignoraient. »

Larry se retourna brusquement. « C'est faux ! » hurla-t-il.

« Mais non, c'est la vérité. J'ai même découvert que toi aussi, tu savais. Tu es un Ottawa, Larry. Ne renie pas ton sang. »

Larry ne répondit rien à Mme Whitesun. Il fit volte-face et s'élança dans le couloir ; il vacillait, ses pas résonnaient sur le sol. Les murs lui semblaient palpiter, s'agrandir toujours davantage à chaque pulsation. Il dépassa Axel en courant, remarqua à peine Janis effondrée dans une chaise roulante. Encore quelques pas et il serait dehors ! Les murs mouvants furent brusquement remplacés par l'immensité du ciel. De l'air ! Trébuchant, il s'éloigna de l'entrée de l'hôpital et s'écroula à moitié. Hébété, il regardait l'herbe ; il craignait de lever les yeux, de les tourner vers l'hôpital. Il aurait aimé rouler sur le dos et fermer les yeux, oublier ce qui venait de se passer. Mais ses paupières refusaient de se fermer. Il avait peur de ce qui l'attendait.

23.

« C'est peut-être la meilleure chose à faire. »

« Quoi ? Partir, s'enfuir ? »

« Non, je ne parle pas de s'enfuir. Je parle de s'éloigner quelque temps, de prendre des vacances. En bateau, aussi loin que possible de la forêt et du Michigan. »

« Janis et moi ne pouvons partir actuellement, Larry, tu le sais aussi bien que moi. C'est l'époque de l'année où les affaires marchent le mieux, tant pour elle que pour moi. »

« Mais comment vas-tu pouvoir travailler, alors que Janis est au trente-sixième en dessous et que tu n'es pas en tellement meilleure forme, vu le souci que tu te fais pour elle ? »

« Nous ne sommes pas dans un mélo, Larry ; une croisière ne résoud aucun problème. Nous devrions sûrement nous reposer quelques jours et il faudra peut-être que Janis voie un médecin, mais nous pouvons parfaitement faire cela ici. Inutile d'aller visiter des îles désertes pour nous bronzer au soleil tout en nous angoissant à l'idée de ce qui se passera à notre retour. »

« On a parfois besoin de changement, ne serait-ce que d'un changement de décor. Je crois que c'est le cas de Janis. Peut-être se reposera-t-elle chez elle, mais elle ne pourra échapper à certaines choses. »

« Par exemple ? » s'enquit Axel.

« Je ne sais pas. »

« Shawonabe ? C'est ce que tu veux dire ? »

« Non. » Larry lui-même ne savait pas très bien ce qu'il voulait dire. Il avait raccompagné Axel et Janis chez eux ; Janis était toujours sous l'effet du tranquillisant ; mais il avait une autre raison de venir dans cette maison, à l'orée de la Forêt d'Etat de l'Arbre Crochu. Il était venu, poussé par quelque chose, une impulsion qu'il ne comprenait pas, une détermination qui n'avait fait que croître depuis qu'il avait escaladé la colline dominant le Village Ottawa, deux jours auparavant.

« Larry, dis-moi ce à quoi tu penses », fit Axel.

« Je crois que Janis est mêlée aux... aux attaques des ours. »

« Comment cela ? »

« Et, fait encore plus important, le shérif Snyder est du même avis. Je lisais dans ses pensées — toi aussi, je suis sûr, — quand il nous a retrouvés à l'hôpital après la mort de Grace. »

« Il voulait simplement nous poser quelques questions, des questions tout à fait banales. »

« Regarde les choses en face, Axel. Grace allait chez toi. Ta maison est la seule à des kilomètres alentour. Grace croyait sûrement que ces indications aboutissaient ici. Et la seule personne capable de la faire venir ici pour apporter cette lettre, en dehors de toi, c'est Janis. »

« Tout ceci est absurde. »

« Quelqu'un tranche les langues des cadavres et jusqu'ici tous les indices désignent Janis. Tôt ou tard, Snyder aboutira à cette conclusion. N'oublie pas, il a récupéré une empreinte digitale aux pompes funèbres et de petites empreintes de pied dans les bois. Il apprendra forcément ce qui vient de se passer à l'hôpital et dis-toi bien que, tôt ou tard, Marcy retrouvera l'usage de la parole. »

« Si tu crois que Janis est une meurtrière, pourquoi me conseilles-tu de m'enfuir ? Pourquoi ne pas la dénoncer à la police ? Tu es presque avocat. C'est ton devoir », dit Axel sur un ton sarcastique.

« C'est ce que je ferais, Axel, si je pensais qu'elle était responsable. »

« Et voici les fantômes qui reviennent au galop... »

Larry évita les yeux de son patron et rougit. « Je ne sais pas, mais beaucoup de gens à qui j'ai toujours fait confiance croient que la marche de l'ours est responsable des meurtres. De nombreux habitants du village se sont réunis autour de l'Arbre Crochu l'autre nuit, pour chanter et danser au son d'une musique qu'on entend seulement pendant nos fêtes. »

« Tu chantais aussi ? »

« Oh, arrête un peu, ça suffit comme ça. Ce n'est pas parce que j'étais là que je crois à toutes nos légendes. Tu sais bien qu'une religion a d'autres aspects que le surnaturel. L'autre soir, sur la colline, il m'a semblé vivre le symbole de notre passé. Et si seule une légende peut nous réunir, eh bien tant mieux. Nos légendes, notre religion, sont tout ce qui nous reste de notre passé. C'est tout ce qu'il me reste pour me prouver que je suis un Ottawa. » Larry hésitait à défendre les légendes, car cela aurait impliqué qu'il y croyait, alors que le contraire était vrai. Mais une force liée à la puissance de la mort, cette mort qui avait frappé cinq personnes, le poussait à parler.

« Ma femme est une Ottawa, Larry », dit Axel. « J'en suis moi-même quasiment un. Dans certaines tribus, je ferais partie du clan de ma femme. Je connais la plupart des Ottawas du comté de Wabanakisi presque aussi bien que toi. Mais jusqu'à hier, je n'avais jamais entendu parler de la marche de l'ours, et je parie que la majorité des autres Ottawas sont dans le même cas. Maintenant, tout d'un coup, tu viens me dire que tout le monde y croit. Ça n'a pas de sens ! »

« Tu ne vois donc pas ? Tu ne comprends pas ? »

« Non, je ne comprends pas. Je ne vois pas comment, en un tour de main, une superstition peut s'emparer de l'esprit de gens normaux et intelligents. »

« Tu es chrétien, n'est-ce pas ? Quand, pour la dernière fois, as-tu été à l'église ? A Noël ? »

« Bon Dieu, qu'est-ce que ça vient faire dans notre discussion ? »

« Tu y es allé à Noël parce que c'est un rituel, un rituel que tu respectes à cause de ta culture. C'est la même chose pour les Ottawas et leurs festivals. Mais que ferais-tu si le Christ descendait du ciel et se mettait à marcher dans la rue ? Tu retrouverais la foi. Tu retournerais à l'église. C'est exactement ce qui nous arrive. » Larry se sentait plus assuré. Ses doutes s'évanouissaient peu à peu.

« Tu penses réellement que ce qui arrive actuellement avec les ours et les langues est comparable au Christ revenant sur terre ? Songe une seconde à ce que tu dis, Larry. Tu affirmes que toutes ces tueries, toutes les attaques des ours sont dues à un Indien mort qui a décidé de revenir à Wabanakisi. »

« Il n'en est jamais parti. »

« Quoi ? »

« Son esprit n'a jamais quitté son corps. Il est toujours dans sa tombe. » De phrase en phrase, la voix de Larry s'affermissait.

« Mais c'est impossible, même d'après tes légendes. J'ai suffisamment écouté ton grand-père pour savoir que les Ottawas croient que leurs âmes quittent leurs corps pour rejoindre les villages des étoiles. »

« C'est exact, mais seulement après les cérémonies d'usage. Seulement après Ogochin Atisken, la Fête des Morts, l'esprit peut quitter la tombe pour son village céleste. »

« Alors pourquoi l'esprit de Shawonabe n'a-t-il pas quitté sa tombe après... après cette Fête des Morts ? »

« Parce qu'elle ne fut jamais célébrée pour son esprit. » La voix de Larry était forte, son regard inflexible.

« On dirait que tu crois à tout ça. »

« Effectivement », répondit Larry sans hésiter. Les mots venaient facilement. Il croyait et n'en éprouvait aucune douleur, bien au contraire. Il croyait à la marche de l'ours. Il croyait que Shawonabe pouvait contrôler les ours à partir de sa tombe. Il croyait que Janis était soumise à son pouvoir maléfique. Larry se sentait calme. Toute angoisse avait disparu, comme s'il n'avait jamais douté des légendes, ni remis en cause les croyances de ses ancêtres. Mais jusqu'à cet instant précis, où il affirmait à Axel qu'il croyait, il avait refusé d'entendre ses pensées intimes. Il aurait même été jusqu'à renier son héritage culturel. Maintenant, il se sentait soulagé et reconnaissant envers Axel, car ce n'était qu'en répondant aux arguments d'Axel, en défendant pied à pied la légende, qu'il avait réussi à formuler sa pensée. Il venait d'atteindre le but qu'inconsciemment il avait recherché en venant dans la maison des Michelson.

Axel observait le visage de Larry. Ses traits n'exprimaient pas l'anxiété, mais la certitude. La conviction se lisait dans ses yeux ; le visage de Larry semblait même tellement apaisé que sa réponse parut presque naturelle. Mais Axel était un homme de raison. Lui, au moins, avait gardé la tête froide. « Je ne comprends pas pourquoi ils n'auraient pas célébré les rites mortuaires pour lui. Ils auraient été débarrassés de lui une bonne fois pour toutes. »

« Non, absolument pas. Ecoute, la conception de la vie après la mort selon les Ottawas n'a rien à voir avec la conception chrétienne, qui se limite au Paradis, à l'Enfer et au Purgatoire. Les villages où migrent les âmes ressemblent beaucoup à ceux de ce monde. Là-bas, les esprits sont confrontés aux mêmes problèmes, aux mêmes risques, aux mêmes conflits de personnes. Si l'on avait permis à l'esprit de Shawonabe de migrer avec les autres pendant la Fête des Morts, alors il aurait emporté ses puissances maléfiques avec lui. Nos ancêtres ont craint d'être éternellement soumis à sa magie noire. »

« Et ils ne craignaient pas qu'il les ennuie si son esprit restait ici-bas ? »

« Bien sûr que si. C'est d'ailleurs pour cette raison qu'ils ont construit ce qu'ils espéraient être une prison pour son âme. C'est pour cela qu'ils l'ont enterré au fin fond des bois, loin de la civilisation. »

« Tout cela devient de plus en plus grotesque. Je n'arrive pas à croire que nous sommes assis ici, en train de discuter de ce... cette marche de l'ours, comme si nous parlions de la dernière décision de la Cour Suprême. »

Larry demeura silencieux.

« Nom de Dieu », continua Axel, « tu ne vois donc pas ce qui cloche dans toute cette histoire ? Tu ne vois donc pas qu'il y a un point que la marche de l'ours ne parviendra jamais à expliquer ? » Debout, Axel lança à Larry un regard de défi. « Même si elle est vraie, cette légende n'a rien à voir avec Janis. La légende prétend qu'un sorcier, un shaman extraordinairement habile, pouvait contrôler des animaux. *Des animaux !* Pas des gens. Ce qui fait une sacrée différence. Car si les animaux ne peuvent pas s'élever au-dessus de leurs instincts, les humains, eux, ont la volonté : ils peuvent résister. Et c'est un être humain qui tranche les langues. Même si son esprit est vivant, le corps de Shawonabe est prisonnier de sa tombe. »

« Mais c'est pour cela qu'il est mort », s'écria Larry. « C'est pour cela que Shawonabe fut exécuté. »

« Un être humain tranche les langues des cadavres, mais le corps de Shawonabe s'est décomposé depuis longtemps. Pour récupérer les langues, il faudrait qu'il contrôle une personne, pas un animal, mais un être humain. Et, que je sache, les humains ne font pas partie de la marche de l'ours. »

« Axel, tu ne m'écoutes pas. Shawonabe fut mis à mort. »

« D'accord, mais pourquoi ? Tu disais que c'était comme un sacrement suprême, la marche de l'ours. D'autres Indiens la pratiquaient. Pourquoi fut-il condamné à mort ? »

« Parce qu'il expérimentait. Il allait au-delà de la marche de l'ours. »

« Mais pourtant... »

« Tu ne comprends pas ? Il s'était entraîné à contrôler des gens. D'autres êtres humains. »

Axel resta bouche bée. Il se laissa tomber dans un fauteuil, à peine conscient de la voix de Larry.

« Pourquoi crois-tu que la légende a survécu plus de deux siècles ? » cria Larry. « Il était le plus fort, le plus mauvais, le plus diabolique. Il utilisait surtout les ours noirs pour tuer. A chaque mort, à chaque langue tranchée, son pouvoir croissait. Il fut enfin capable, d'abord d'entrer dans un être humain, puis de le dominer, pour finalement le contrôler. Mais il fut exécuté avant de pouvoir contrôler tous les Indiens de la tribu, comme il contrôlait tous les ours de la forêt. Pourtant, il recommence. Maintenant. Et il tient Janis ! »

Axel remua la tête quand Larry se leva pour se diriger vers la porte, où il s'arrêta et dit calmement : « Je comprends tes résistances. Je comprends que tu refuses d'accepter mes paroles. Mais tu peux prouver ce que tu dis, Axel. Ta situation est moins difficile que celle où j'étais il n'y a pas si longtemps — tu n'as pas à t'en remettre aux paroles d'autrui. Tu peux essayer de prouver ce que tu avances. »

Le froid s'infiltrait par les murs de la maison. Le crépuscule assombrissait la pièce silencieuse. Allongé par terre, Axel regardait les ombres sinistres de la cheminée, où un tas de cendres grises gisait au milieu des briques noircies par la fumée. Des pensées lugubres occupaient son esprit. Dans la chambre voisine, derrière une porte close, Janis était plongée dans un sommeil artificiel.

Larry avait au moins raison sur un point. Quelqu'un tranchait la langue des victimes des ours. Mais ce ne pouvait être Janis, songeait Axel. Aucune accumulation d'indices ne saurait l'en convaincre. Pourquoi commettrait-elle pareille atrocité ? C'était absurde. Mais pourquoi quelqu'un ferait-il une chose pareille ? Axel se dit que personne ne pouvait avoir de raison valable pour trancher la langue d'un cadavre. A moins que la marche de l'ours ne survécût. Mais pas dans la réalité, pensa Axel, uniquement dans l'esprit d'un dément. D'un individu connaissant la légende. Un esprit atteint de psychose.

Mais même cette hypothèse n'expliquait pas tout. Car le fou devait savoir où trouver les cadavres. Il savait quand et où les ours allaient frapper. Or un psychotique ne serait capable de ce prodige qu'en s'identifiant à un ours. Et les ours ne tuent que si leur caractère est profondément modifié, que si leur nature est pervertie, que si quelque chose ou quelqu'un les contrôle. Axel grimaça ; il aboutissait à la marche de l'ours.

Axel se releva, dégoûté. Le temps d'un éclair, l'hypothèse ne lui avait plus semblé absurde. Il cessa d'arpenter la pièce pour se frotter les yeux, en un essai futile d'y voir plus clair. Son esprit ne se calmait pas. De la paume, il se massa lentement le front en tendant sa peau. Il avait mal à l'estomac. Mon Dieu, se dit-il, voilà que je tombe malade.

Il fallait en finir. Il devait prouver sa santé mentale, affermir sa raison. Il savait ce que Larry avait voulu dire en partant. Il pouvait prouver ce qu'il avançait. Il pouvait prouver à Larry que les Indiens avaient tort, se prouver à lui-même que la marche de l'ours n'était qu'une légende méritant à peine davantage qu'une note pittoresque en bas de page dans un manuel d'ethnologie Ottawa. Il pouvait prouver qu'aucun esprit défunt ne guidait Janis, qu'elle ne collectionnait pas les langues sur l'ordre de Shawonabe. Tout cela était absurde. Les langues des victimes n'étaient pas enfermées dans un sac de shaman moderne, comme un talisman protégeant contre les esprits vengeurs, et un réservoir de pouvoir. Il pouvait le prouver. Ce serait si facile. Il s'était dit cela dès que Larry avait franchi la porte, cinq heures auparavant ; mais il n'avait rien fait. Il avait eu peur. Une peur angoissante, suffocante, un sentiment jamais ressenti auparavant, plus insinuant que la peur qu'on a de la mort d'un parent, plus terrifiant que la menace d'un péril imminent. Il devait coûte que coûte vaincre cette peur, il devait prouver à Larry qu'il avait tort.

La porte s'ouvrit facilement. Dans la lumière crépusculaire, Axel distingua la silhouette de sa femme sous le drap. Il avança vers le lit. Elle gémit et se retourna sur le côté dès qu'il la toucha. Elle était encore sous l'effet de la piqûre et son visage était aussi paisible que celui d'un enfant. Il était content qu'elle dormît. L'esprit troublé de sa femme, au moins, était tranquille. Et le sien le serait bientôt, se dit-il.

Axel pénétra dans le cabinet de Janis. L'odeur qu'il avait sentie voici quelques jours était absente. Il tira sur l'embout métallique du cordon qui pendait du plafond. A la lumière de l'ampoule nue, il constata que le crochet auquel avait été suspendu le sac en daim était vide. Axel examina le plancher. Les chaussures de Janis étaient soigneusement alignées sous les vêtements suspendus aux cintres. Le sac n'était pas sur le plancher. Axel sentait ses aisselles transpirer. Il doit pourtant être ici, pensa-t-il. Elle n'a aucune raison de le cacher.

Axel glissa les doigts entre les vêtements pendus à un bout du placard. Il fit glisser le premier cintre vers le mur, puis le second ; les crochets métalliques frottaient contre la barre en bois. Il regardait entre les vêtements et contre le mur. Son odorat était autant en alerte que sa vue. La pochette en cuir dégageait une odeur forte et particulière. Le grincement des cintres s'accentua. Et s'il ne parvenait pas à mettre la main sur le sac ? se demanda-t-il anxieusement. Qu'en conclure ? Cela prouverait-il quoi que ce soit ? Non. Purement circonstanciel. Il avait besoin d'une preuve irréfutable. Les cintres crissaient sur la barre en bois. Il brassait furieusement les vêtements qui s'aplatissaient en silence contre le mur.

Il s'éloigna du placard, haletant. Les vêtements étaient tassés à une extrémité de la barre. Une robe formait un tas par terre. Il n'y avait pas de sac en peau de daim caché dans le placard.

Axel s'attaqua à l'étagère située au-dessus de la penderie. Sur la moitié de sa longueur, Janis y rangeait ses pull-overs, alignés en piles régulières. Des boîtes à chaussures et sa trousse de couture occupaient le restant. Il saisit avec précaution la trousse de couture en bois, la fit glisser de l'étagère et la posa à ses pieds. Puis il passa aux boîtes en carton. Aucune trace du sac à main brun clair. Les pensées se précipitaient dans sa tête. Des images d'ours et de couteaux luisants jaillissaient devant ses yeux. Axel se hâtait. Il luttait pour garder une longueur d'avance sur ses pensées, mais elles le talonnaient, toujours plus pressantes. Il prit une pile de chandails et la fit tomber par terre. Les autres dégringolèrent et se répandirent sur le sol.

Axel sortit en trombe du cabinet de Janis et donna un coup de pied dans le vide pour se libérer d'un chandail entortillé autour de sa cheville. Il se rua vers le lit, le souffle court, hors de lui. Il voulait secouer sa femme, lui demander : « Où est-il ? » Il voulait la prendre aux épaules pour la faire sortir de son sommeil artificiel. Mais à la place, il regarda. Il regarda son visage endormi ; son calme le mettait en rage, il était jaloux de sa paix et de sa tranquillité.

Soudain, elle ne sembla plus si incapable de trancher des langues humaines. Son innocence avait brusquement disparu. Son visage livide semblait se moquer de la nervosité d'Axel, rire de sa loyauté. Imbécile, semblait-il dire. Aveuglé par tes émotions, tu refuses de voir la vérité. Axel ferma les yeux et se détourna. Que m'arrive-t-il ? Janis va bien, se dit-il. C'est moi qui deviens fou. Mais pourquoi est-elle partie en courant dans la salle de bains avec ce sac ? S'il ne s'agissait que d'une crème pour le cuir, elle n'avait rien à cacher. Et pourquoi avait-elle tenu à savoir où se trouvait le corps de la fille tuée en canoë, le seul cadavre que le coupeur de langues n'avait pu retrouver. Elle ne s'était pas couchée en même temps que lui ; elle aurait fort bien pu aller aux pompes funèbres et revenir avant qu'il ne se réveillât. Pourquoi cette voix irréelle et ces yeux luisant comme des braises quand il l'avait surprise dans leur chambre ? Pourquoi Marcy était-elle sortie de son coma pour se mettre à hurler, quand elle avait vu Janis ? Autant de questions qui harcelaient Axel.

Il se laissa tomber à genoux et ouvrit violemment le dernier tiroir de la commode de Janis. L'odeur frappa ses narines tel l'uppercut d'un boxeur. Il recula, puis déglutit avec peine, luttant pour ne pas vomir. C'était la même odeur que celle qu'il avait sentie deux nuits auparavant dans le cabinet, mais plus forte.

Il regarda le tiroir ouvert. Il distinguait des tissus en dentelle. La nuit tombait, si bien que la lumière venant de la penderie semblait plus intense. Sa position était inconfortable ; Axel avait mal aux genoux. Il serrait les dents pour se protéger de l'odeur.

Axel avança lentement la main vers le tiroir ; ses doigts frôlèrent des sous-vêtements en soie. Il les mit de côté. Une sueur froide lui couvrait le dos. Soudain, il le sentit ! Mais dès que ses doigts palpèrent la surface lisse de la pochette, ils se figèrent, comme s'ils avaient touché un bloc de glace.

Le sang se remit à circuler dans la main d'Axel. Il saisit la bandoulière et souleva le sac hors du tiroir, comme s'il risquait d'exploser au moindre choc. L'odeur devint suffocante. Rien à voir avec celle de la crème pour cuir. Axel savait que l'explication de Janis était mensongère. Aucune crème n'a une odeur aussi écœurante.

Il posa doucement le sac par terre, devant lui, et retira ses mains. C'était la même pochette en daim cousue à la main que celle offerte à Janis pour son anniversaire il y a trois ans. Un sac souple muni d'une sorte de corde en guise de bandoulière. Idéal pour un sorcier, se dit Axel. La finition du sac aurait fait la fierté de n'importe quel shaman.

Le sang lui martelait les tempes, mais Axel se sentait les idées claires. Il n'avait plus conscience de l'odeur. Son attention se concentrait uniquement sur l'objet posé devant lui. Il ouvrit le sac en daim et glissa la main à l'intérieur. Une lame tranchante ! Il retira vivement sa main ; une mince ligne de sang courait le long de son petit doigt. Il comprit pourquoi. Le couteau à parer !

Axel avança de nouveau la main et sortit du sac un mouchoir blanc renfermant quelque chose. Le tissu était maculé de croûtes sèches de couleur brune. Fermant les yeux,

Axel dit : « Seigneur, je vous en supplie, faites cesser ce cauchemar. »

Il ouvrit lentement les yeux et regarda le tissu chiffonné qu'il tenait entre les mains. Il y avait quelque chose à l'intérieur. Quelque chose de flexible. Il tira délicatement sur un coin du mouchoir. Sur ses gardes, il jeta un coup d'œil à l'intérieur du mouchoir. Il lui semblait violer l'intimité de quelqu'un, se mêler d'une tragédie qui ne le regardait pas. Le mouchoir taché s'ouvrit, les croûtes craquèrent.

« Mon Dieu, mon Dieu », gémit-il entre ses dents serrées. Le tissu lui tomba des mains. Elles étaient là !

Ses paupières se fermèrent hermétiquement, mais la vision restait gravée dans son esprit. Il les avait vues ! La preuve indiscutable, indéniable !

Un hurlement vrilla le cerveau d'Axel. Mais c'était davantage qu'un hurlement : un cri inhumain. Ses mains se plaquèrent sur ses oreilles, sans pouvoir isoler celles-ci du grognement bestial qui emplissait la chambre. Il tourna la tête et frémit d'horreur. Le grognement était sans fin. La voix de Janis — mais ce ne pouvait être sa voix ! — était assourdissante. Elle gelait son esprit. La terreur explosa dans son cerveau. Debout sur le lit, Janis se préparait à plonger sur lui. Son corps nu palpitait à chaque hurlement. Son visage affreusement tordu était à peine reconnaissable. Ses yeux luisaient ! Non pas des yeux humains, mais ceux d'un animal. Ils brillaient dans la pièce obscure comme deux billes de verre chauffées à blanc. Elle dressait la tête vers le plafond et la balançait violemment. Un rictus glaçant distendait sa bouche.

Les langues ! Les cinq langues qu'il tenait il y a une seconde, les morceaux de chair putrescente qu'il venait de sortir de la pochette de Janis — le sac du sorcier Shawonabe — jamais il ne les oublierait. La langue de Davis. Celle du campeur. Celle de la fille au canoë. Non ! Seigneur, celles de Grace et de sa fille. Il fallit s'évanouir. La panique. La peur ! Je suis peut-être le suivant sur la liste. Elle est folle. Non, Shawonabe est fou. Il va me tuer. Le grognement sortant de la gorge renflée de Janis s'amplifia. Elle bondit du lit et plongea sur lui.

Axel la saisit aux épaules pour essayer de la repousser. Sa peau nue semblait épaisse comme du cuir. Elle écarta les bras et se libéra facilement de la prise d'Axel. Puis ses ongles lui griffèrent la gorge ; les doigts de Janis étaient recourbés comme des serres crochues. Les mains d'Axel se jetèrent sur les griffes de Janis, qui pesait de tout son poids sur lui ; un filet de bave coulait de la commissure de ses lèvres. Jamais il ne pourrait la vaincre. Elle allait le tuer !

Mais Janis le lâcha brusquement. Ses mains agiles rassemblèrent les langues dans le mouchoir, qu'elles mirent ensuite dans le sac. Le couteau ! pensa Axel. Il se recula vivement, mais la main de Janis sortit de la pochette, vide. Elle sauta sur ses pieds et se rua vers la porte. Axel l'entendit courir à travers la maison.

Il devait l'arrêter ! Elle tuerait de nouveau. Non, Shawonabe. « Janis ! » s'écria Axel. Il entendit la baie vitrée glisser sur son rail. Axel se releva et se précipita vers l'arrière de la maison. Elle traversait le jardin en direction de l'orée de la forêt. Elle courait avec souplesse, son corps nu respirait la force et la détermination. Le sac se balançait librement dans sa main.

Axel franchit la porte en courant. « Janis ! » cria-t-il. « Janis, reviens ! » Sa silhouette disparaissait à travers les arbres. Axel s'élança, mais le sol meuble du jardin semblait retenir ses pas. Plus vite ! Elle allait lui échapper. Il se rua dans les sous-bois. Les tiges fuselées des fougères s'enroulaient autour de ses chevilles. La forêt retenait Axel ; elle tentait de le dissuader de pénétrer plus avant. Elle tentait de l'éloigner du monde obscur des animaux nocturnes.

Pourtant, il devait se hâter. Il aperçut l'éclair de la peau de Janis devant lui. Elle se retourna et le regarda. Les yeux ! Ils luisaient comme des braises ardentes. Maintenant, il ne pouvait plus reculer : il devait sauver sa femme. Nue, seule, elle allait mourir dans les bois. Il vit l'éclat de son dos au clair de lune. Il gardait les yeux rivés sur l'endroit où elle disparut de nouveau derrière les arbres. Uniquement concentré sur sa femme, il ne remarqua pas la forme noire dans les ténèbres. Il ne vit pas l'ours noir.

Ces yeux ! Il aperçut la lueur de ses yeux. Ils semblaient très proches. Bientôt, il serait sur elle, pensa-t-il. Encore quelques mètres. Ça y est.

Le grondement éclata dans les arbres, résonna dans l'obscurité. L'ours se dressa sur ses pattes arrière et leva la tête vers le ciel. Axel s'écroula. La bête ouvrit les mâchoires et rugit dans la nuit. Axel vit des dents brillantes de salive. Le cou de l'ours se gonflait avant le combat. Axel était trop épuisé pour bouger. Il se recroquevilla par terre et enfouit son visage dans les feuilles mortes.

Des images défilaient dans sa tête, comme flottant dans un ciel sans étoiles. Il essaya de reprendre le dessus, mais il était cloué au sol. Ses pensées devinrent de minuscules points lumineux. Il perdait lentement conscience. Puis il sombra.

L'ours se laissa tomber à quatre pattes. Il s'approcha lentement du corps recroquevillé. Un cri perçant, presque animal, explosa dans ses oreilles. L'ours se retourna. Un peu plus loin, à travers l'intrication des sous-bois, il aperçut deux disques brillants.

III

LE WIGWAM DE FEU

24.

La lune était à l'apogée de sa trajectoire courbe dans le quadrant sud du ciel. Seule une partie de la Mare Tranquillitatis restait encore dans l'ombre. La lueur de l'astre nocturne baignait le corps rectangulaire d'Hercule, tandis que dans le ciel nord, Pegasus et Ursa Major, la Grande Ourse, brillaient d'un vif éclat.

Sur la piste qui traversait la forêt comme une entaille, la troisième paire de phares s'éteignit. « C'est une nuit idéale pour nous », fit remarquer Dick Vanderlee en levant les yeux vers les étoiles visibles entre les frondaisons des arbres. « Claire et chaude. La pleine lune. La visibilité sera parfaite. »

« Pour les ours aussi. »

« Ils n'en ont pas besoin. Leur nez leur suffit. » Dirk se détourna de Mike Sizemore pour adresser un geste d'impatience aux occupants de la troisième voiture. « Grouillez-vous. Nous n'avons pas toute la nuit. »

« Je me demande si notre idée est vraiment bonne », insista Sizemore en s'approchant de Dirk.

« Bordel, boucle-la », glapit Dirk. « Tu m'as déjà dissuadé d'y aller l'autre soir, et regarde un peu ce qui est arrivé. »

« Mais il se passe quelque chose de bizarre, Dirk. Les ours se sont pas dans leur état normal. »

« T'as foutrement raison, mon gars. Si vous m'aviez écouté lundi soir », cria Dirk en dévisageant les sept autres hommes, « la dame et son gosse ne se seraient peut-être pas fait tuer hier. Je parie que l'avocat pour qui elle travaillait a sacrément changé d'idée. »

« Que fera le shérif s'il découvre ce que nous faisons ? »

« Qu'il aille se faire foutre ! Tu le crois vraiment capable de prendre une mesure qui risquerait de lui faire perdre une voix ? Quand tout le monde saura ce que nous avons fait, le comté l'empêchera de nous emmerder. Les gens ont peur de sortir de la ville ; ils ne se sentent même plus en sécurité dans leurs voitures. Suffit que nous ramenions une seule peau d'ours et nous serons considérés comme des héros. La semaine prochaine, toute la ville sillonnera la forêt et en deux coups de cuiller à pot, tous ces cons d'ours de l'Arbre Crochu seront transformés en descente de lit. »

« Bravo ! C'est pour ça que nous sommes ici, alors allons-y », hurla Nels Carlson. « Et si tu veux te casser, Sizemore, ne te gêne pas. Mais arrête de nous faire chier. »

« Hé, doucement. Je suis ici, non ? Alors ne me traite pas de froussard, hein ? Je prends simplement mes précautions. »

« T'as raison. Nous devons tous faire attention », temporisa Dirk. « A propos, ne tirez que si vous êtes absolument certains que c'est un ours. Attendez de voir sa fourrure noire. Comme nous sommes huit, nous marcherons deux par deux. Chaque groupe partira dans une direction donnée. Mike, tu viens avec moi vers le nord, le long de la route. C'est là que les ours ont bousillé le premier gars. Ceux qui vont vers le sud, qu'ils continuent au-delà de la 621 quand ils la croiseront. Rendez-vous ici avant l'aube. Compris ? »

« Ouais, d'accord. »

« Autre chose. En cas de pépin, tirez trois fois en l'air. Bon, maintenant voyons qui ramène le plus d'ours. »

« Une minute. Nous devrions peut-être rapporter quelque chose pour prouver que nous en avons tué un », dit Nels.

« Excellente idée. Pourquoi pas une oreille ? » dit un homme.

« Les couillons ramènent ce qu'ils veulent », gloussa Dirk. « Mais moi, je sais quel sera mon trophée. »

« Quoi ? »

« Leur putain de langue. »

Tous les hommes éclatèrent d'un rire gras. Les ours ne leur faisaient pas peur, car l'ennemi serait bien obligé de s'incliner devant leur puissance de feu. Ils pensaient que le seul

problème consisterait à les trouver, sans se douter un instant
qu'eux-mêmes avaient déjà été découverts.

Le rhéostat de la lampe était réglé au minimum et l'ampoule
brillait faiblement à travers l'abat-jour en soie jaune. Larry
suivait d'un regard vide le motif compliqué du tapis. Ses
jambes étaient repliées sur le vieux divan recouvert d'un drap.
Leon Moozganse dormait dans le lit de Larry.

Larry regarda le cadran poussiéreux de l'horloge sertie dans
un bloc de pin accroché au mur. Il était tard, mais Larry avait
beau être fatigué, son esprit refusait de se calmer. Quand, cet
après-midi, il était venu, son grand-père et Leon Moozganse
avaient immédiatement remarqué son changement d'attitude : ils avaient écouté, sans émettre le moindre commen-
taire, Larry raconter ce qui s'était passé à l'hôpital, mais seul
les intéressait ce qui concernait Janis et Axel. Il avait eu envie
de leur crier au visage, de les apostropher pour qu'ils
l'interrogent, lui — se moquaient-ils donc de ce qu'il ressentait ? Il avait voulu leur hurler que maintenant il croyait à la
marche de l'ours. Pourtant, il comprit peu à peu que son
grand-père avait remarqué son changement d'attitude et lui
demandait de garder son calme. Larry lui en avait même été
reconnaissant. Mais il se sentait malgré tout un peu frustré.

Maintenant, dans la solitude du salon, Larry venait de
comprendre que les deux Indiens ne savaient pas quoi faire.
Son grand-père, qui en savait peut-être davantage sur les
coutumes Ottawa que quiconque dans le village, ne savait pas
comment contrer Shawonabe. Quant à Leon Moozganse, qui
avait été élevé dans la religion ancienne, il n'était pas
Midewiwin. Et même s'il en était un, se dit Larry, comment sa
magie pourrait-elle surpasser celle de Shawonabe ?

Un peu plus tôt ce soir, une autre danse dédiée au Manitou
Gitche Muhguh avait eu lieu sur la colline, sous l'Arbre
Crochu. Ils avaient chanté pour apaiser le grand esprit de
l'ours, pour le prier d'intervenir. Mais Larry avait senti la
résignation gagner son grand-père et Leon Moozganse.
Comme la plupart des Indiens réunis sur la colline, il avait
compris ce qui troublait les deux vieux sages : les ours noirs
n'étaient pas responsables des massacres ; le Manitou Gitche

Muhguh avait perdu le contrôle des ours quand Shawonabe s'en était emparé.

Larry regardait le téléphone posé sur la table au bout du divan. Il avait attendu qu'il sonnât depuis qu'il avait quitté Axel, en fin d'après-midi. Michelson avait sûrement terminé ses recherches maintenant. Il devait avoir trouvé le sac en daim de Janis. Et Larry savait ce qu'il y avait découvert. Mais une fois les langues découvertes, Axel ne pouvait plus nier que Janis était soumise au pouvoir de Shawonabe et il aurait dû ressentir le besoin de parler à un ami. Il aurait dû appeler ! Peut-être était-il blessé ? Peut-être Janis l'avait-elle découvert ?

Larry repoussa le drap et se dressa brusquement. Il devait aller là-bas, songea-t-il. Non. C'était trop tard. Mieux valait téléphoner. Il se tourna vers la table et souleva le récepteur, puis le reposa en silence. Axel désirait peut-être rester seul avec sa découverte.

L'ours se tenait prudemment à distance. Normalement, sentant et entendant le danger, il aurait dû courir se réfugier au fond des bois, mais dernièrement il avait déjà été plusieurs fois contre son instinct et le pressentiment du danger ne le dérangeait quasiment plus.

L'odeur fut d'abord très forte. L'ours était trop loin pour les voir, mais il savait qu'ils étaient nombreux. Puis le vent du sud-ouest apporta à ses narines des odeurs composites ; la confusion s'empara de son cerveau, jusqu'à ce qu'il comprît que les animaux s'étaient séparés. L'encerclaient-ils avant d'attaquer ? L'ours balança la tête dans le vent. Il huma l'air un long moment.

Content de ne pas avoir été repéré, l'ours décrivit un arc de cercle pour suivre les animaux et se dirigea droit dans le vent. Les coussinets de ses pattes se posaient silencieusement sur le sol moussu de la forêt. L'ours connaissait bien les environs, mais les animaux semblaient sortir de son territoire. Peut-être pourrait-il les attaquer avant.

Les animaux faisaient beaucoup de bruit. Leur comportement était bizarre, se dit l'ours. Ils ne se dissimulaient pas, mais marchaient ouvertement dans la forêt, comme s'ils voulaient contraindre les autres créatures à se montrer. L'ours devint prudent, mais accéléra son allure sous le coup d'une impulsion subite. Ce serait sans doute aussi facile que la dernière fois.

Il les vit. Deux créatures dressées qui marchaient sur l'étroit talus qui coupait la forêt en deux. Les mâchoires pendantes, l'ours baissa la tête. Son corps massif se déplaçait lentement dans les bois, mais chacun de ses pas répondait à une intention bien précise. L'ours étudiait le terrain. Il se figea en entendant un bruit sec et régulier. Chaque pas de l'animal s'accompagnait d'un claquement bien particulier, que l'ours n'avait jamais entendu auparavant. L'étrange bruit rythmé cessa aussi brusquement qu'il avait commencé. Tandis que sa proie pénétrait dans les bois, l'ours avança prudemment. La végétation s'arrêtait soudain ; l'ours examina la longue étendue dégagée. Le sol n'était pas meuble comme dans la forêt, mais constitué de roc dur, plat et uni.

L'ours scrutait l'obstacle. Il avait passé toute sa vie au fond de la forêt, sur son propre territoire. Ceci était nouveau, et puait le danger — mais sa proie aussi. L'ours s'élança à travers la grand-route et, arrivé de l'autre côté, se rua dans les bois, puis s'arrêta. Il se dressa sur ses pattes arrière pour voir s'il n'y avait pas d'autre ours. La dernière fois, ils s'étaient tous retrouvés là. Il les attendait de nouveau.

Le premier coup de feu éclata au loin un quart d'heure seulement après que Dirk et Mike Sizemore se furent engagés sur la piste, vers le nord. La détonation sèche ressembla à celle d'un pétard. Ils s'arrêtèrent pour échanger un regard, plein d'espoir dans le cas de Dirk, et d'angoisse chez Sizemore. « Ils en ont peut-être eu un », dit Dirk en souriant.

« Peut-être », répéta Mike en évitant les yeux de Vanderlee.

Ils repartaient sur la piste déserte quand un deuxième coup de feu déchira l'air nocturne. Puis un troisième, venant, semble-t-il, d'une autre direction. La main de Mike se crispa sur son fusil.

« Hé, détends-toi, vieux », dit Dirk. « Aucune raison

d'avoir peur avec le flingue que t'as. Y démolirait n'importe quoi. »

Un chapelet de pétards éclatèrent au loin. « Merde, qu'est-ce qui leur prend ? » s'écria Mike.

« Oh, y s'amusent un peu, j'imagine. Ça fait probablement plusieurs mois qu'ils n'ont pas eu la moindre occasion de tirer. Ou alors ils sont tombés sur un troupeau d'ours. »

« Je croyais qu'il fallait faire gaffe. Qu'on prenait l'affaire au sérieux. »

« Mais parfaitement. »

« Y s' conduisent comme des gamins. »

« Et alors ? Z' ont bien le droit de s'amuser. »

« S'amuser ! Nous sommes ici pour chasser l'ours. Et s'il y en avait dans le secteur, le mec qui a tiré vient de les chasser au moins jusqu'à Wabanakisi. »

« Je parie que t'aimerais y être aussi, à Wabanakisi », se moqua Dirk.

Sizemore se détourna et recommença à marcher vers le nord. Il n'avait jamais aimé Vanderlee ; mais maintenant, il le détestait. Le contact de la crosse de son fusil le rassurait.

« Tu sais », dit Dirk, « tu as peut-être raison : les ours risquent de se carapater avec tout ce bruit. Je crois que nous devrions nous séparer et pénétrer dans les bois chacun de notre côté. » La colère de Mike disparut soudain. La pensée de se retrouver seul dans les bois en compagnie des ours tueurs le glaça. « Non ! T'es cinglé ? » Sa voix tremblait. « Nous devons rester ensemble. »

Dirk éclata d'un rire tonitruant que Mike reçut comme une gifle. Il comprit brusquement : Dirk n'avait jamais eu la moindre intention de le quitter ; il voulait simplement jouer avec la peur de Sizemore. Les mains de Mike se serrèrent sur l'arme. « Ta gueule ! » cria-t-il. Dirk rit encore plus fort

Sizemore était fou de rage, incapable de voir autre chose que le corps adipeux secoué de rire devant lui. Il était aveugle à tout mouvement dans les bois. Ses mains serrèrent davantage le fusil. Le cran de sûreté fit un bruit sonore. Dirk se figea brusquement et, horrifié, regarda Sizemore.

Derrière Dirk, une paire d'yeux brillaient au clair de lune. Leur lueur attira l'attention de Mike. Il épaula le fusil et pressa la détente. Dirk plongea à terre au moment où la poudre explosa dans un fracas de tonnerre. Les yeux chavirèrent et tombèrent. « J' l'ai eu ! » hurla Mike. « J'en ai eu un ! » répéta-t-il d'une voix excitée.

« Espèce de triple con ! » cria Dirk, toujours à terre.

Sizemore fila dans les bois et s'approcha de l'animal sans prendre la moindre précaution. Sa mâchoire tomba quand il vit ce qu'il avait pris pour un ours, et son fusil lui glissa des doigts.

« Imbécile ! » rugit Vanderlee. « Tu as failli me tuer à cause d'un foutu cerf. »

L'ourson noir gambadait gracieusement autour des mares d'eau stagnante. A chaque pas, son corps souple rebondissait sans heurt à travers le marécage des cèdres. A un an, il pesait quarante-cinq kilos et semblait agile. Cela changerait avec le temps ; pourtant, il ne perdrait pas son agilité, malgré les apparences.

L'ourson était fier. Sa mère l'avait protégé jusqu'à la semaine dernière, mais il l'avait quittée à cause de la présence intimidante du nouveau compagnon de sa mère qui, deux fois l'an, cherchait une ourse pour s'accoupler. L'ourson jouissait donc maintenant d'une entière liberté.

Les détonations lointaines ne le concernaient pas. Il avait survécu à une saison de chasse sans comprendre les effets des coups de feu et, pour l'instant, il avait autre chose en tête. Il cherchait sa pitance nocturne.

Il ne chassait pas seul depuis très longtemps, si bien qu'il négligeait parfois son odorat pour s'en remettre entièrement à sa vue. Il avait presque atteint le quartier de viande avant de remarquer son odeur pourtant forte. C'était du chevreuil, et l'ourson n'avait pas mangé de viande depuis qu'il avait quitté sa mère. Ses pattes avant se plièrent et il se mit à suivre l'odeur. Comme il s'approchait de sa source, il détecta une deuxième odeur, aussi forte. Une odeur que sa mère avait souvent fuie, mais l'ourson poursuivit son approche. L'odeur du chevreuil était trop attirante.

L'ourson s'arrêta à quelques mètres du gros objet rond. Son regard fouilla la caverne à la paroi ondulée ; l'odeur de la nourriture rivalisait avec celle du danger. Le chevreuil était à l'autre bout ; son parfum était irrésistible. L'ourson avança sans prêter attention à l'étrangeté du tunnel, obnubilé par le quartier de viande qui l'attendait au fond.

Dès qu'il saisit la viande dans sa gueule, la caverne bascula et il entendit un claquement assourdissant. L'ourson lâcha la nourriture et bondit vers l'entrée pour s'apercevoir qu'elle était fermée. Il se rua vers l'autre extrémité et, terrifié, griffa le plancher métallique. L'obstacle résistait. Le hurlement suraigu de l'animal se répercuta dans le tube creux, mais sa mère n'était plus là pour l'aider. L'ourson fonça vers la porte et écrasa sa patte contre le grillage froid. La porte tenait bon. Il réussit simplement à faire légèrement vibrer le piège. Puis il retourna près du chevreuil, pantelant. Incapable de manger, il gémissait sourdement.

Dirk reconnut l'endroit où l'on avait retrouvé la première victime des ours. Mais ce n'était pas pour rencontrer des ours qu'il avait choisi ce chemin ; simplement, il préférait marcher en terrain dégagé et laisser les autres se débrouiller dans les bois obscurs.

A ses côtés, Sizemore cala son lourd fusil sous son bras. Soudain, Mike s'arrêta ; Dirk lui lança un regard interrogateur.

« Que... »

« Chhhh ! » fit vivement Mike.

Dirk regarda dans la même direction que Mike. Il ne voyait rien dans les ténèbres, mais tout à coup il l'entendit aussi, un bruit de pas pesants frappant le sol meuble. Un frottement métallique. Des grattements. Ils se regardèrent, stupéfaits. « Bon Dieu ? » fit Dirk.

Il avait à peine prononcé ces mots qu'un bruit de tonnerre résonna dans les bois, un énorme claquement métallique, le bruit d'une lourde porte qui se referme. Dirk en comprit l'origine. Un des pièges à ours ! Il se mit à courir en criant : « Viens ! On en tient un. »

Sizemore jeta un coup d'œil alentour. Sur sa gauche, le marécage des cèdres ressemblait à un mur noir et impénétrable. Il ne voulait surtout pas rester seul. Au moment où il s'élançait sur les traces de Dirk, un hurlement déchirant le cloua au sol.

« Ha, ha ! » criait Dirk. « Nous en tenons un, et sur un plateau d'argent, encore. » Debout près d'une extrémité du tuyau d'acier, il regardait à travers le grillage l'ours pris au piège.

« Ce n'est qu'un ourson », grogna Mike en se penchant par-dessus l'épaule de Vanderlee.

« T'appelles ça un ourson ! C'est un gros fils de pute. »

« Mais non, il pèse pas plus de cinquante kilos. »

« Eh ben, ça fait toujours cinquante kilos de soucis en moins », dit Dirk en enlevant le cran de sûreté de son fusil.

« Tu vas quand même pas le tirer ? » dit Mike.

« C'est pour ça qu'on est venus, non ? »

« Mais c'est ridicule de descendre un animal en cage. Un bébé, par-dessus le marché. »

« Merde alors, que crois-tu que le plouc de Lansing va faire de cet ours quand il le trouvera pris au piège ? L'emmener à quelques kilomètres et le relâcher. C'est peut-être ce qu'il appelle " contrôler les ours ", moi pas. »

Dirk épaula son fusil et poussa le canon à travers le grillage.

A l'intérieur, l'ourson se blottissait à l'autre extrémité et griffait bruyamment le plancher métallique. Il vit un bâton lisse se glisser dans la caverne.

Le bâton explosa avec une lueur aveuglante et la patte avant gauche de l'ourson fut paralysée. Le rugissement de l'arme résonna longtemps dans les oreilles de l'ourson, qui n'avait pas conscience de son épaule fracassée. Un deuxième bruit de tonnerre explosa et une douleur fulgurante déchira son dos. L'ourson tenta de bouger, en vain. Le bâton explosa une troisième fois. L'ourson ne vécut pas assez longtemps pour entendre l'écho de la déflagration.

Dirk appuya derechef sur la détente et une autre balle s'enfonça avec un son mat dans le corps sans vie. La détonation rebondit follement dans le piège en acier. Mike sursautait à chaque coup de feu. Une cinquième balle claqua dans le tuyau d'acier.

« Arrête ! » hurla Mike, quand Dirk tira la cinquième balle.

« Tue-le, bordel ! » cria Vanderlee. Sizemore ne broncha pas. « Tue-le. Nous sommes ici pour ça. »

Quelques kilomètres au sud, au-delà de la route de comté 621, deux hommes, dont les fusils étaient posés à terre, entendirent les coups de feu. A une centaine de mètres au vent, une forme noire dissimulée dans les ombres les entendit également. Il en avait déjà entendu de semblables. Mais pas depuis novembre dernier. A chaque détonation, sa mémoire devenait plus claire. L'ours renonça à sa poursuite et abandonna sa proie pour se réfugier sur son propre territoire

25.

Le reptile se déplaçait rapidement sur les feuilles et les autres débris qui jonchaient le sol ; il cherchait un trou où se cacher pour s'abriter de la chaleur du soleil, qui se levait au-dessus des arbres et ne tarderait pas à chauffer la forêt comme une étuve. Un petit trou suffisait au serpent. Son corps long de trente centimètres n'était pas plus gros qu'une pièce de cinq *cents.*

Axel sentit un frôlement sur sa peau. Sa jambe se contracta brusquement et il ouvrit les yeux. Il y avait des arbres au-dessus de lui. Il était allongé par terre. Quelque chose remontait le long de sa jambe. Un serpent ! Soudain, il le sentit contre sa cuisse. Axel bondit sur ses pieds et se mit à danser sur une jambe en secouant l'autre. Il sentait le serpent se tortiller pour essayer de s'échapper. Une autre saccade et il tomba à terre. Un petit orvet inoffensif.

Axel examina l'endroit où il avait passé la nuit. L'ours dressé au-dessus de lui lui revint soudain en mémoire. Il devait avoir imaginé toute la scène, se dit-il. Puisque l'ours avait tué les autres gens, pourquoi pas lui ? Il marcha jusqu'à l'endroit où il se souvenait avoir vu la bête et regarda, bouche bée, le sol. Les larges empreintes dans le sol friable étaient facilement reconnaissables.

Axel désirait retourner chez lui, mais il devait d'abord

chercher Janis. Elle gisait peut-être à quelques centaines de mètres. Ses pieds traînaient parmi les feuilles mortes tandis qu'il s'enfonçait dans les bois. Déterminer exactement où il l'avait vue pour la dernière fois n'était pas une mince affaire, mais il pensait pouvoir localiser approximativement l'endroit. A droite, il remarqua une enfilade de fougères piétinées aboutissant à une ornière boueuse. Axel s'approcha. Debout au-dessus de la mare, il regarda les empreintes d'un ours noir. Au centre de chaque trace de patte, on distinguait nettement l'empreinte du pied de sa femme. Axel comprit que, même s'il retrouvait Janis, il serait incapable de l'aider.

Il revint en clopinant jusqu'à la maison, où il remarqua la baie vitrée toujours ouverte. Un rideau pendait librement à l'extérieur. Axel le rentra en pénétrant dans le salon et prit ses clefs posées sur la table de travail de la cuisine. Il retourna d'un pas vif dans la chambre à coucher et regarda à l'intérieur. Elle était dans l'état où il l'avait laissée la veille au soir. Axel se détourna, puis se dirigea vers le garage.

Sur la route du village Ottawa, Axel remarqua un tracteur qui pétaradait dans un champ de maïs. Au loin, un filet de fumée à peine visible s'élevait au-dessus de la colline qui dominait le village. Quand les volutes blanches atteignirent la cime inclinée de l'Arbre Crochu, la brise les dispersa définitivement.

Charley Wolf et Leon Moozganse étaient assis sur le large porche, devant la maison. Axel avait espéré voir d'abord Larry, et quand il sortit de la Renault, ses yeux évitèrent ceux des Indiens.

« Bonjour », dit Charley Wolf.

« Bonjour. Je viens voir Larry », dit Axel. « Est-il ici ? »

La porte grillagée s'ouvrit. « Axel. Que t'est-il arrivé ? » demanda Larry. « Tes habits. Ton visage. Tu es couvert de terre. »

Il jeta un coup d'œil sur ses vêtements maculés de boue et de terre. Des lambeaux de feuilles pourries pendaient de sa chemise, accrochées par leurs nervures. Il passa la main sur son visage et regarda ses doigts : ils étaient noirs de terre. « Janis... » fit-il d'une voix hésitante. « Elle est partie. »

« Venez donc ici vous asseoir », proposa Charley Wolf en

se levant pour laisser son fauteuil à Axel, qui accepta. Le vieux fauteuil en rotin grinça sous son poids.

« Janis s'est enfuie. Dans la forêt », dit Axel en suppliant Larry des yeux, mais son ami se contenta de hocher la tête. « Je…j'ai trouvé ce que tu avais dit que je trouverais. »

Larry regarda son grand-père. « Tu as trouvé les langues ? »

« Oui. » Axel leva les yeux vers les deux vieillards. « Je suis désolé. Vous aviez raison. »

« C'est sans importance », dit Charley Wolf. « L'essentiel, c'est que maintenant vous croyez. »

La voix d'Axel s'affermit. « Elle m'a vu avec les langues et s'est mise à grogner comme un animal. Elle s'est emparée de son sac et est partie dans les bois en courant. Ses yeux… »

« Oui ? »

« Ils luisaient. »

« *Skoda kawin* », murmura Moozganse. « Les braises rougeoyantes. »

« Je l'ai suivie jusque dans la forêt. Au moment où j'allais l'attraper, un… il y avait un ours noir dressé sur ses pattes arrière. Je ne suis pas sûr de la suite. J'ai dû m'évanouir. Je me suis réveillé ce matin. »

« Vous avez eu beaucoup de chance, Axel », déclara Charley Wolf. « Janis vous a sauvé la vie. »

« Mais moi aussi, je peux la sauver. »

« Maintenant, c'est Shawonabe qui la guide. Vous devez vous en souvenir. Pour la sauver, vous devez la libérer de la magie de Shawonabe. »

« C'est pour cela que tu dois l'entraîner loin d'ici », dit Larry. « Retrouve-la et emmène-la. »

« Non, Larry, je ne peux pas. Je te l'ai déjà dit. »

« Mais c'était avant. Maintenant, tu n'as pas d'autre choix que de t'enfuir avec elle. »

« Non, ma décision n'a pas changé. Si j'emmène Janis avec moi, comment savoir que Shawonabe ne nous accompagnera pas ? Et que se passera-t-il à notre retour ? »

« Mais c'est ta seule chance ! »

« Non ! C'est impossible. Il existe certainement un moyen de battre Shawonabe. »

« Oui : s'enfuir. »

« Non, vous avez raison de rester », intervint Charley Wolf. Stupéfait, Larry regarda son grand-père. « Aujourd'hui, le pouvoir de Shawonabe est plus fort que jamais. Soit il restera avec Janis, soit il trouvera quelqu'un d'autre. Je suis d'accord avec vous, Axel. Vous devez rester ici pour découvrir le moyen de vaincre sa magie. »

« Comment ? » demanda Axel.

Charley Wolf secoua la tête et regarda dans la rue. « Je ne sais pas. Je suis désolé, mais je n'ai vraiment aucune idée. »

« Mais il doit bien exister un moyen. » Les vieux Indiens demeuraient silencieux. Axel poursuivit : « Shawonabe tranche les langues pour accroître son pouvoir ; c'est bien ce que vous m'avez dit, n'est-ce pas ? »

Le regard songeur de Charley Wolf passait au-dessus de l'épaule d'Axel. « Oui, c'est cela. Si vous pouviez les reprendre à Shawonabe, son pouvoir en serait peut-être amoindri. »

« Peut-être amoindri pour un temps, mais certainement pas anéanti », dit Moozganse. « Shawonabe serait toujours avec nous. Souvenez-vous, il n'a pas eu besoin des forces nouvelles que lui procurent maintenant les langues contenues dans son sac de shaman, pour s'emparer de l'esprit de Janis. »

« Mais si Axel capturait le sac en daim », avança Larry, « cela ne signifierait-il pas que les victimes pourraient enfin chercher à se venger de Shawonabe ? »

Moozganse semblait morose. « Peut-être, mais j'ai bien peur que, puisqu'il est dans sa tombe, la vengeance des victimes n'ait que peu d'effet sur le contrôle qu'il exerce sur Janis. Shawonabe ne souffrirait que si son corps était toujours vivant. »

« Ou s'il était dans le village des âmes », ajouta vivement Charley Wolf.

Le regard de Moozganse alla rapidement de Charley Wolf à Axel, puis se dirigea vers le sol.

« De quoi s'agit-il ? » fit Axel d'une voix pressante. « Dites-moi de quoi il s'agit. »

« Je suis navré, Axel. Je ne crois pas que vous puissiez faire grand-chose », dit Moozganse.

« Si, et je sais que vous le savez aussi. Je vous en prie, dites-moi de quoi il s'agit. »

Les yeux de Moozganse quittèrent les lattes du parquet. « Peut-être... » grogna-t-il. « Vous pourriez peut-être... » Il s'arrêta.

« Quoi ? » le pressa Axel.

« Non, c'est impossible. J'aurais mieux fait de me taire. »

« Parlez ! » supplia Axel.

« Je suis désolé. Je n'aurais pas dû intervenir. Cela ne pourrait qu'engendrer de faux espoirs. »

« Cessez donc de parler par énigmes et dites ce que vous avez à dire. »

Leon Moozganse s'éclaircit la gorge et jeta un regard en biais à Charley Wolf. « Le seul moyen consisterait à accomplir les rites d'Ogochin Atisken, la Fête des Morts, sur la tombe de Shawonabe. C'est la seule façon de l'empêcher de pratiquer sa magie noire aux dépens de Janis. »

Axel savoura longuement le sentiment de l'espoir, avant de demander : « Pourquoi affirmez-vous que c'est impossible ? »

Les deux vieillards se regardèrent, puis Charley Wolf posa la main sur le genou de son ami. Il s'adressa à Axel : « J'ai bien peur que les rituels soient perdus à tout jamais. La Fête des Morts n'a pas été célébrée depuis des dizaines d'années. Aucun Indien vivant n'a entendu la liturgie sacrée ; aucun n'en conserve le moindre souvenir. »

« Et nous ne parviendrons jamais à retrouver son corps », ajouta Larry. « Il a été enterré quelque part dans la forêt. Comment savoir où ? Cela remonte à plus de deux siècles. »

« Nous pouvons malgré tout essayer », dit Axel. « Il doit bien exister des indices susceptibles de nous renseigner sur l'emplacement de sa tombe. Qu'as-tu mentionné hier ? Une prison ? Tu as utilisé la même expression que ton grand-père : " une prison pour son âme ". Pourquoi ? »

« Parce que c'est ce que dit la légende », répondit Larry.

« Ça doit bien signifier quelque chose. Nous devons absolument découvrir cette tombe. » Axel se pencha. « Vous savez sûrement quelque chose sur cette Fête des Morts », dit-il à Charley Wolf et Leon Moozganse. « Parlez-moi de cette Fête. »

« Axel, nous vous avons déjà dit tout ce que nous savons »,
répéta Charley Wolf d'une voix apaisante. « Nous ne connaissons pas les rituels. Vous risquez d'être encore plus découragé
si vous refusez d'admettre l'impossibilité de recréer aujour-
d'hui Ogochin Atisken. »

« Ce n'est pas impossible », s'entêta-t-il, « si vous me
confiez ce que vous savez. »

« Tout ce que nous pourrions vous dire sur la Fête des
Morts serait superficiel. Et parfaitement inutile, puisque nous
ignorons les chants cérémoniels. »

« Nous pouvons peut-être les retrouver. »

Charley Wolf se contenta de secouer la tête. Son silence
était plus éloquent que toutes ses dénégations.

Axel sentit qu'il fallait les faire parler. « A quel intervalle
célébrait-on la Fête ? D'après ce que m'a dit Larry, j'ai cru
comprendre qu'elle était organisée pour plusieurs morts à la
fois. » Personne ne répondit. « Parlez, bon sang », s'écria-t-il.
« C'est ma seule chance ! »

Leon Moozganse regretta d'avoir abordé ce sujet. Il comprit qu'Axel ne cesserait de les harceler avant d'avoir perdu
tout espoir. « Vous avez raison, c'était une fête commune »,
finit-il par dire. « Célébrée tous les dix ans environ pour tous
les Indiens morts depuis la dernière Fête. »

« Comment choisissait-on la date ? » demanda vivement
Axel.

« Les anciens, les anciens du village décidaient du jour. »

« Que faisait-on des cadavres entre-temps ? »

« On les enterrait dans des tombes provisoires. Quand une
Ogochin Atisken était prévue, les parents des morts devaient
déterrer leurs dépouilles. On attachait une grande importance
au respect des ancêtres. En dehors des descendants directs,
personne ne pouvait préparer un cadavre en vue de la Fête des
Morts. »

« Mais vu l'importance de cet acte religieux, comment
pouvait-on abandonner les corps quelque part pendant dix
ans ? »

« Avec le cadavre, on enterrait un masque funéraire qui
devenait partie intégrante de la personne, un masque chargé

de pouvoirs mystiques qui protégeaient le corps jusqu'à la prochaine Fête des Morts. »

« Mais les corps devaient être en état de décomposition avancée ? »

« Oui, effectivement. Des cadavres des gens morts depuis plusieurs années, ne restait que le squelette. Les morts récents étaient à divers stades de décomposition. C'était le devoir des parents de nettoyer le cadavre, d'enlever tous les lambeaux de chair. Ils dépeçaient le cadavre jusqu'à ce qu'il ne reste que le squelette. »

« Etait-ce vraiment indispensable ? »

« Oui. Sinon, le squelette ne pourrait acquérir un nouveau corps dans le village des âmes. Il conserverait sa chair pourrie. »

« Que faisait-on ensuite des os ? » demanda Axel.

« On creusait une énorme fosse, profonde de trois à cinq mètres, qu'on entourait des fourrures et des peaux de castor les plus précieuses. Puis on construisait un échafaud autour de la fosse, à environ deux mètres du sol. On suspendait les squelettes à des poteaux fixés sur l'échafaud. On plaçait alors dans la fosse tout ce dont les morts pouvaient avoir besoin au cours de leur voyage vers le village des âmes. Des hachettes des chaudrons, des perles, des vêtements. Les objets les plus précieux que possédaient les descendants des morts, même si eux-mêmes risquaient d'avoir froid l'hiver suivant.

« La fête et les prières duraient des heures, voire des jours. On hurlait, comme une litanie, le nom des morts, jusqu'au moment où, sur un signe du Midewiwin, les squelettes étaient jetés dans la fosse. Cela arrivait tout d'un coup, pendant que le Midewiwin prononçait les formules rituelles qui réveillaient les esprits pour qu'ils commencent leur voyage.

« Dès que les corps étaient dans la fosse, on étendait sur eux une autre couche de peaux. Puis des écorces. Enfin, on remplissait de terre la fosse ; la Fête des Morts était terminée. Les esprits étaient libérés des corps et commençaient leur voyage vers leur village céleste. »

« Larry m'a dit qu'aucune fête ne fut célébrée pour Shawonabe. Etait-ce inhabituel ? » demanda Axel, qui essayait de noter mentalement tout ce qu'il entendait.

« Oh, je suis certain que d'autres Indiens n'eurent droit à aucune fête, mais simplement parce qu'ils n'avaient pas inculqué à leurs descendants le respect de la tradition, ou à cause de l'immoralité de leurs enfants. Mais personne, autant que je sache, ne fut délibérément tenu à l'écart de la Fête pour que son esprit ne rejoigne pas le village des âmes — personne sauf Shawonabe. »

« Et maintenant il tue et terrorise les gens. »

« N'accusez pas les Ottawas, Axel », dit Charley Wolf. « Ils ne pouvaient pas se douter qu'il réussirait à revenir. Ils ne pouvaient pas prévoir que des gens pénétreraient sur leur terre. »

Axel lui adressa un regard perçant. « Vous voulez dire qu'il serait enterré dans l'Arbre Crochu ? Près de notre maison ? »

« Je n'en suis pas sûr, mais cela ne m'étonnerait pas. La légende ne dit pas qu'il fut enterré au plus profond de la forêt. Et si aucun accord n'avait été signé entre le gouvernement et les Ottawas il y a quatre-vingt-cinq ans, Janis n'aurait jamais hérité vos cinq hectares de bois. »

« Jusqu'à la construction de notre maison », ajouta Axel, « personne n'habitait près de Shawonabe. Et pendant deux cents ans, son esprit n'a hanté aucun être humain. »

« Peut-être. Cela expliquerait pourquoi il a choisi Janis, et pourquoi il a attendu si longtemps. »

« Je dois chercher sa tombe près de ma maison. »

« Axel », dit Larry, « même si tu pouvais limiter tes recherches à tes cinq hectares, ou même à ton arrière-cour, tu ne réussirais pas à la trouver. Il est enterré profondément, et toute marque signalant sa tombe a disparu depuis longtemps. Il faudrait que tu sondes chaque centimètre carré de terrain, sur une profondeur de plus d'un mètre. »

« Peut-être pas », dit Axel. « Je peux tenter de découvrir l'emplacement exact de sa " prison ". Mais je suis d'accord avec toi : ce n'est pas en retournant la terre que je le trouverai. Je le trouverai quelque part dans un vieux grimoire enfoui au fond d'une bibliothèque. »

« Il ne s'agit pas de résoudre un problème juridique », explosa Larry. « Il n'existe aucune bibliothèque sur les anciens rites de morts indiens. Sois donc raisonnable. Tu n'as aucune chance de découvrir le moindre renseignement. »

« Tu le répètes souvent. Mais tu te débrouilles toujours pour dénicher une loi susceptible d'étayer notre thèse, aussi abracadabrante soit-elle. »

« D'accord, mais avec l'aide de milliers de pages couvertes des comptes-rendus de procès dans tous les Etats-Unis. Il n'existe aucune encyclopédie comparable pour les rituels indiens. »

« Tu ne comprend pas, Larry », dit doucement Axel. « Je n'ai pas d'autre choix que de me mettre au travail. »

26.

Tandis que la Renault disparaissait au coin de la rue, Larry demeurait pensif, la main posée sur un poteau de bois : « Il n'a pas la moindre chance. »

Assis sur le banc, Charley Wolf changea de position. Il n'était pas aussi pessimiste que son petit-fils. Quelque chose dans la voix d'Axel, dans sa détermination, rendait le vieil homme songeur. « Il y a une chance, Larry », dit-il. « Mince, mais une chance malgré tout. Si seulement il pouvait trouver cette tombe. »

« Il ne la trouvera jamais. Et même si, par miracle, il y parvenait, le plus difficile resterait à faire. »

« Tu as peut-être raison », reconnut Charley Wolf ; mais l'intonation de sa voix exprimait le doute.

« Que nous caches-tu, espèce de vieux singe ? » demanda Leon Moozganse.

Charley Wolf rit. « Je me disais qu'après tout, un peu de bien sortirait peut-être de tout cela. Les gens commencent à se souvenir des anciennes coutumes, ce n'est pas un mal. »

« Mais à quel prix », dit Larry.

« D'accord, mais puisque de toute façon il faut payer le prix, autant en tirer un petit bénéfice. »

« Dommage que les gens se souviennent d'un chapitre

plutôt sombre », fit remarquer Leon Moozganse. « D'après toi, dans combien de temps les gens de la ville seront-ils au courant de la légende ? »

Charley Wolf fronça les sourcils. « Je ne sais pas. Mais n'oublie pas qu'à Wabanakisi, vivent des gens aussi âgés que nous. Ils se souviennent peut-être de la légende. »

« Et alors ? » fit Larry. « Ils ne peuvent pas nous accuser de ce qui arrive. »

Charley Wolf regarda son ami d'un air peiné. « Tu es jeune, Gusan. Tu ne sais pas tout. Tu n'as jamais senti la haine. »

« C'est faux, Mishoo. Je connais la discrimination raciale. Elle n'est pas morte. »

« Tu n'as jamais senti la haine comme nous l'avons sentie. Leon peut t'en parler. »

Les traits du visage de Moozganse parurent s'affaisser. « A une certaine époque, se rendre au magasin d'alimentation signifiait se faire couvrir d'injures et de quolibets. J'avais un fils de ton âge. Il essaya de leur répondre. On lui brisa les deux genoux. La loi ? » ricana Moozganse. « Tout le monde connaissait les responsables, mais personne ne leva le petit doigt. » L'évocation de ce souvenir cruel faisait briller les yeux du vieil Indien.

Larry déglutit avec difficulté.

« Mais les conséquences de la haine, des violences physiques, du succès matériel des blancs, dépassèrent de beaucoup une paire de genoux brisés », déclara solennellement Charley Wolf. « Notre culture fut détruite. Notre peuple a survécu, mais l'âme Ottawa est morte. Tout ce qui les entourait leur disait que leur mode de vie était mauvais. Imagine cela ! Une société fondée sur le respect des ancêtres, à qui on rappelle chaque jour que ses ancêtres ont échoué ! »

« Mais notre culture a survécu, Mishoo », protesta Larry. Il s'était toujours senti fier de ses traditions.

« Elle a survécu », dit Moozganse, « à cause d'hommes comme ton grand-père, et elle croît de nouveau à cause de garçons comme toi. »

Le grincement de freins d'un véhicule s'arrêtant devant la maison interrompit leur discussion. C'était un camion vert

portant sur le côté l'inscription « Fermes Tabasash ». Le conducteur descendit du camion et s'approcha du porche.

« Salut, Paul », dit Larry. Il avait passé toute son enfance avec Paul Tabasash, mais ne le voyait plus que rarement.

« Salut. J' suis content que vous ne soyez pas occupés. »

« Pourquoi donc ? »

« Bonjour, monsieur Wolf », fit Paul Tabasash, en gravissant les larges marches de bois. « Nous avons besoin d'aide, et nous nous sommes dit que cela vous intéresserait peut-être. »

« Je serais heureux de t'aider », répondit Larry.

« Nous construisons un wigwam de feu à l'Arbre Crochu. C'est une idée de mon père. Il croit que nous pourrons peut-être arrêter les ours de cette façon. »

Le visage de Charley Wolf s'épanouit en un large sourire et son esprit retourna vers sa jeunesse, vers une étroite hutte charpentée d'arbrisseaux et couverte d'écorces de bouleaux. Il y était entré pour découvrir des visages plus âgés, dont le regard de pierre l'avait effrayé. Il se souvint de la chaleur qui avait rapidement couvert son corps d'une pellicule brillante de sueur. Cette nuit-là, il était devenu un homme. Il avait rêvé du cerf à queue blanche, ce qui le désignait comme membre à part entière du totem du cerf. Et en compagnie des autres membres du totem du cerf, il s'était purifié chaque été dans d'autres wigwams de feu ; tous les ans, son animal protecteur lui avait donné force et confiance. « Vas-y, Larry », dit-il.

« Oui, j'irai. Avec grand plaisir. »

« Quand doit-on se réunir ? » demanda Charley Wolf.

« Je ne sais pas », répondit Paul. « Dans quelques jours, j'imagine. Dès que nous aurons terminé. Mon père dit que vous pourriez vous joindre à nous. »

Charley Wolf rit. « J'ai bien peur d'être trop vieux pour cela. Je ne réussis même plus à entretenir ma propre maison. » Sa main s'éleva vers la peinture craquelée. « Allez donc construire ce wigwam de feu. Qui sait, le manitou Muhguh en sera peut-être apaisé. Pendant ce temps, je vais essayer de raviver la magie de mon ami ici présent. »

Paul regarda Leon Moozganse. « Je vous souhaite bonne chance. »

Paul et Larry se dirigèrent vers le camion, mais Charley

Wolf les rappela. « Si vous avez un problème, je pourrai peut-être vous aider, après tout. Vous conseiller pour la construction de la hutte, par exemple. »

Larry sourit. Il savait que son grand-père était aux anges. Peut-être avait-il raison. Peut-être la marche de l'ours servirait-elle à quelque chose.

Axel passa devant le chemin privé qui aboutissait à sa villa, sans remarquer la voiture noir et blanc portant l'insigne du shérif sur la portière, qui disparaissait au bout du chemin en gravillon. L'esprit ailleurs, il pensait à un rituel célébré il y a deux siècles. Il songeait à une tombe solitaire, au fin fond de la forêt, une tombe inviolée. Il tenta de se représenter la tombe, les arbres qui l'entouraient, les signes permettant de la retrouver. Il se creusait la tête en espérant inconsciemment découvrir un indice quelconque. Mais les arbres étaient flous et le sol indistinct. Il ne voyait rien. Seules des recherches approfondies pourraient s'avérer fructueuses.

A Wabanakisi, Axel se gara devant la bibliothèque, bâtiment de deux étages en brique rouge, et y pénétra en coup de vent. Il adressa un bref sourire à la femme assise derrière le bureau de la réception, puis entra dans la pièce qui abritait les ouvrages relatifs au Michigan. Ouvrages historiques, scientifiques ou de fiction, romans ayant pour cadre le Michigan ou essais sur le Michigan, livres écrits par un auteur originaire du Michigan — tous étaient dans cette pièce. De Ernest Hemingway à l'*Atlas des Grands Lacs vus par satellite* de la NASA, tous possédaient une fiche dans le catalogue général qui occupait deux tiroirs d'un meuble trapu.

Axel fit glisser le tiroir supérieur hors de son cadre en bois, le posa sur la table et s'installa confortablement dans un fauteuil. Ses doigts progressèrent rapidement jusqu'à la première fiche de la section « Indiens ». Il choisit un ouvrage de vulgarisation, nota son numéro d'identification et le repéra en quelques secondes sur les étagères.

C'était un gros livre, dépassant les cinq cents pages. Axel le feuilleta jusqu'au sommaire. « Rites de mort, p. 281. » Les pages crissaient, car l'ouvrage n'avait pas été lu depuis longtemps.

... Les tombes devenaient invariablement des lieux sacrés ; la plupart des tribus prenaient beaucoup de précautions pour les signaler. Bouleverser un tel site, même par mégarde, était considéré comme une grave offense envers les morts. Les Apaches utilisaient les crevasses des rochers pour y ensevelir leurs parents. Pour repérer la tombe, ils élevaient un petit tumulus de pierres au-dessus du cadavre[48]. Les tribus habitant les forêts de l'Indiana et du nord de l'Illinois bâtissaient des monticules complexes, figurant d'ordinaire l'animal sous la protection duquel le mort avait vécu. Le corps était enseveli au centre vital de l'animal, le cœur, et le monticule témoignait pendant des années du caractère sacré de l'emplacement[49]. De nombreuses tribus Huron et Algonquin, particulièrement les Ottawas, enterraient leurs morts dans des fosses communes...

Axel retourna vers la table et s'assit. Puis, il poursuivit sa lecture.

... Autour de la fosse pleine, on enfonçait de gros poteaux de bois dans le sol. Puis, sur la tombe, on construisait une sorte de superstructure en bûches et en écorce, qui durait parfois plusieurs années et signalait le caractère sacré du sol[50]. Au nord-ouest, les tribus Senecas et Penobscot...

Axel remonta légèrement plus haut, mais ne trouva aucune mention des Ottawas. Puis il retourna à la page 281. Note numéro 50 : « Jacques Revard, *Relations des Jésuites et Documents Afférents, Les voyages et explorations des Missionnaires jésuites en Nouvelle-France. 1610-1791.* 28 : 331-340. » Axel prit une petite feuille de papier dans une boîte posée sur le fichier et transcrivit la citation.

Puis, consultant de nouveau le fichier, il choisit un deuxième livre. Son sujet était plus restreint : Axel s'aperçut que l'ouvrage consacrait une section à chaque tribu. Il parvint à la section 7 : « Les Ottawas ». Axel parcourut rapidement la table des matières, jusqu'au chapitre « Fête des Morts ».

... Vivant non loin des routes empruntées par les Français qui faisaient le commerce des fourrures, les Ottawas reçurent la visite de nombreux missionnaires. En 1636, Brebeuf écrivit le compte-rendu suivant, après avoir assisté à une Fête des Morts :

... Les tombes ne sont pas construites une fois pour toutes... les cadavres restent dans les cimetières jusqu'à la Fête des Morts, célébrée d'ordinaire tous les douze ans...

... les cadavres sont transportés jusqu'au village où se trouve la fosse commune ; chaque famille s'occupe de son mort, avec un soin et une affection indescriptibles : si par hasard ils ont des parents morts dans quelque région que ce soit, ils ne s'épargnent aucune fatigue pour aller les chercher : ils déterrent leurs cadavres dans les cimetières, les portent sur leurs épaules et les habillent de leurs vêtements les plus somptueux... Dans certains cas, la chair a presque totalement disparu et seule reste une sorte de parchemin sur les os ; dans d'autres cas, on dirait que les cadavres ont été séchés et fumés ; ils ne présentent presque aucun signe de putréfaction ; dans d'autres cas encore, les vers grouillent sur le cadavre... Au bout d'un moment, ils nettoient le cadavre de sa chair et de sa peau, qu'ils jettent dans un feu avec les robes et les tapis qui enveloppaient le corps...

... à un signal, tous les chefs de clan, chargés de leur fardeau d'âmes, courent comme pour prendre une ville d'assaut et montent sur l'échafaud, au moyen d'échelles posées contre les poteaux, pour pendre les corps aux paternes ; chaque village possède une partie de l'échafaud. L'opération une fois terminée, toutes les échelles sont enlevées ;...

... Nous nous retirâmes pour la nuit dans le vieux village, bien décidés à revenir le lendemain matin, aux aurores, pour voir les Ottawas jeter les squelettes dans la fosse ; mais nous eûmes beau nous hâter, nous arrivâmes trop tard... Comme nous nous approchions, nous découvrîmes un spectacle que seul l'enfer saurait contenir. L'énorme trou rugissait de feu et de flammes et, où que l'on se tournât, l'air résonnait des voix confuses des barbares ; pourtant, ce tohu-bohu s'apaisa quelques instants, et ils se mirent à chanter — mais avec des voix si désespérées et lugubres que nous y vîmes toute l'horrible tristesse et l'abîme de désespoir dans lequel ces âmes malheureuses sont plongées à tout jamais.

Presque tous les esprits avaient disparu dans la fosse avant notre arrivée ; l'opération se déroulait en un clin d'œil ; chacun se hâtait, pensant qu'il n'y avait pas suffisamment de place pour toutes les âmes...

Axel parcourut la suite du compte-rendu de Brebeuf. Pantelant, il relut le passage qui l'avait fait sursauter : « ... et ils se mirent à chanter — mais avec des voix si désespérées et lugubres que nous y vîmes toute l'horrible tristesse et l'abîme de désespoir dans lequel ces âmes malheureuses sont plongées à tout jamais. » Il lâcha le livre. Brebeuf ne connaît pas le secret, pensa-t-il. La Fête des Morts lui avait échappé. Il n'avait pas compris le sens du rituel Ottawa. Il n'avait pas compris que de leurs voix lugubres, ils réveillaient les esprits et les envoyaient vers le ciel, vers un au-delà aussi étranger à celui de Brebeuf, que leur vie terrestre l'était de la sienne.

Axel relut la fin du passage. Note 21 : « Brebeuf, *Relations des Jésuites et Documents Afférents, Les voyages et explorations des Missionnaires jésuites en Nouvelle-France*, 1636, J.R., 10 : 265-305. » La même référence que tout à l'heure ! Axel la nota d'une écriture saccadée au bas de la petite feuille de papier. Un autre missionnaire avait peut-être laissé un compte-rendu plus exact.

La bibliothécaire était plongée dans un livre. « Excusez-moi, madame », dit Axel.

Par-dessus ses lunettes, elle jeta à Axel un regard ennuyé. « Oui ? »

« J'ai trouvé une référence à un livre — *Relations des Jésuites et Documents Afférents.* L'auriez-vous ici ? »

La bibliothécaire se dérida instantanément. « Oh, j'aimerais beaucoup le posséder », dit-elle en retournant son livre pour le poser grand ouvert sur son bureau. « Mais il en existe peu d'exemplaires. Ce sont de très vieux livres, vous savez. »

« Oui, je veux bien vous croire. De quoi s'agit-il, exactement ? »

« Oh », roucoula-t-elle, « c'est une merveilleuse collection de témoignages des missionnaires jésuites qui travaillaient dans les environs, à l'époque où les Français contrôlaient les Grands Lacs. Savez-vous que c'est un cas unique au monde ?

Aucune autre région ne possède un document aussi détaillé sur son histoire. »

« C'est une étude fouillée, n'est-ce pas ? »

« Très. Vingt-trois volumes, couvrant toute l'histoire de la région entre 1610 et 1791. »

« Où pourrais-je trouver ces volumes ? »

« Voyons », réfléchit-elle. « A l'Université de Detroit, je suppose. Il y a une école jésuite, vous savez. Et à l'Université du Michigan, évidemment. »

Bien sûr. La bibliothèque de l'Université du Michigan. Elle abritait tous les livres.

« Merci », dit Axel en se préparant à partir. « Votre aide m'a été précieuse. »

« Oh... oh », fit-elle avec modestie. « Vous cherchez un renseignement particulier ? »

« Non, pas vraiment », mentit Axel en s'approchant de la porte. Il s'arrêta. Pourquoi ne pas essayer ? « Euh, en fait, je fais des recherches sur la Fête des Morts. »

« Oh, mais c'est merveilleux ! L'histoire des Ottawas est tout simplement fascinante. »

« Oui, je sais. Vous savez quelque chose sur la Fête des Morts ? »

« Naturellement. Je la connais sur le bout des doigts. On la célèbre encore, savez-vous ? Chaque année. »

« *Quoi ?* » faillit hurler Axel.

« Mais oui. Chaque année. Le premier novembre. »

« C'est impossible. On m'a assuré qu'elle n'était plus célébrée depuis des dizaines d'années, voire des siècles. »

« Pas sous la même forme, peut-être. Elle a terriblement évolué au fil du temps. Originellement, c'était une coutume Huron, que les Ottawas leur ont empruntée à l'époque où ils habitaient à l'est du Canada. Mais au fur et à mesure que les Ottawas furent repoussés vers l'ouest par la Confédération Iroquois, la fête se transforma. Et avec l'arrivée de l'homme blanc, la fête changea radicalement. Mais on la célèbre encore aujourd'hui. Simplement, maintenant ils l'appellent le Jour des Saints. »

« Vous parlez de la fête religieuse catholique ? »

« Oui, c'est ça. Quand les missionnaires convertissaient les

Ottawas, les vieilles croyances indiennes s'imprégnèrent peu à peu de christianisme. Les missionnaires virent un rite païen dans la Fête des Morts, mais elle était trop enracinée dans la culture indienne pour être éliminée, si bien que les Jésuites finirent par les convaincre d'abandonner leurs rites proprement dits et de se souvenir symboliquement de leurs ancêtres chaque année, le jour des saints de la religion catholique. Cette solution satisfaisait tout le monde. »

« Oui, je vous crois volontiers », dit pensivement Axel. « Merci encore. »

Il venait de traverser le pont à bascule et passait devant la plomberie de Ted Hiller, quand il comprit les conséquences des paroles de la bibliothécaire. La Fête des Morts célébrée chaque année ? Symboliquement, avait-elle précisé. La fête que le village organisait au mois de novembre ? S'agissait-il de l'ancienne Fête des Morts ? Se pouvait-il que les chants sacrés survivent et qu'ils ne le sachent même pas ?

Les roues de la Renault dérapaient sur le gravillon du chemin privé d'Axel. Il voulait prévenir Charley Wolf immédiatement. Il eut le souffle coupé quand il aperçut la voiture noir et blanc. Il n'avait pas envie de la moindre visite, et surtout pas de celle du shérif Snyder. Un autre meurtre ? se demanda-t-il. Ou pire : *ils avaient arrêté Janis.*

27.

Au fur et à mesure que Larry et Paul Tabasash s'enfonçaient dans la forêt, le bruit mat des lames d'acier pénétrant dans le bois tendre se faisait plus fort. Paul avait garé son camion derrière deux autres véhicules, sur l'une des nombreuses pistes maintenant couvertes d'herbe, qui serpentaient à travers la Forêt d'Etat. Garés à deux kilomètres de la 621, les véhicules ne risquaient pas d'attirer l'attention.

Quand les deux hommes atteignirent la clairière, la chemise trempée de sueur de Larry collait à son dos. Plusieurs hommes étaient déjà au travail. L'un d'eux posa sa hache à terre et vint à leur rencontre. « Salut, Paul. »

« Bonjour, papa. Je ramène du renfort. »

« Je vois ça. Avec cette chaleur, nous avons besoin de tous les bras valides. »

Larry remarqua un tas d'arbrisseaux fraîchement abattus. Leur écorce tendre n'était entamée qu'aux endroits où les branches rejoignaient le tronc. Les feuilles et les petites branches étaient empilées à part. Elles serviraient à l'isolation, expliqua M. Tabasash. Tandis que le père de Paul décrivait les activités du chantier forestier, Larry l'observait attentivement. Larry pensait que son propre père — qu'il n'avait pas connu — devait avoir le même âge que cet homme. Après avoir indiqué où serait construit le wigwam de feu, Tabasash demanda à Larry de venir avec lui pour chercher des bouleaux.

« Nous en avons repéré quelques-uns en arrivant », fit remarquer Larry.

« Je sais, mais je crois qu'il y en a davantage de ce côté », dit-il, tandis qu'ils quittaient la clairière vers le nord. « Je me souviens d'une légère déclivité. »

« Nous ne devrons pas transporter les bûches trop loin, j'espère. »

Les sourcils levés, Tabasash le regarda avec une moue amusée. « Nous ne les transportons nulle part ; nous prenons simplement l'écorce. »

« Oh », répondit Larry.

Après quelques minutes de marche, Larry aperçut les troncs blancs de plusieurs bouleaux à travers les arbres. « Par ici », dit-il. Il guida Tabasash jusqu'aux cinq bouleaux de taille moyenne qui poussaient à partir d'une même souche.

« Parfait », dit Tabasash en arrivant sur les lieux. « Ceux-ci m'ont l'air bien. » De rares taches noires interrompaient l'écorce fibreuse.

Tabasash sortit son couteau à poignée noire de l'étui qu'il portait à la ceinture. Il choisit un tronc et fit une entaille verticale allant de l'endroit le plus élevé qu'il put atteindre jusqu'au sol. Il prenait garde de n'entamer que la couche superficielle, de façon à obtenir une bande d'écorce continue et régulière.

Il pratiqua ensuite plusieurs entailles horizontales autour de l'arbre, à des intervalles de soixante centimètres environ. Puis il glissa toute la lame de son couteau sous l'écorce qui se décolla ; il la saisit de sa main libre et tira. Il se déplaçait lentement autour de l'arbre ; l'écorce venait facilement. Après avoir séparé deux couches du tronc, Tabasash coupa l'écorce, qui tomba à terre en se lovant comme une épluchure de pomme.

Sous l'écorce, le bois présentait les mêmes dessins et les mêmes taches, mais il était d'un jaune presque métallique. « Il faut faire bien attention à ne pas entailler le bois trop profondément », recommanda Tabasash. « Sinon, tu tues l'arbre. A la prochaine saison », ajouta-t-il en caressant de la paume la nouvelle écorce soyeuse, « elle sera bonne à être découpée. »

Il tendit son couteau à Larry, qui glissa la lame sous l'écorce. Il la détacha lentement de l'arbre. Larry était de l'autre côté du tronc quand l'écorce se craquela, puis cassa.

« Tu dois toujours exercer la même pression. Essaie encore. »

Il essaya. Le restant de la bande vint facilement et Larry sentit la fierté l'envahir. Son grand-père lui avait raconté l'histoire et les légendes de son peuple, mais il avait rarement participé à un travail traditionnel aussi élémentaire que l'écorçage du bouleau blanc.

En commençant la deuxième bande, Larry se demanda s'il aurait davantage ressemblé à Paul, au cas où son père se serait occupé de son éducation. Peut-être aurait-il appris les techniques de son peuple... Peut-être n'aurait-il jamais quitté le village pour aller à la faculté de droit... Il s'obligea à se concentrer sur l'écorce. Presque fini. Et aucune fente.

« Comment va Axel Michelson ces temps-ci ? » demanda soudain Tabasash.

L'écorce se fendit net. « Ça va », dit Larry d'un trait, en attendant la question suivante.

« Oh, c'est juste pour savoir. C'est un bon ami à toi, n'est-ce pas ? Je veux dire, ce n'est pas simplement ton patron ? »

« Non, nous sommes amis. » Larry était sur ses gardes.

« A-t-il, euh... T'a-t-il parlé de Janis ? »

« Bien sûr, c'est sa femme. » Larry n'avait aucunement l'intention de faciliter les choses.

« Je sais... mais, je veux dire, il ne t'a rien dit de particulier à son sujet ? Depuis les attaques des ours ? »

Larry attendit d'avoir terminé sa bande d'écorce pour répondre. Quand elle tomba à terre, il se tourna vers Tabasash : « Non ; pourquoi ? »

Les yeux de Tabasash se rétrécirent. Il regarda Larry comme pour lui dire : allez, tu as confiance en moi, non ?

Finalement Larry se décida ; cacher la vérité était inutile. « Il sait, pour la marche de l'ours. »

« Oui ? »

« Il y croit. »

« Et pour Janis ? »

« Il essaie de l'aider. »

« Comment ? »

« Il cherche la tombe de Shawonabe. Il désire célébrer la Fête des Morts et libérer son esprit. »

« Il veut *quoi* ? »

Larry le regarda en silence. Tabasash avait parfaitement compris.

« Il ne peut pas faire ça. J'espère que tu l'as prévenu ? »

« Je lui ai dit qu'il ne réussirait pas. »

« Il faut que tu fasses davantage. Il faut que tu l'arrêtes ! »

« Il ne retrouvera jamais la tombe. C'est impossible. »

« Mais suppose qu'il y parvienne ? Tu ne le laisserais pas déshonorer nos ancêtres de cette façon, n'est-ce pas ? »

« Cela ne déshonorerait personne. Cela mettrait simplement un terme à la tuerie. »

« Ne sais-tu donc pas pourquoi la fête ne fut pas célébrée pour l'esprit de Shawonabe ? » Tabasash était tendu.

Larry le savait parfaitement. Mais il n'avait pas réfléchi aux conséquences possibles du geste d'Axel.

Tabasash entoura d'un bras paternel les épaules de Larry. « Au travail, fils. Terminons et retournons au camp. Je sais que nous pouvons compter sur toi. »

La main droite posée sur la hanche, juste au-dessus de son étui de revolver, Luke Snyder s'adossa à la maison des Michelson. Il s'était décidé fort récemment à porter son arme, persuadé que le Magnum. 357 pouvait tuer net n'importe quel ours noir.

Le shérif regardait dans les bois. Il avait accompagné John Orson jusqu'au piège et ce qu'ils avaient découvert l'avait surpris autant qu'Orson. Il l'avait finalement laissé là-bas pour revenir jeter un coup d'œil discret à la villa. Maintenant, il réfléchissait au caractère invraisemblable de leur découverte. Une voiture s'arrêta devant la maison.

Janis ou Axel ? Il appréhendait de parler à l'un comme à l'autre. Il fit le tour de la maison et retrouva Axel qui l'accueillit avec un regard anxieux.

« Bonjour, Axel. » Son visage était sombre.

« Shérif. » Axel hocha la tête. « Quoi de neuf ? »

« On vérifie les pièges. »

« Ah ? »

« Orson s'en occupe en ce moment même. Il le remet en état. »

« Remet en état ? »

« Ouais. Un truc dingue. Le piège a fonctionné ; la porte était fermée, mais l'appât avait disparu et il n'y avait pas d'ours dedans. »

« Comment est-ce possible ? »

« Soit quelqu'un a relevé le grillage pour faire sortir l'animal pris au piège, soit la porte a été maintenue ouverte pendant qu'on prenait l'appât. » Snyder dévisageait Axel, qui ne manifestait aucune émotion particulière. « Dans les deux cas, il fallait faire preuve d'une ruse dont les ours sont incapables. »

« Je te crois volontiers. Et les autres pièges ? Tu as constaté la même chose ? »

« Non, seulement avec le tien. »

Mal à l'aise, Axel changea de position. Où est Janis ? avait-il envie de hurler, mais il devait continuer à jouer son rôle. « J'aurais pensé qu'au moins un ours serait capturé maintenant. »

« Effectivement. La nuit dernière, le piège posé près de l'endroit où on a retrouvé le corps de Davis a fonctionné. »

Axel faisait face à Snyder. « Vraiment ? S'agissait-il d'un des ours tueurs ? »

« Cela m'étonnerait. C'était un ourson, un petit. » Snyder se détourna quelques secondes pour dire, entre ses dents serrées : « Il était mort. Descendu d'une bonne douzaine de balles, alors qu'il se terrait au fond du tube en acier. »

« Oh, bon Dieu. Qui aurait... ? » Mais Axel n'en dit pas plus. Il savait qui avait fait le coup.

« Ouais. Je compte lui parler un peu plus tard. J'espérais profiter de ma visite pour parler aussi à Janis. Tu ne saurais pas où elle est, par hasard ? »

« Hum, elle doit être à son travail, au chenil. » Axel sentit sa voix trembler.

« Non. J'ai déjà vérifié : elle est absente depuis deux jours. »

« Elle est peut-être en ville. »

« Sa voiture est dans le garage. J'ai regardé par la fenêtre. »

« Rien ne t'échappe. Pourquoi cet intérêt soudain pour Janis ? »

« Allez, Axel, je suis ton ami. Ne me regarde pas comme ça. De toutes parts, on me presse de retrouver l'individu qui coupe les langues. Et par-dessus le marché, j'ai la police fédérale sur le dos. Si je ne lui parle pas, c'est eux qui viendront, dès qu'ils auront tiré leurs propres conclusions des indices que je possède. »

Axel resta prudent. « Quels indices ? »

Snyder secoua lentement la tête et baissa les yeux vers le sol. « On m'a raconté que la petite gamine était devenue comme folle en voyant Janis. Jusqu'ici, c'est mon seul témoin. »

« Janis était là par hasard, quand la môme est sortie du coma. Ç'aurait pu être n'importe qui d'autre. »

« Oui, je veux bien te croire. Pourtant, cela expliquerait beaucoup de choses. Ce que faisait Grace sur cette ancienne piste, par exemple. A mon avis, elle devait être persuadée qu'elle venait ici — cette maison est la seule dans les parages et il y avait ta lettre dans sa voiture. Dans ce cas, la personne la mieux placée pour lui demander de venir, c'est toi ou Janis. Or tu étais à Bay City. »

« Tu crois vraiment que Janis est le fou qui tranche les langues ? »

« Le problème n'est pas de savoir ce que je crois ou ce que je veux croire, tu le sais bien. Seuls les faits m'intéressent. »

« Oh, ça va, Luke, fais preuve d'un peu de bon sens. Janis ne peut être mêlée à tout ça. »

« J'espère que tu as raison ; mais à vrai dire, je ne sais plus que penser. J'ai déjà reçu deux messages anonymes, qui affirment que la magie noire des Indiens est responsable des crimes. Des esprits maléfiques habiteraient les ours et trancheraient les langues pour les garder comme trophées de chasse ou dans un but aussi absurde. Dieu sait comment tout cela se terminera. »

« Bientôt, j'espère. A propos, comment va Marcy ? »

« Qui ? »

« La petite fille à l'hôpital. La fille de Grace. »

« Oh, ils vont l'emmener à la clinique Lafayette de Detroit voir des spécialistes. Aux dernières nouvelles, elle était toujours dans le coma. Ils refusent de me laisser la voir pour lui poser quelques questions. »

« C'est pour son bien », fit remarquer Axel. « Tôt ou tard, elle se remettra à parler. »

« Ils ne me laisseront peut-être même pas la voir à ce moment-là », dit sombrement Snyder.

« Mais ton ami Orson aura probablement résolu notre problème d'ici là. »

Snyder changea de sujet. « Je sais que Janis est indienne, mais appartient-elle à la tribu des Ottawas ? Je veux dire, est-elle originaire de la région ? Je ne la connais pas bien, tu sais », ajouta Snyder en s'excusant presque. « On ne fréquentait pas beaucoup les Indiens dans le temps... »

« Janis est la fille d'un chef Ottawa ; elle a passé toute sa vie, ici. »

« Elle doit connaître les légendes locales, j'imagine. »

« Probablement. Comme n'importe quel autre Ottawa. »

« Sais-tu quand elle doit revenir ? »

« Non, désolé. »

« J'ai récupéré une bonne empreinte digitale sur la fenêtre des pompes funèbres. Si je pouvais la comparer avec celle de Janis, l'affaire serait réglée une bonne fois pour toutes et je n'aurais plus à te casser les pieds. »

Il avait pris Axel au dépourvu. « D'accord. Nous irons te trouver dès qu'elle sera de retour. » Il marqua un temps d'arrêt. « Oh, j'oubliais. Il faut absolument que j'aille à Ann Arbor cet après-midi. Pour des recherches. »

« Comment ça ? » fit Luke. « Notre bibliothèque ne te suffit pas ? »

Axel se força à rire. « Je vais à la bibliothèque de droit de la fac du Michigan. »

« Bon, la confrontation est donc remise. De toute façon, je n'en attends pas grand-chose. Ça me permettrait simplement de rayer un nom de ma liste. »

Axel était las de ruser et fut heureux de voir Orson arriver de derrière la maison.

« Bonjour », fit Orson. « Le shérif vous a dit ce qu'il en était de notre piège ? »

« Oui. Ainsi, les ours se sont débrouillés pour prendre l'appât sans se faire prendre. »

« Le quartier de chevreuil a disparu. Mais je ne suis pas certain que ce soient les ours qui l'aient escamoté. Shérif », continua-t-il avec le plus grand sérieux, « j'ai examiné à fond le sol autour du piège et découvert quelque chose d'intéressant. Des empreintes de pied. Des petits pieds, comme l'autre jour. »

Axel évita le regard insistant de Snyder.

Orson brisa le silence. « Ça ne va pas ? »

« Si, si », fit le shérif. « Nous devrions rentrer, maintenant. »

« Euh... vous pourriez peut-être faire un moulage en plâtre de ces empreintes », dit Orson sur un ton d'excuse, sentant qu'il outrepassait ses attributions. « Il s'agit peut-être du coupeur de langues. »

Snyder parut soudain agacé. « D'accord. Je vais appeler l'expert de la police fédérale. »

Orson soupçonna brusquement les rivalités qui opposaient les deux polices : il avait gaffé. Il se tourna vers Axel pour lui dire que le piège était de nouveau prêt à fonctionner et lui demander de téléphoner si jamais il entendait la porte claquer. « A propos, vous n'avez rien entendu de bizarre hier soir ? » Axel dut mentir une fois encore.

Comme ils se dirigeaient vers leur voiture, Snyder dit : « N'oublie pas de venir me voir avec Janis, dès que tu auras un moment. »

« D'accord. Et merci, Luke. » Axel les regarda contourner la Renault, puis la voiture du shérif franchit le léger ressaut de terrain qui longeait la façade de la maison et traversait le chemin d'accès. Dès qu'ils eurent disparu, Axel se précipita à l'intérieur. « Nom de Dieu ! » La porte du réfrigérateur était grande ouverte, et toute la nourriture répandue à terre. « Janis ! » Il se rua dans la chambre à coucher. La salle de bains. Vides. Puis il revint dans la cuisine. Heureusement que Snyder n'avait pas remarqué ça, se dit Axel. Mais peut-être avait-il préféré ne rien dire ?

Un carton de lait renversé avait répandu la moitié de son contenu par terre. Axel le ramassa pour le ranger dans le compartiment métallique du réfrigérateur. La cellophane enveloppant un paquet de saucisses était déchirée, et la viande à moitié dévorée, entamée uniquement dans la partie centrale des saucisses. Des fruits dans lesquels on avait mordu étaient écrasés par terre. Une laitue avait roulé sous la table. Axel la ramassa pour l'examiner ; on aurait dit que quelqu'un y avait planté les dents, comme dans une pomme. Comme si un animal avait ouvert le réfrigérateur.

Axel rassembla toute la nourriture et la rangea dans les compartiments. Il plaça dans un compotier les légumes, fruits ou viandes entamés, puis le glissa à côté du carton de lait.

Elle était vivante, Axel le savait. Mais dans quel état ? Il faisait grise mine en terminant de nettoyer la cuisine ; il imaginait Janis seule dans la forêt avec les ours. Cette pensée le glaça. Elle ne tiendrait pas longtemps, contre les éléments et le détachement de chasse de Dirk Vanderlee. Pourtant, quand il décrocha le téléphone, il se dit qu'elle était en sécurité.

« Allô », grogna une voix.

« Monsieur Wolf. Axel Michelson à l'appareil. Je crois avoir trouvé quelque chose d'important. »

« Oui ? »

« Le Jour des Saints. Le premier novembre. Est-ce bien à cette date que les Indiens commémorent la Fête des Morts ? »

Il y eut un long silence. Comme si personne n'était plus là pour répondre.

« Monsieur Wolf ? Allô ? Vous êtes toujours en ligne ? »

« Oui, je suis là. »

« Eh bien ? »

« Je n'y avais pas pensé, mais vous avez raison ; le Jour des Saints, on commémore Ogochin Atisken. D'une certaine manière. »

« La Fête des Morts est donc toujours célébrée. » La voix d'Axel tremblait d'excitation dans l'oreille de Charley Wolf.

« Oui, ce n'est pas faux. »

« Comment cela ? Comment est-elle célébrée ? »

« A l'occasion d'une messe, une messe catholique, des prières silencieuses destinées à nos morts pendant l'offertoire. »

« Quoi d'autre ? »

« C'est tout. Peut-être y avait-il jadis d'autres rites ; à l'époque où notre religion était forte et le Christianisme nouveau. Mais plus maintenant. » Sa voix se fit chaleureuse. « Je suis désolé, Axel, mais aucun Indien vivant ne s'en souvient. »

Aucun Indien vivant, répéta-t-il mentalement. Axel sut alors qu'il allait devoir se tourner vers les morts. Les *Relations des Jésuites* détenaient peut-être la clef de l'énigme. « Je vais faire un saut en voiture jusqu'à la bibliothèque de Ann Arbor », déclara-t-il. « Mais je dois d'abord retrouver Janis. Ensuite... »

« Que ferez-vous quand vous l'aurez retrouvée ? » coupa Charley Wolf.

« Je ne sais pas ; mais je ne peux pas la laisser dans les bois. »

« Elle appartient à Shawonabe maintenant ; la seule façon de la sauver est de rompre le charme. Si vous croyez que ce voyage à Ann Arbor vous aidera à découvrir les secrets de la

Fête des Morts, alors allez-y. Et si jamais elle revient, Larry et moi serons là pour l'accueillir. »

« Mais comment être certain qu'elle ne sera pas morte quand je reviendrai ? »

« Axel, Janis est probablement le seul être humain en sécurité dans tout l'Arbre Crochu. Les ours la protègent. »

Cette constatation glaça Axel. Au bout d'un moment, il remercia Charley Wolf et lui dit au revoir. Il ramassa rapidement quelques vêtements, prit sa mallette, y fourra un calepin neuf et deux stylos, puis courut à sa voiture.

Il était quatre heures passées. Il serait à Ann Arbor vers neuf ou dix heures, et aurait besoin d'une bonne nuit de repos avant de se mettre au travail. Mais il avait oublié quelque chose. Il retourna en trombe dans la maison et s'assura que la porte de derrière n'était pas verrouillée et la baie vitrée entrouverte. L'animal aurait sûrement besoin de se nourrir encore.

28.

Des bribes de conversation atteignaient sa conscience. Larry avait l'impression de manger seul, alors qu'il était attablé avec Leon Moozganse et son grand-père dans la cuisine. Leon dut répéter ses paroles avant que Larry ne levât les yeux. « Tu devrais te réjouir. Participer au wigwam de feu constituait autrefois l'événement le plus heureux de la jeunesse d'un Ottawa. »

Larry hocha la tête.

« Attends la cérémonie. Tu y apprendras beaucoup. »

« Je ne crois pas que j'irai. »

Moozganse regarda Charley Wolf. « Et pourquoi non ? »

« Je ne sais pas. Ils n'ont peut-être pas envie de me voir. »

« Qu'est-ce que tu racontes ? »

« Je suis trop proche d'Axel. Et si je n'essaie pas de l'arrêter, ils ne voudront sûrement pas de moi. »

« Tu as parlé à quelqu'un des recherches d'Axel ? » lança Charley Wolf.

« Oui. Et Tabasash croit que, si on laisse Axel célébrer la Fête des Morts, l'esprit de Shawonabe transmigrera jusqu'au village des âmes pour tourmenter nos ancêtres — ce qu'ils avaient précisément tenté d'éviter. Sans compter qu'il sera *aussi* là quand nos esprits entreront dans le village. »

A travers la table, Charley Wolf adressa un regard attristé à son vieil ami. L'ignorance des autres le blessait profondément. « C'est faux. »

« N'est-ce pas pourtant là le but d'Ogochin Atisken ? Envoyer l'esprit au village des âmes ? »

« Tout à fait. »

« Alors pourquoi ne te soucies-tu pas des conséquences possibles du succès d'Axel ? »

« Ni moi ni Leon ne nous inquiétons, car nous connaissons l'ancienne religion. Si la Fête est repoussée si longtemps et non pas célébrée à chaque mort, si les morts sont jetés dans une fosse commune, c'est pour s'assurer que les âmes ne seront pas seules dans leur existence après la mort. Tous les êtres pour qui la fête est célébrée simultanément, et dont les os sont mêlés dans la fosse commune, migrent ensemble vers le même village d'âmes. Personne ne les y attend et personne ne les y rejoindra jamais. La voûte céleste est composée d'innombrables villages d'âmes, mais chacun est séparé et unique. Ainsi, le danger que représentait jadis Shawonabe pour nos ancêtres n'existe plus. Si demain la fête est célébrée pour lui, il errera à jamais dans la solitude. »

« Mais alors, Tabasash ? »

« Nombreux sont ceux qui ne connaissent pas les anciennes coutumes. Tu devrais maintenant en être convaincu. Ils croient tout comprendre, mais leur savoir est comparable à une égratignure superficielle. »

Larry rougit. « Excuse-moi, Mishoo. »

« Ne t'inquiète pas. Ce qu'Axel cherche à faire ne peut causer aucun mal. »

Larry regarda Leon Moozganse, dont le visage ridé exprimait l'approbation.

« Tu parais encore soucieux », fit Charley Wolf. « Tu ne crois pas ton grand-père ? »

« Oh si... si, je te crois. Je suis complètement rassuré, mais je me demande ce que mijote Tabasash. Il semblait si sûr de lui, il insistait tellement pour que j'arrête Axel. »

« Ne t'en fais donc pas pour lui. C'est un homme estimable. Il ne fera pas de bêtise. »

« Tu as probablement raison », acquiesça Larry. Après tout, son grand-père connaissait mieux Tabasash que lui. Pourtant, Larry se sentait anxieux. Son grand-père n'avait pas accompagné Tabasash dans la forêt, cet après-midi.

Les bois paraissaient étrangement calmes. Une dépression météorologique progressait au-dessus du lac Michigan, apportant avec elle une masse d'air humide. Après le coucher du soleil, le front nuageux s'était avancé vers le rivage et obscurcissait maintenant le ciel nocturne.

« Tu crois que c'est valable, de revenir au même endroit ? » demanda Nels.

« Je pensais qu'on avait réglé ce problème », dit Dirk, adossé à la portière de sa voiture, un fusil entre les bras.

« Je sais bien, mais je me pose la question. Les gens n'ont pas été trop contents d'apprendre la mort de cet ourson. Quelqu'un — le shérif, par exemple — viendra peut-être voir si nous sommes encore là ce soir. »

« Cet enculé n'a jamais travaillé une minute après cinq heures depuis qu'il est shérif. Et tu crois qu'il va venir jusqu'ici, simplement pour attraper des chasseurs d'ours ? »

« Hum, c'est toi qu'il a suspecté en premier, non ? »

« Ouais, et alors ? Il a pas bronché, que je sache ? Je lui ai pratiquement dit que j'avais descendu ce p'tit con d'ours, et il a pas osé bouger d'un poil. »

« D'accord, mais les gens ? Tous ceux que j'ai entendus parler de l'affaire semblaient... euh, dégoûtés. »

« Qu'ils aillent se faire foutre. Y savent même pas reconnaître leurs bienfaiteurs. »

« Je ne sais pas », grogna Nels. « T'as déjà dit ça hier soir. »

« Dis donc, toi. On croirait entendre Sizemore... »

« Non, pas du tout. Simple... »

« Alors, boucle-là. »

« Je voulais simplement dire qu'on pourrait peut-être trouver un autre endroit. Mais j'ai autant envie que toi de descendre ces ours. »

« Ecoute. On a eu un ourson la nuit dernière. Ça veut dire que sa mère doit être dans les parages. Suffit qu'on la trouve. On a vachement plus de chance de faire un carton ici que dans n'importe quel autre coin. »

Un pinceau de lumière ricocha sur les feuilles des arbres. Nels se retourna pour voir une paire de phares qui cahotaient sur la piste en terre. « C'est Metz ? » demanda-t-il d'une voix inquiète.

« Evidemment. Qui veux-tu que ce soit ? » Dirk avança au milieu de la piste.

« Le shérif ? »

« Et même si c'était lui ? Aucune loi ne t'interdit d'aller dans la forêt avec ton fusil, non ? » Il se dirigea vers la voiture, d'où Bob Metz descendait.

« Je suis venu avec mon cousin, qui a envie de participer à la rigolade. Jasper », fit-il en tendant le bras vers une silhouette trapue. « Je te présente Dirk. Et Nels. »

« Salut », dit simplement Dirk. Il examina soigneusement l'homme à la carrure imposante. Dirk n'aimait pas rencontrer un homme plus grand que lui. « J'espère que tu sais tirer », fit-il avec une nuance de défi dans la voix.

« Il tire comme un chef », fit Metz. « Aussi bien que moi. »

« C'est bien ce que nous craignons ! » se moqua Nels.

« Tu fais ce que je dis et tu ne tires pas avant que j'en donne l'ordre. » Dirk gardait les yeux fixés sur le gros type. « C'est d'ailleurs valable pour tout le monde. » Son regard passa en revue les deux autres visages.

« Ça va, Dirk. T'énerve pas », fit Metz.

« Bon. On y va. »

« Comment ça ? Et les autres ? » s'enquit Nels.

« Nous sommes au complet pour ce soir. »

« Je croyais que tu avais dit qu'on serait plus nombreux cette nuit ? » objecta Nels d'une voix excitée.

« C'est pas ma faute si la plupart des gens du coin sont des cons de première. » Sans attendre de réponse, Dirk se retourna pour partir sur la piste, vers le nord.

Tandis que les quatre hommes progressaient en silence sur le chemin, l'air parut s'alourdir. Nels sentait quelque chose qu'il ne comprenait pas, quelque chose qui l'emplissait d'effroi.

Dissimulée dans l'ombre, l'énorme forme noire était presque invisible. A quelques mètres de là, on aurait facilement pu la prendre pour une vieille souche de pin blanc, mais le halètement profond ne laissait aucun doute possible. L'ours respirait péniblement ; par cette nuit tiède, son épaisse fourrure le gênait.

Il avait beau être en territoire inconnu, il avait beau humer l'odeur forte du danger, paradoxalement il se sentait chez lui. Il avait aisément retrouvé la colline, l'étroite clairière qui serpentait à travers les bois et il savait où gisait la caverne circulaire.

Des brindilles se brisèrent derrière l'ours. Le bruit de pas pesants sur le sol friable se fit plus net. Mais l'ours ne broncha pas. Il savait que l'intrus allait approcher. Il savait que d'autres animaux de son espèce seraient là. Il savait également que tous venaient pour la même raison.

L'intrus avança lourdement jusqu'à la caverne circulaire. Ses narines frémissaient, tandis qu'il examinait l'objet étranger. Il contourna d'un pas lent le long cylindre et faillit heurter l'autre ours.

Ils s'observèrent soigneusement, reniflèrent leurs museaux, puis leurs corps. Ils se ressemblaient beaucoup : même fourrure hirsute, même charpente ; c'étaient tous deux des mâles. En d'autres circonstances, leur rencontre fortuite se serait soldée par une lutte sans merci et la forêt aurait résonné de leurs grondements sauvages. Mais cette fois-ci, les ours savaient qu'ils partageaient le même but.

L'intrus fit volte-face et gravit le petit talus jusqu'à l'étroite clairière. Il se dressa sur ses pattes arrière et huma l'air. Puis il se laissa lentement tomber à quatre pattes ; ses narines cherchaient toujours l'odeur. Les ours semblaient communiquer silencieusement par le regard. L'intrus poussa un grognement, se retourna et descendit la pente faiblement inclinée, de l'autre côté de la clairière. Quelques secondes après, le bruit d'herbes et de fougères foulées disparut. L'ours comprit que l'intrus avait rejoint son poste.

L'ours secoua la tête. Un lourd paquet de salive tomba de sa gueule jusqu'à terre. Presque immédiatement, de la bave réapparut à la commissure de ses lèvres. Cédant à la nervosité, il se mit à marcher de long en large aux abords de la caverne. Il s'arrêta aux deux extrémités, suffisamment longtemps pour renifler le grillage. Le repas gagné à bon compte lui avait plu, et il espérait trouver un quelconque relief de son premier festin. Mais la viande avait disparu et la caverne était ouverte. L'ours scruta la route d'un regard impatient.

Les hommes soufflaient et ahanaient dans l'air immobile ; la sueur trempait leurs chemises. Le sable épais entravait leur progression. Des perles de transpiration apparurent sur le front de Nels. Il voulut faire demi-tour et retourner aux voitures. Mais comme il ne voulait surtout pas y aller seul, il se demandait comment s'y prendre pour entraîner un autre homme avec lui.

« Hé, Metz », finit par dire Nels d'une voix sifflante. Il faisait presque trop chaud pour parler. « Tu avais prévu qu'il ferait aussi chaud que ça ? »

« Non. Mais au moins, maintenant, je sais pourquoi l'ouverture de la chasse a lieu en novembre. »

« Tu comptes passer toute la nuit dans la forêt ? »

« Je sais pas », répondit Metz prudemment. « Et toi ? »

« Nous resterons jusqu'à ce que nous ayons fini notre boulot », déclara Dirk d'une voix péremptoire.

« Mais y fait tellement chaud. Nous devrions peut-être... »

« C'est moi qui commande, et je vous ordonne de continuer. »

« Je ne veux absolument pas insinuer qu'on devrait abandonner la chasse définitivement, mais seulement ce soir ; il fait tellement chaud. »

« Et que diras-tu si une autre dame se fait dévorer par un ours, avec sa fille ? " Excusez-moi, mais j'avais vraiment trop chaud " ? »

« Non », fit-il sombrement.

« Alors ta gueule et tiens-toi prêt à tirer. »

Nels sentait le regard de Dirk sur lui. L'obscurité rendait Vanderlee presque invisible, mais Nels dut baisser les yeux et avancer.

« Nous nous arrêterons au piège », dit Dirk. « On se cachera dans les fourrés pour les attendre. »

L'ours fermait presque complètement les yeux en tendant son museau vers le ciel. Il n'aurait pas à se servir de sa vue : son odorat lui apprendrait tout ce qu'il avait besoin de savoir.

L'odeur traînait dans l'air immobile, mais les bruits s'approchaient rapidement. L'ours les avait entendus avant que son odorat ne fût alerté. Maintenant, il se concentrait pour tirer le maximum d'informations des indices qu'il avait. L'odeur était celle du danger ; elle devenait plus forte, plus proche, mais l'ours ne fit pas un geste pour s'enfuir, car c'était cette odeur qu'il attendait.

La sueur coulait sur la peau tendre de son aisselle. Nels serra son fusil, au point que ses muscles lui firent mal.

« Vous savez, nous nous trompons peut-être de cible », dit calmement Jasper.

« Que veux-tu dire ? » demanda Metz.

« Tous ces gens se sont fait couper la langue. C'est forcément quelqu'un qui a fait ça, probablement un Indien. Ils ont une légende, d'après ce qu'on m'a dit, qui affirme qu'un homme peut utiliser un ours pour tuer. Mais le truc ne fonctionne que tant qu'il tranche la langue de sa victime. »

« Ce sont des conneries. »

« Peut-être. Mais y a sûrement des Indiens finauds qui essaient de nous faire prendre ça pour argent comptant. Ils ne nous ont jamais portés dans leur cœur, nous les Blancs, surtout depuis cette putain d'interdiction. »

« Allez, dis-nous le fond de ta pensée », coupa Metz.

« Eh bien voilà : je crois que nous devrions peut-être chasser le Peau-Rouge plutôt que l'ours. »

« Te fais donc pas de souci pour les lanceurs de flèches », fit Dirk d'un ton plein de sous-entendus.

« Pourquoi ? A quoi penses-tu ? » demanda Nels, sans être certain de désirer une réponse.

« Moi ? A rien », dit Dirk. « Mais le bruit court que quelqu'un va s'occuper d'eux. Nous, on n'a qu'à faire notre boulot de notre côté. »

Nels trembla. Il se sentit embarqué dans une aventure qui le dépassait.

L'ours isolait maintenant quatre odeurs distinctes, mais similaires. La pulsation rythmique de son cœur faisait palpiter sa poitrine quand il alla se cacher dans un buisson de ronces, à quelques mètres de la caverne. Sa respiration était régulière ; il ne haletait plus. Il remarqua à peine le froissement de feuilles mortes et le bruit de lourdes pattes s'enfonçant dans l'épaisse couche de sable, au nord.

Deux autres ours arrivèrent presque ensemble, le second suivant pas à pas les traces du premier. Leur progression silencieuse n'était trahie que par le crissement étouffé des grains de sable. Bien que ne voyant pas le premier ours, ils sentaient sa présence. Dès qu'ils furent dans la clairière, un autre ours arriva sur leurs traces. Il se plaça entre eux, se dressa et observa les environs.

Un peu plus loin dans le marécage, l'écheveau des ronces bruissa. L'ours enfoui dans les fourrés sentit l'odeur du danger à quelques mètres de lui, sur le talus. Mais bien que proche, elle lui parut lointaine, comme si l'ours s'était habitué à l'odeur.

Les deux ours firent volte-face, tournèrent le dos au marécage des cèdres et trottèrent dans les bois. Une créature dressée sur ses pattes arrière les suivit rapidement ; sa mince silhouette dépourvue de poils se fondit bientôt dans les ombres de l'Arbre Crochu.

La route plongeait soudain. A gauche des chasseurs, les cèdres touffus formaient un mur infranchissable. De l'autre côté, des chênes les surplombaient. Devant eux, un petit tertre leur bloquait le chemin.

« La vache, c'est vraiment l'endroit idéal pour une embuscade. »

Dirk saisit Nels par sa chemise et le fit pivoter vers lui. « Je t'ai déjà dit de la boucler ! » Sa main qui se refermait sur la poitrine de Nels tenait fermement la chemise tout en pinçant la peau du malheureux. Dirk relâcha lentement son étreinte et dit doucement : « Si c'est une embuscade que tu veux, t'en fais pas, tu vas l'avoir. »

Nels passa sa main libre sur sa poitrine.

« Nous allons nous installer ici même », déclara Dirk.

« Hé, qu'est-ce que c'est que ça ? » cria presque Metz. Il pointa le canon de son fusil vers le marécage, en bas du talus.

La gueule de l'ours était ouverte et sa respiration silencieuse. Il voyait un des hommes debout à l'orée de la clairière. D'un bond, il pourrait être sur lui. L'ours se prépara à sauter.

Dirk courut jusqu'à Metz et scruta l'obscurité. « C'est le piège », dit-il, tout excité. « Allons-y. »

Dirk fit deux pas sur le talus et glissa. Il se remit sur pieds et parcourut le reste de la descente en glissant à moitié. Les autres se bousculaient derrière lui, tant ils avaient hâte de voir le piège.

L'ours banda ses muscles. Il était calme comme la mort. Sa proie arrivait à sa portée !

« Il est fermé ! »

« Impossible », dit Dirk. « C'est sûrement l'arrière. »

Metz se précipita vers l'autre extrémité. « Non, c'est le devant. »

« Bordel de... » Dirk s'agenouilla. Il regarda à travers le grillage métallique. « Rien. Merde ! »

La voix de Nels tremblait. « Comment expliquer ça ? »

« J'en ai pas la moindre idée », glapit Dirk.

« C'est peut-être le type qui coupe les langues », dit Jasper. « J' vous avais bien dit qu'on aurait dû chasser ces cons de peaux-rouges. »

« Je m'en branle, de ce piège. On en a rien à foutre. » Dirk dévisagea les autres hommes, puis tendit le bras vers la route. « Sortons de ce trou. Nous n'avons plus aucune raison de rester ici. »

Nels respirait difficilement et tâchait de suivre les autres, qui remontaient le talus. Il avait mal au bras à force de porter son fusil de quatre kilos. Il fit une pause à côté d'un massif de fougères et de ronces, et posa son fusil contre les sous-bois touffus.

Dirk avança au milieu du chemin. « Nous les attendrons là-bas, les pieds au sec », dit-il en faisant signe à Metz et Jasper de le suivre dans les bois, en direction opposée du piège.

La sueur coula du mouchoir de Nels quand il l'essora entre ses mains fatiguées. Il le secoua pour l'ouvrir, s'épongea les bras et le mince tissu fut de nouveau rapidement imbibé de sueur. Il leva les yeux vers le talus ; ses compagnons avaient disparu.

L'ours regardait sa proie. Il se contracta pour sauter, mais il ne pouvait pas bouger. Une force plus puissante que sa volonté paralysait ses muscles et l'immobilisait.

« Hé ! Oh ! Là-bas ! J'ai entendu quelque chose ! » s'écria Metz.

Nels agrippa son fusil par le canon et se rua vers le talus.

« Il y a quelque chose dans les bois », chuchota Metz. « Enorme. Lourd. »

Le roncier bruissa derrière Nels. Mais il n'entendit rien, toute son attention se concentrait sur les voix.

« Nous l'avons tous entendu », souffla Dirk. « Et lui aussi nous a sûrement entendus. Si vous la fermiez un peu, on aurait une chance de tirer ça au clair. »

Sur le rebord du talus, Nels distingua les trois silhouettes dans l'obscurité et se hâta de les rejoindre. Une chose énorme se déplaçait dans la forêt. Les hommes tentaient vainement de la repérer. Le feuillage des chênes les isolait du peu de lumière qui tombait d'un ciel sans étoile. La chose semblait douée d'une force peu commune.

« Séparons-nous », murmura Dirk. « Ensuite, nous convergerons tous vers le bruit. »

Ils avançaient pas à pas dans la forêt, mi par obéissance, mi par nécessité. A quelques mètres devant eux, les objets perdaient tout contour et se transformaient en formes noires. Dirk jetait alentour des regards nerveux. Il n'aurait jamais cru que la forêt pût être aussi obscure.

Devant eux, trois formes massives étaient plaquées au sol. Lentement, à travers l'air pesant, les ours isolèrent la trace d'une odeur familière, une odeur âcre et piquante qui leur donna envie de s'enfuir au plus profond des bois. Ils la sentaient rarement, une fois l'an, quand l'air chaud se rafraîchissait. L'odeur leur rappelait vaguement la mort, mais les ours furent incapable de détaler.

Nels regarda sur sa droite. Dirk était une ombre informe qui avançait entre les arbres. Plus loin, invisible dans les ténèbres, Metz s'arrêtait parfois pour écouter. Quant à Jasper, il coupait droit à travers les fougères dentelées.

Les ours essayaient de se voir dans l'obscurité. Leurs pupilles dilatées étaient noires, car il n'y avait aucune lumière qui pût s'y refléter. Les ours se déplacèrent lentement, en silence, comme guidés par un instinct commun. L'un partit furtivement vers le nord et s'arrêta à quelques pas du sentier. A vingt-cinq mètres au sud, deux ours s'accroupirent côte à côte parmi les fougères. Entre eux, la créature dressée, s'arrêta derrière le Y formé par un tronc d'arbre fendu près du sol. Un sac souple pendait d'un de ses membres antérieurs. Soudain, le sac tomba à terre.

Les hommes se figèrent. Jasper leva son fusil vers son épaule et le dirigea vers le bruit. Bon Dieu ! il comprit qu'il ne voyait même pas la mire au bout du canon ! Il allait tirer à l'aveuglette !

« Ils sont là-bas. » Le chuchotement insistant de Dirk siffla à travers les arbres. « Attends un peu. »

« Ouais », fit Jasper, comme pour lui-même. « J'attends. » Il baissa son fusil et se remit en marche avec précaution. Sur sa gauche, de légers bruissements prouvaient que les autres continuaient aussi d'avancer. Devant, il distinguait à peine les troncs d'arbres, noir sur noir. Ses yeux parcoururent le sol. Il aperçut deux souches droit devant lui.

Entièrement concentrés sur l'approche des animaux, les ours étaient à peine conscients les uns des autres. Ils restaient aussi immobiles que possible, mais leurs muscles puissants ne pouvaient supporter longtemps pareille tension.

Les souches ! Elles viennent de bouger ! Non, ce sont sûrement les fougères qui se balancent dans la brise. Jasper regarda les arbres, au-delà des formes noires collées à terre. Soudain, son esprit hurla : il n'y a pas de brise !

Les ours bondirent du sol. Jasper recula en hurlant. Un ours fut immédiatement sur lui. Son fusil tomba.

Metz vit une lutte confuse sur sa droite, mais eut peur de tirer, car il risquait de blesser son cousin.

Jasper tenta de se retourner, mais les mâchoires d'un ours se refermèrent sur ses côtes. Il chercha aveuglément à ramasser son fusil, tandis que les dents de l'ours lacéraient la chair tendre. Puis le deuxième ours le renversa ; Jasper hurla dans les ténèbres.

Metz entendit un froissement de feuilles mortes derrière lui. « Allez l'aider ! » cria Dirk, mais la peur le clouait au sol.

Rapide comme l'éclair, la patte de l'ours s'abattit sur la poitrine de Jasper, laissant derrière elle une blessure béante allant du cou jusqu'à l'estomac. Comme les hommes s'approchaient, les ours abandonnèrent leur proie et s'enfuirent dans l'obscurité.

Dirk faillit trébucher sur le corps. Il s'accroupit vivement auprès de Jasper et sentit un liquide chaud lui couler sur les mains. Metz s'écroula à côté de lui et dit d'une voix hachée : « Jay, Jay. »

« Recule-toi », lui commanda Dirk.

Metz n'entendit pas. « Jay », répétait-il, tout en cherchant sa lampe-torche. Le faisceau de lumière éclaira le cadavre. Le corps de son cousin était couvert de sang. « C'est moi qui l'ai tué ! » se lamenta-t-il.

« Ta gueule ! » hurla Dirk. Il tenta de le saisir par le col de sa chemise, mais trop tard.

Metz avait laissé tomber son fusil et courait vers la route. « Je l'ai tué ! »

« Reviens ! »

Les bruits de pas se fondirent rapidement dans les ténèbres. Suivit, pendant quelques secondes, un silence pesant, que Nels brisa : « Faut qu'on se tire d'ici », réussit-il à dire.

« Tu restes ici. Nous pouvons les avoir. »

« Non ! » s'écria-t-il.

« Ils ont tué trop de gens. Nous devons les avoir. »

« Tu es cinglé ! » Il recula en trébuchant.

« Reste ici ! »

Nels pivota et se mit à courir en tenant fermement son fusil.

« Reviens... *déserteur !* »

Dirk épaula son fusil en un clin d'œil, puis appuya sur la

détente. L'ombre du fuyard s'écroula quand le coup de feu déchira l'air lourd. L'écho de la détonation s'enfonça dans le crâne des ours. La faible odeur âcre qu'ils avaient déjà sentie envahit leurs narines. C'était l'odeur la plus dangereuse et l'instinct des ours leur criait de s'enfuir. Pourtant ils se mirent à marcher d'un pas nerveux au milieu des buissons.

Dirk abaissa son fusil, tandis que le sifflement qui emplissait ses oreilles s'atténuait. Mais il mit plus longtemps à retrouver l'usage de la pensée. Nels l'avait abandonné pour qu'il meure, parvint à se convaincre Dirk. Il n'avait donc fait que réagir le premier.

Il jeta un rapide coup d'œil autour de lui. Combien y en avait-il ? Trop pour qu'il pût les vaincre seul. Ce serait du suicide. Il devait battre en retraite. Une retraite honorable, cela va sans dire, mais où donc était la route ? Il gloussa nerveusement. La route était de ce côté, il en était certain. Ses jambes se mirent en marche avec hésitation : elles étaient moins sûres de la bonne direction.

Encore un. Les ours l'entendirent retourner lentement vers son point de départ, et se mirent à le suivre à travers les sous-bois en convergeant sur leur dernière proie. Courbée en deux, la mince créature s'approcha de la masse sombre d'un homme allongé à terre. A une dizaine de mètres devant elle, la lourde patte d'un ours se posa sur une branche morte.

Dirk entendit le craquement sec et tourna vivement la tête. Ils le suivaient ! Il épaula et tira à l'aveuglette. « Venez donc, espèces de salopards. Sortez un peu de votre trou ! »

La créature nue s'aplatit à terre. Dès que l'écho du rugissement assourdissant se fût dissipé, elle se releva. La main serrée sur le sac en peau, elle avançait avec précaution. Les ours marchaient toujours ; elle devait les suivre.

Dirk progressait lentement à travers les taillis. Il voyait maintenant le talus de la route. Encore un effort et il serait sur la piste sablonneuse. Les ours se contractèrent. Ils devaient frapper tous ensemble. Et vite. Leurs lourdes pattes s'élancèrent bruyamment sur le sol.

Dirk entendit le martèlement et se mit à courir comme un fou. Les bois obscurs bruissaient autour de lui. Il y en avait trop ! Jamais il ne pourrait les abattre tous. Quand il atteignit l'espace dégagé de la piste, ils n'étaient plus qu'à quelques mètres de lui.

Le piège, pensa Dirk. Ils ne pourraient pas l'attraper dans le piège ; il sprinta à travers le sable en cherchant des yeux le cylindre métallique. Un grondement jaillit des arbres derrière lui. Là, le piège était là ! Il sauta du talus au moment où les ours surgissaient tous ensemble dans la clairière. Le pied de Dirk se prit dans une ronce et il trébucha ; son fusil tomba. Les ours fonçaient sur la route. Pas le temps de le ramasser.

Il saisit fébrilement le grillage en métal et le loquet s'ouvrit. La porte pivota brutalement. Dirk glissa ses jambes dans le tuyau. Les ours n'étaient plus qu'à deux ou trois mètres. Il sentait le sol trembler. Il se faufila sous la porte et la laissa retomber derrière lui. Le loquet se ferma avec un claquement sec. Une seconde plus tard, le tuyau fut rudement malmené. Un ours venait de percuter la porte.

Dirk rampa jusqu'à l'autre bout du piège. Il se tortilla et réussit à s'adosser au grillage froid. Sauvé ! « Ha, ha ! » s'écria-t-il ; sa voix rebondit sur les parois métalliques. « J'ai réussi ! J'ai gagné ! Je les ai tous battus ! »

La créature dressée sur ses pattes arrière plongea dans le sable. Les hurlements la surprenaient. Elle vit un ours balancer un coup de patte sur le grillage. Les yeux écarquillés, Dirk regarda les griffes longues de sept centimètres pénétrer dans le piège. L'ours secouait violemment le tuyau, mais la porte tenait bon.

« Ha, ha ! » cria-t-il derechef. « Je suis enfermé et vous ne pouvez pas entrer. Je suis sain et sauf ! Dans votre piège ! » Dirk fut secoué d'un fou rire hystérique.

L'ours recula pour rejoindre les autres, en lançant un grognement rauque, aussi grinçant que le bruit du gravillon concassé. Ils ne voulaient pas renoncer à leur proie, mais cette attente prolongée au voisinage immédiat de l'odeur du danger leur déplaisait.

Dirk s'allongea sur le dos, la tête et les épaules contre la plaque arrière du tube. La fatigue engourdissait son corps ; il sentait des picotements sur tous ses membres, comme si des milliers de minuscules aiguilles s'enfonçaient sous sa peau. Pourquoi restent-ils si calmes ? Il les entendait piétiner dans le marécage avec des grognements étouffés. On aurait presque dit qu'ils attendaient quelque chose. Dirk sentit son pouls s'accélérer. Bien qu'en sécurité, il comprit qu'il était totalement impuissant.

Debout sur le ressaut de terrain, la créature à la longue chevelure observait l'objet circulaire. Elle voyait les ours aller et venir nerveusement à proximité. Elle savait leur proie à l'intérieur de la caverne métallique. La créature s'approcha en silence.

Dirk roula sur le ventre et jeta un coup d'œil à travers le treillis en métal. Le sang battait à ses tempes. Un souvenir lui revenait lentement en mémoire. L'appât! Si les ours avaient une fois réussi à ouvrir le piège, ils pouvaient recommencer. « Tirez-vous d'ici! » les supplia-t-il. « Vous avez eu ce que vous vouliez. Partez maintenant, laissez-moi tranquille. Je vous en prie... »

Un hurlement déchirant éclata dans l'air immobile. Dirk en eut le souffle coupé. Le cri l'avait terrifié. Le tuyau oscilla doucement. Dirk pivota, s'agenouilla et marcha à quatre pattes jusqu'à la porte. Il s'accroupit et, en proie à une frayeur sans nom, regarda la paroi d'acier. La porte du piège trembla imperceptiblement. Soudain, il y eut un bruit sourd au-dessus du cylindre.

« Inutile d'insister! » Sa voix éclata comme un roulement de tonnerre dans l'espace confiné du boyau métallique. L'écho avait presque disparu quand sa voix éraillée hurla de nouveau. « Enculé! Monte là-dessus tant qu' tu veux! Tu pourras jamais entrer! »

Le souffle court et sifflant, Dirk s'approcha de la porte. Il ne vit pas l'ours qui trottait à travers la vase, avant d'arriver au piège. L'ours rugit et écrasa sa lourde patte contre le grillage. Le visage de l'homme fut éclaboussé de boue noire. Puis le grincement aigu du métal frottant contre le métal parvint à ses oreilles et il vit avec terreur la porte se lever lentement.

L'ours regardait aussi en faisant claquer ses mâchoires. Fasciné, Dirk voyait les grandes dents blanches dégoulinant de salive.

Arrêtez! Je vous en conjure, arrêtez! Dirk vit les bandes

d'acier se lever inexorablement. « Laissez-moi tranquille, je vous en prie », sanglota-t-il. « Pitié ! Au secours... »

L'ours fonça dans la caverne. Vive comme l'éclair, sa tête saisit un pied et l'écrasa entre ses dents.

Dominant les rugissements, Dirk entendit le bruit de ses os qui se brisaient. La douleur explosa dans sa jambe, puis dans son cerveau, l'empêchant de penser. Il hurla.

L'ours fit un bond en avant et saisit la chair tendre du cou pour mettre fin au hurlement. Quand sa mâchoire s'ouvrit, la tête bascula, faisant un angle bizarre avec le reste du corps. L'homme avait cessé de bouger.

L'ours regarda les parois hermétiques. Il se sentit pris au piège. Ses griffes d'acier égratignèrent le métal. Il sortit à reculons, fit demi-tour et partit dans le marécage des cèdres. En quittant la caverne circulaire, il se sentait étrangement calme.

Un loquet métallique claqua au-dessus de la caverne. Deux pieds touchèrent le sol avec un bruit mat, près de l'entrée. La créature resta dressée quelques instants pour surveiller le marécage, puis elle se courba et scruta l'ouverture béante du piège. Le corps sans vie était recroquevillé à l'autre bout. La créature rampa dans la caverne en tirant le sac en peau à côté d'elle. Quelques secondes plus tard, elle ressortit et traversa la clairière d'un pas rapide avant de disparaître dans le massif de chênes.

29.

Filtrée par les feuilles translucides, la lumière du soleil teintait d'ambre la mousse et les fougères du sol. Les ours décrivaient des cercles nerveux en piétinant les feuilles mortes. Depuis la nuit dernière, ils avaient parcouru dix kilomètres en territoire inconnu, vers l'ouest. Quand ils rencontrèrent le cinquième ours, ils mirent un terme à leur voyage et commencèrent à attendre. Leur alliance semblait fragile ; seul un but commun et inconnu paraissait les réunir.

Ignorée des ours, une femme était assise sur une bûche de pin rouge, penchée en avant, nue. Sa poitrine immaculée était pressée contre ses cuisses ; son visage épuisé reposait sur les égratignures de ses genoux. Ses longs cheveux noirs cachaient à moitié ses traits tirés et pendaient presque jusqu'à terre. A ses pieds, gisait un sac en daim taché.

Bien que conscients de l'épuisement de la créature, les ours ne l'avaient pas abandonnée dans la forêt. Car ils sentaient aussi sa force. La femme ne bénéficiait pas des armes naturelles de l'ours, mais elle les suivait et son esprit était prompt à déchiffrer leurs réactions. Ainsi, quand les cinq ours se raidirent, quand sur leur cou, le poil se dressa et que leurs regards se portèrent simultanément vers une petite éminence, la femme regarda dans la même direction.

Après quelques secondes, elle aperçut la raison de leur tension soudaine. Deux ours noirs contournaient la colline, l'un marchant facilement derrière l'autre. Ils s'arrêtèrent à quelques mètres du cercle de végétation piétinée. Les sept ours restèrent immobiles, leurs museaux levés vers le ciel. La femme savait qu'il n'y aurait pas de lutte. Au moment où elle se redressa sur la bûche de pin rouge, les deux nouveaux arrivants se joignirent au reste de la troupe et imitèrent peu à peu le piétinement hypnotique des autres ; tous se concentraient sur les coups de hache rythmés qui résonnaient dans les bois à partir d'un lieu invisible.

Le bois tendre se fendait facilement sous l'acier des haches. Tandis que M. Tabasash et son fils rassemblaient les derniers arbrisseaux dont ils avaient besoin, Larry travaillait sur le wigwam avec les autres. La hutte prenait forme peu à peu.

Larry grognait en enfonçant le foret, un outil dont ses ancêtres avaient dû se passer, se dit-il. Le foret et la ficelle étaient les seules nouveautés apportées par la civilisation moderne.

Deux poteaux étaient plantés dans des trous étroits. Larry s'arrêta, le temps de voir les Indiens les incliner l'un vers l'autre. Quand les sommets des poteaux se touchèrent, on les attacha solidement avec de la ficelle. Larry se remit à creuser, alors qu'ils s'assuraient que la quatrième nervure était bien enfoncée.

Après quelques secondes, il entendit le bruissement sonore des arbrisseaux qu'on traînait dans la clairière. La voix de Tabasash arriva ensuite jusqu'à lui. Comme elle s'amplifiait, Larry arracha le foret du sol pour le placer à un autre endroit et tourna le dos au bruit des pas qui venaient vers lui. La vis d'acier mordit immédiatement dans la terre.

« Tu es costaud, mais viens voir un peu. »

Larry soupira. Il se retourna et revint à contrecœur vers le trou qu'il venait de creuser. « Qu'est-ce qui cloche ? » demanda-t-il en regardant la terre.

« Pas assez profond. Manquent vingt bons centimètres. Quand on attachera le poteau, il risque de sortir de son trou. »

« Les autres y sont bien restés », argumenta faiblement Larry.

« Mais attends un peu qu'on les charge. »

Les autres ne sortiraient pas, Larry le savait pertinemment. Il les avait enfoncés plus profondément.

« C'est moins fatiguant que de rouler des blocs de pierre jusqu'ici, non ? » dit Tabasash.

« Oui, sûrement. »

« Bien », fit l'autre. Larry fit mine de s'éloigner, mais Tabasash le saisit par le bras et le retint fermement. « Tu lui as dit ? »

Il regarda Tabasash pour la première fois.

« Tu l'as empêché de continuer, n'est-ce pas ? »

« A vrai dire, je ne l'ai même pas vu », dit Larry d'un ton neutre.

« C'est un Blanc. Tu sais que la nuit dernière, ils ont bousillé le magasin de Hiller. C'est leur manière de récompenser un Indien, quand il essaie de réussir dans leur monde. »

« Michelson n'a rien à voir avec ça. »

« Bordel ! Si tu ne l'arrêtes pas, nous nous en chargerons. »

« Que voulez-vous dire ? » demanda Larry d'une voix cassante.

« Ni plus ni moins que ce que j'ai dit. Axel Michelson ne célèbrera pas la Fête des Morts. »

En voilà trop, pensa Larry. « J'en ai parlé à mon grand-père », dit-il calmement. « Il affirme qu'aucun mal ne saurait en résulter, car seuls les esprits qui ont été enterrés ensemble habitent le même village. Aucun mélange n'est possible par la suite. »

Tabasash eut soudain l'air songeur. « Ton grand-père a bien dit cela, hein ? »

« Oui. »

« Eh bien, il ne sait pas tout. D'autres Indiens pensent différemment. »

« Ils se trompent. Tu connais mon grand-père. Tu sais qu'aucun Indien ne connaît la tradition mieux que lui. »

« Peut-être. Pourtant, ce n'est pas la peine de courir le moindre risque, pas vrai ? »

Axel marchait rapidement sur la large allée qui traversait en diagonale le campus de l'Université du Michigan. Après le pont de la Fête du Travail, les étudiants s'y presseraient en foule. Mais pour l'instant, en ce début de matinée, seuls quelques jeunes qui suivaient les cours d'été se prélassaient sur l'herbe, sous les ormes centenaires.

Axel pénétra dans la Bibliothèque réservée aux étudiants licenciés et se dirigea tout droit vers les fichiers du deuxième étage. Dès qu'il eût trouvé le tiroir contenant les fiches relatives aux Ottawas, il rechercha la section « Histoire ». Les *Relations des Jésuites* se trouvaient en cinquième position ! Il nota rapidement le numéro de référence.

Axel se dirigea ensuite vers l'ancienne aile du bâtiment et descendit trois volées d'escaliers. Derrière une porte capitonnée de cuir, il fut accueilli par une forte odeur de renfermé. Deux ampoules nues fixées au mur éclairaient l'étroit couloir.

Sur un des rayonnages les plus reculés, Axel trouva une collection de livres à reliures brunes, qui occupaient quatre étagères. Les yeux quasiment collés contre l'étagère, Axel essaya de lire les titres mais il faisait trop sombre. Il chercha des yeux un interrupteur. Une chaîne cassée pendait d'un tube au néon. La lumière s'alluma au bout de quelques secondes.

Axel lut les lettres d'or terni. *Relations des Jésuites et Documents Afférents, Les voyages et explorations des Missionnaires jésuites en Nouvelle-France.* Le compte rendu des témoins de la rencontre des deux cultures, les écrits des premiers Occidentaux qui côtoyèrent les populations des Grands Lacs. Axel passa la main sur le dos des livres. L'excitation faisait trembler ses bras. Il brûlait de commencer, mais craignait une déception.

Sa main s'attarda encore quelques instants, avant que son regard ne se fixe au bout de la rangée. Volume 73. Index. Le livre glissa difficilement de l'étagère. Axel l'ouvrit soigneusement. A « Rituels d'Enterrement », Brebeuf figurait en première position. Les doigts d'Axel se crispèrent sur le livre. Cinq autres noms étaient cités : « Bressani 22 : 140. Breve 9 : 31-33. Lalament 21 : 199. LeMercier 11 : 131. Ragueneau 29 : 285. »

Axel sortit un calepin de sa mallette, posa le vieux livre sur un lutrin et recopia les références. Il sortit les cinq volumes des rayonnages, puis se dirigea vers un bureau en fer situé au bout de la rangée.

Le Volume 22 était plus mince que les autres. Quand il l'ouvrit, un petit nuage de poussière s'en échappa. Il lut rapidement la citation de Bressani. Elle ne traitait que des rites à célébrer en cas de mort violente. Aucune description de la Fête des Morts. Volume 21. Lalament ne s'intéressait qu'au premier enterrement, immédiatement après la mort. De nouveau, rien sur la Fête des Morts. Axel lut sans enthousiasme les témoignages des autres missionnaires jésuites. Aucun n'égalait celui de Brebeuf.

A travers le grillage qui l'isolait de la pièce, Axel regarda les étagères faiblement éclairées. D'innombrables rangées de livres reposaient là, peut-être depuis des années ; leurs voix muettes semblaient se moquer de sa déception. Seul dans sa voiture, la veille au soir, alors qu'il conduisait vers la ville, Axel avait longuement songé aux *Relations des Jésuites*. Il débordait d'espérance. Peu à peu, il s'était convaincu que ces livres détenaient toutes les réponses. Il avait cru que ce ne serait qu'une question de temps et d'obstination, qu'ensuite Janis lui reviendrait. Mais maintenant, il se sentait écœuré. Pour la première fois depuis qu'elle avait disparu dans la forêt, il pensa soudain qu'il ne la reverrait peut-être jamais. Il mordit son stylo. Puis retourna aux livres. Il relut les citations.

Il aurait donné n'importe quoi pour chasser cette pensée de son esprit.

« Hé, Lare. » Un jeune homme d'une vingtaine d'années arrivait, les bras chargés de bois mort. Un autre émergea des arbres juste derrière lui. « Tu peux nous donner un coup de main ? J'ai aperçu une belle bûche de pin rouge hier, juste de l'autre côté de cette colline. Elle devrait bien brûler. »

Larry regarda le jeune homme. Il comprit lentement le sens de ses paroles. « Je... je ne peux pas. »

« Oh bon. Comme tu veux. » Il adressa une grimace à son ami, puis se dirigea vers la fosse.

Larry le suivit des yeux. Ciel ! Il est en train de me regarder ! hurla-t-il silencieusement. Tabasash était debout près de la fosse, le sourire aux lèvres, les yeux fixés sur Larry.

Lâchant son foret, Larry quitta la clairière et se dirigea vers la piste en terre battue. Il ne fit pas le moindre effort pour cacher son départ. Ses chaussures s'abattaient lourdement sur le sol friable. Sa peur avait fait place à la colère.

Un ours entendit un bruit inhabituel. Puis un autre ; enfin tous les autres. Un des animaux s'éloignait de la clairière. La femme s'aperçut que quelque chose n'allait pas. Alors qu'elle bondissait sur ses pieds, deux ours se ruèrent dans les bois. Les autres les regardèrent disparaître entre les arbres. Ils hésitaient à les suivre, mais restèrent finalement, leur anxiété à peine calmée.

Le sol couvert de mousse et de brindilles grisâtres était parsemé de taches de lumière tremblotantes. Les épaules courbées, Larry marchait d'un pas rapide à travers les bois. Il se sentait seul. Des voix des hommes qu'il venait de quitter, il n'entendit bientôt plus que quelques rares syllabes, que le vent emporta rapidement loin de lui. Sa fureur disparaissait et le laissait glacé. La piste herbeuse n'était pas tout près. Il se sentait nu, sans protection.

Les muscles reposés des ours se contractaient à chacun de leurs pas pesants, tandis qu'ils fonçaient dans la forêt. L'un d'eux était là depuis la nuit précédente ; l'autre depuis le matin. Leur nervosité cherchait un dérivatif et leur énergie aspirait à se libérer.

Un bruissement croissant agita les herbes et les feuillages, quelque part derrière Larry. Comme un mur d'eau se ruant dans un ravin desséché, le vent agita la cime des arbres et fit frissonner les feuilles. Le tumulte éclata au-dessus de sa tête ; les branches déversèrent sur lui leur écume verte et bruissante. Le coup de vent soudain parut réveiller la forêt qui se mit à frémir de mille bruits. Mais sous la voûte protectrice des arbres, tout restait d'un calme oppressant.

Leur souffle se transforma en halètements cadencés qui explosaient au fond de leurs gorges au rythme de leurs pas. Leurs têtes étaient baissées, leurs mâchoires béantes. Les hautes fougères aux larges feuilles les dissimulaient complètement. Ils aperçurent leur proie !

Un autre bruit de tonnerre sortait de la végétation, derrière lui. Larry entendit la deuxième vague sonore. Encore un coup de vent. Mais c'était différent. Il se retourna vivement et scruta la nappe de fougères. Il ne vit rien, mais pivota et se mit à courir.

Leur proie s'échappait ! Les ours se séparèrent pour encercler l'animal.

Les pensées se bousculaient dans sa tête. Il fuyait son peuple. Il avait douté de son grand-père. Il avait lâché Axel. Il l'avait abandonné. Pire : il avait tenté de le décourager. Il était inutile ; il avait cessé d'importer à quiconque.

Une force empêchait les ours de se ruer sur leur proie. Elle ralentissait leurs mouvements, bien que l'animal fût encore à leur portée.

Larry se fraya un chemin dans la végétation touffue jusqu'à sa vieille voiture. Il entendait le vent agiter les feuilles, mais ne remarqua pas que les arbres étaient immobiles. La portière s'ouvrit en grinçant. Il sauta dans sa voiture et ferma les vitres.

Les ours s'arrêtèrent pour s'observer entre les buissons vert olive. La situation ne les déroutait aucunement. Leur proie était encore à leur portée, mais ils sentaient intuitivement qu'elle pouvait s'échapper. Comme la dernière fois, ils devraient attaquer par surprise. Un ours dressa brusquement la tête et regarda en arrière. Sentant la même chose, l'autre tourna également la tête.

Larry enfonça la clef de contact. Les ours voulurent

charger, mais ils étaient comme paralysés. La voiture bondit en avant, les roues arrière tournant à vide sur la terre du chemin. Une chance de ne pas être coincé par d'autres voitures, se dit Larry. Il contourna les autres véhicules sur la piste étroite et accéléra.

Leur fureur soudain calmée, les ours firent brusquement demi-tour pour rejoindre leurs compagnons. Après tout, leur disait un instinct primitif, un seul animal s'était échappé. Tous les autres étaient là-bas, sans défense.

Tabasash enfonça le foret au fond du trou. Il travaillait rapidement. Six nervures étaient déjà en place. De l'autre côté du wigwam, les montants horizontaux étaient attachés à la charpente. Tout serait terminé demain, songea Tabasash. Et au crépuscule, ils se rassembleraient.

Les yeux fatigués d'Axel quittèrent les livres ouverts devant lui quand il entendit des talons en bois claquer juste au-dessus de lui. Le plafond bas et translucide des vieilles salles permettait à Axel de distinguer le contour d'une paire de chaussures au-dessus de sa tête. Venaient ensuite les quatre roues d'un chariot. Il se laissait facilement distraire, après cinq heures passées à manipuler les petites fiches en bristol, noter des citations, chercher des ouvrages et parcourir les passages relatifs aux Indiens Ottawas.

Au bout d'un moment, les semelles se déplacèrent, suivies par les roues grinçantes du chariot. Axel lut trois pages de références, dont la plupart étaient maintenant précédées d'un signe en marge, puis il se tourna vers le livre étroit posé devant lui. Sa reliure avait craqué quand il l'avait ouvert, voici quelques minutes. Il avait immédiatement remarqué que la carte glissée dans la page de garde et mentionnant les dates de toutes les sorties de l'ouvrage, ne portait qu'un seul et unique tampon : 17/1/53. Le chapitre 6 était intitulé : « Fête des Morts » :

De nombreuses tribus indiennes des Grands Lacs, rencontrées par les premiers missionnaires, accomplissaient des variantes du rite mortuaire nommé Fête des Morts. Dans la mesure où ce rite

*contredisait violemment l'orthodoxie chrétienne, tout fut mis en
œuvre pour le supprimer. Mais paradoxalement, le contact avec
les Blancs rendit tout d'abord la tâche des missionnaires plus
ardue. De nouvelles contraintes culturelles, particulièrement les
marchands de fourrures, provoquèrent la naissance d'une sorte
de culture pan-indienne, qui se répandit indépendamment des
frontières tribales. Grâce aux nouveaux échanges d'informations entre tribus, des rituels comme La Fête des Morts se
développèrent et, du moins pour un temps, gagnèrent en
importance. Les Ottawas au nord de la péninsule méridionale
du Michigan, les Ojibwas au sommet de la péninsule et les
Potawatomi le long de la côte du lac Michigan jusqu'à
l'Indiana, devinrent connus sous le nom des Trois Feux...*

Le chapitre décrivait essentiellement l'impact culturel des
Européens sur les rites funéraires indiens. Mais il y avait peu
de choses sur la fête elle-même et rien sur les rites proprement
dits.

Axel se reporta à la bibliographie figurant à la fin du livre.
Dans la section « Fête des Morts », il trouva deux références.
La première concernait Brebeuf, mais la seconde était nou-
velle. Il l'examina un bon moment, car il ne comprenait pas de
quoi il s'agissait : « Chigishig, Ogochin Atisken, W.P.A.,
Collection d'Histoire, Keonah, Volume 5, Article N° 37. »

Il la recopia sur son calepin jaune, puis ses yeux s'attardè-
rent sur la référence à Chigishig. Il se demandait de quand
datait l'ouvrage. Pourquoi Chigishig l'avait-il écrit ? Qui était
Chigishig ? Plus il regardait le nom, plus les questions se
bousculaient dans son esprit. Axel bondit soudain de sa chaise
et se précipita vers le fichier général. Il trouva rapidement le
bon tiroir, mais il ne contenait aucune carte au nom de
Chigishig.

Le catalogue du *Works Progress Administration* avait une
bonne douzaine de centimètres d'épaisseur. Axel ne trouva
aucune mention de la Collection d'Histoire. Il sortit de la
pièce par une porte latérale et pénétra dans la Salle de
Documentation. Non, lui répondit le bibliothécaire installé
derrière son bureau, ici nous ne conservons que les comptes
rendus de colloques. Essayez donc l'index sur microfilm. Une

autre pièce, remplie de grosses visionneuses de microfilms. Axel passa le catalogue en revue. « Chigishig. W.P.A. Ogochin Atisken. Fête des Morts. Collection d'Histoire. » Rien d'autre. Où chercher maintenant ?

Il dévala l'escalier en marbre, son carnet jaune à la main, et entra en coup de vent dans les bureaux de l'administration. Axel s'arrêta au seuil de la pièce encombrée et chercha des yeux à qui s'adresser.

« Vous semblez perdu. »

La voix le fit sursauter. « Oui, effectivement. »

La jeune femme lui adressa un sourire amical. « Puis-je vous aider ? »

« J'espérais que quelqu'un pourrait me dire où trouver la collection d'Histoire du *Works Progress Administration* de Roosevelt. »

« Avez-vous regardé... ? »

« Oui », coupa-t-il, « j'ai déjà vérifié. »

Elle sourit de nouveau. « Que cherchez-vous exactement ? »

« Ceci », dit Axel en ouvrant son carnet pour le tendre à la jeune femme. « Mais je ne comprends absolument rien à ce système de référence. »

Elle prit le calepin des mains d'Axel et réfléchit quelques secondes. « Cela faisait un certain temps, mais,... oui, c'est ça, j'ai déjà rencontré une référence de ce genre. Nous recevons parfois une demande concernant un volume du W.P.A. »

« Vous voulez dire que vous les possédez ici ? »

« Non, je suis désolée, nous n'en avons aucun ici. Et je ne sais vraiment pas où vous pourrez trouver ce volume-ci. Voyez-vous, la Collection d'Histoire était un des projets majeurs du W.P.A. Des historiens ont retrouvé et classé tous les travaux de recherche dans tous les Etats-Unis, pour les organiser de façon systématique. On voulait ainsi protéger les projets de recherche avant qu'ils ne soient perdus ou oubliés. Celui-ci, comment s'appelle-t-il déjà ? Chig... ? »

« L'auteur se nomme Chigishig. »

« C'est un Indien, n'est-ce pas ? »

« Oui, probablement un Ottawa. »

« Il s'agit peut-être d'un travail indépendant ou d'un mémoire de Maîtrise qui n'a jamais été publié. Mais en tout cas, il devait être d'un intérêt exceptionnel, car les gens de la Collection d'Histoire faisaient une sélection draconienne. »

« Comment faire pour le retrouver ? »

« C'est bien là le problème. Les ouvrages du W.P.A. sont entreposés en un certain nombre d'endroits du pays. On leur a attribué un numéro de code avant de les intégrer aux Archives Nationales. Si bien que l'article que vous cherchez a autant de chances de se trouver à Washington, que dans une douzaine de bibliothèques Dieu sait où. »

« Il doit pourtant exister un catalogue général qui me dira où trouver mon article », réfléchit Axel.

« Pour ma part, je n'en ai jamais entendu parler. Et je peux vous affirmer que nous ne le possédons pas. »

« Alors c'est la référence qui nous donnera la clef de l'énigme. »

« Possible. Laissez-moi la relire. » Elle se pencha au-dessus du carnet jaune. « Nom, titre, W.P.A., numéro du volume. Bizarre, ce Keonah... »

« Peut-être une ville ? »

« Peut-être. Allons voir dans la salle de documentation générale. »

Ils prirent à gauche en haut de l'escalier de marbre et entrèrent dans l'énorme salle de documentation générale, dont la voûte évoquait un panthéon romain. Sur le bureau qui trônait au centre de la pièce, elle prit un ouvrage pesant. « Voici l'atlas des villes », expliqua-t-elle. Elle feuilletait adroitement les pages plastifiées. Elle s'arrêta vers le milieu. « Il y a un Keonak, mais le nom se termine par un *k*. »

« C'est peut-être ça. Aucun nom finissant par un *h* ? »

« Non. C'est un village Ottawa, près du lac Supérieur, dans le Michigan. C'est dans la péninsule septentrionale, il me semble. »

« Oui, je crois que le village se trouve à soixante-dix kilomètres environ à l'ouest de Sault-Sainte-Marie, sur le lac Supérieur. Mais à ma connaissance, il n'y a aucun village Ottawa dans les environs. »

« Voyons », fit-elle en enfouissant son visage dans le livre.

« En 1940, sa population était de 830 habitants. Le village a peut-être disparu depuis. »

« Pouvons-nous vérifier que certains volumes du W.P.A. sont effectivement conservés là-bas ? »

« Si c'est le cas, il devrait y en avoir une trace dans la bibliothèque locale. » Un autre gros volume glissa de l'étagère avant d'être posé avec un bruit mat sur l'atlas ouvert. Le titre était gravé en lettres capitales sur la couverture : « Catalogue de la Bibliothèque Américaine ». « Non, pas plus de Keonak que de Keonah. Essayons le lac Supérieur. » Axel regardait la jeune femme, dont les yeux vifs parcouraient les colonnes de caractères minuscules. « Bibliothèque Publique du Lac Supérieur », lut-elle. « Fonds : 10 000 ouvrages ; dépositaire de la Société d'Histoire du Nord-Michigan. »

Avant qu'Axel n'ait pu ouvrir la bouche, elle se retourna et fila à l'autre bout de la salle. Il se hâta de la suivre. Elle disparut dans une sorte de cabinet construit dans un angle et en ressortit avec un gros livre ancien, mais non défraîchi. « *Le Guide des Archives* de Haner », dit-elle à voix basse. Axel se demanda si l'explication s'adressait à lui.

« Michigan. Michigan... Ah. Société d'Histoire du Nord-Michigan. » Elle passa rapidement sur la description de la société, son financement, ses membres, sa vocation. Documents, Conservateur de la Collection d'Histoire du *Works Progress Administration*. « Ah, ça y est ! » s'écria-t-elle d'un ton excité.

Regardant par-dessus son épaule, Axel lut les lignes que pointait l'index de la jeune femme. « Spécialisée dans les légendes, l'histoire et les cérémonies religieuses des Ottawas. » « Ah, ah ! » s'écria-t-il à son tour. Sa voix se répercuta dans la vaste salle. La jeune femme lui adressa un regard où se lisait la satisfaction. Axel l'embrassa sur le front et courut vers la sortie. Quelques minutes après, il était dans sa voiture et quittait la ville.

La fatigue accumulée durant toute cette journée passée dans la bibliothèque commença à se faire sentir dans les faubourgs de Flint, à une heure de voiture d'Ann Arbor. Mais Axel s'habitua graduellement au rythme de la conduite.

Quatre heures plus tard, il aperçut à l'horizon une lueur rouge tremblotante, dont l'éclat s'avivait par intermittence. A cent quatre-vingts mètres au-dessus du détroit de Mackinac et à dix-sept kilomètres de sa voiture, le phare semblait accroché dans le vide, au-dessus du pont suspendu invisible dans la nuit. La Renault filait vers le nord sur la route 75 ; seuls les deux cônes lumineux qu'elle projetait devant elle interrompaient les ténèbres alentour.

Dès qu'il aurait traversé le pont de Mackinac et serait entré dans la péninsule septentrionale, il s'arrêterait pour dormir. Il ne resterait plus qu'une centaine de kilomètres à parcourir le lendemain matin pour rejoindre le lac Supérieur. Ensuite, il prendrait la même route en sens inverse, obliquerait sur cinquante kilomètres au sud-ouest de Mackinac et serait de retour à Wabanakisi dimanche après-midi. Il faudrait alors qu'il trouve la tombe.

A l'approche des piliers gigantesques du pont suspendu qui reliait les deux péninsules, il changea de position sur son siège, mal à l'aise. L'éventualité que l'article de Chigishig ne contienne pas les chants sacrés, obsédait son esprit. Comme les autres, cette étude pouvait fort bien n'apporter aucun élément nouveau. Comment espérer de l'obscure mémoire d'un homme solitaire, ce que les volumes publiés par des équipes d'historiens chevronnés avaient échoué à lui apprendre ?

Pourtant, il fallait à tout prix que cet article contînt les renseignements cherchés. Le texte de Chigishig avait du moins l'avantage d'avoir été écrit voici quarante ans — à une époque où des Indiens se souvenaient peut-être, où ils avaient entendu leurs grands-pères prononcer les syllabes sacrées d'Ogochin Atisken. Chigishig n'avait nullement travaillé avec l'œil froid du spécialiste et de l'historien, mais avec toute la passion d'un membre d'une culture condamnée. S'il parlait de la Fête des Morts, il ne pouvait pas ne pas évoquer la partie centrale du rite. En tant qu'Indien, il devait avoir compris la signification profonde de la fête et de ses chants. Ce n'était pas un Jésuite qui décrivait une bizarrerie païenne, mais un Ottawa fier de son sang qui luttait pour préserver les secrets de la cérémonie religieuse la plus importante de son peuple. La solution devait être au bout du voyage !

Le caoutchouc des pneus se mit soudain à crisser sur les plaques métalliques du pont. Axel se détendit. A soixante-dix mètres sous ses pieds clapotaient les eaux agitées du détroit large de huit kilomètres. Ce goulot qui reliait le lac Michigan au lac Huron était au centre d'un bassin qui représentait vingt pour cent de l'eau douce du monde entier.

Axel augmenta le volume de la radio. Le ciel était dégagé ; la radio captait parfaitement les informations de onze heures diffusées par une station de Chicago.

« Les gros titres : trois autres cadavres découverts dans la forêt fréquentée par les ours du Nord-Michigan. Le Président promet un taux d'inflation... »

La terreur submergea Axel. « Janis ? Non ! Pourvu que ce ne soit pas elle. J'ai encore besoin de temps, un tout petit peu de temps. »

Le *speaker* passa aux informations détaillées. « Trois autres morts s'ajoutent à une liste déjà impressionnante dans la Forêt d'Etat de l'Arbre Crochu, Michigan ; tôt dans la soirée, les ajoints du shérif ont découvert les corps des malheureux à proximité d'un piège à ours. D'après une source proche des enquêteurs, les hommes avaient organisé une chasse à l'ours la nuit dernière, pour abattre les ours tueurs qui terrorisent la région.

« Les ours ont massacré deux des hommes et la troisième victime est morte d'une balle tirée dans le dos. Le shérif n'avance aucune explication, mais certains affirment que l'homme a été tué accidentellement par l'un des chasseurs.

« Quand on leur demande si les cadavres présentent les mêmes mutilations que précédemment, les autorités refusent de se prononcer et attendent les résultats des autopsies.

« Entre-temps, à Lansing, le gouverneur Frederic Andrews déclare... »

Axel ne douta pas une seconde qu'un certain Dirk figurât parmi les victimes. Sa nervosité et son angoisse firent alors place à un soulagement morbide : Janis courait maintenant un danger de moins.

30.

Sa peau était couverte de sueur poisseuse. Avec ses fenêtres fermées pour repousser les moustiques nocturnes, la Renault s'était transformée en étuve dès le lever du soleil. La veille au soir, la voiture s'était arrêtée sur une aire de repos en bordure de la route, à une quinzaine de kilomètres au nord du pont et à quelques minutes de l'autoroute inter-états, sur la M-123.

Le siège du passager était incliné. Mal à l'aise, Axel se retourna. Son corps était trempé de sueur. Sa bouche sèche. Courbattu et à moitié réveillé, il sortit de la voiture. Quelques minutes plus tard, il roulait vers le nord-ouest sur la M-123. Le paysage de collines boisées de la péninsule inférieure changeait presque immédiatement au-delà du détroit. Le bouclier lutétien formait le socle rocheux de la péninsule septentrionale, une masse de granit qui allait de la baie d'Hudson jusqu'au nord des Grands Lacs. Cascades et falaises rocheuses surplombaient un terrain accidenté.

Axel pénétra à Supérieur une heure et quarante minutes plus tard. D'après le panneau noir et blanc qui marquait les limites de la municipalité, Supérieur comptait une population de 1 248 habitants. La ville était juchée sur un éperon sablonneux qui se rétrécissait régulièrement, jusqu'à former une mince pointe qui s'enfonçait dans les eaux glacées du lac Supérieur. D'où le surnom de la ville : Pic à Glace.

Les maisons étaient toutes groupées à la base de la pointe. Telle une vrille sinueuse s'écartant d'un lourd tubercule, le quartier des affaires s'étendait vers le nord le long d'une rue solitaire. Les magasins de *Whitefish Avenue* n'étaient pas regroupés comme à Wabanakisi ; ils s'espaçaient tout au long de la pointe. A droite, entre les bâtiments, Axel vit la petite jetée qui abritait la flotte de pêche de la ville, unique industrie de Supérieur. Vers l'ouest, le sable blanc parsemé de rares touffes d'herbe s'étendait derrière les boutiques jusqu'aux rouleaux déferlant du lac.

Il conduisait lentement et examinait chaque maison, à la

recherche de la bibliothèque. A cinq cents mètres devant la voiture, un phare construit en briques blanches et surplombé d'une tourelle à deux étages marquait l'extrémité de la pointe. Axel négocia un virage serré et gara sa voiture dans le petit parking situé au pied de la tour. Un modeste monument de pierre apprenait au visiteur que le phare était vieux de quatre-vingt-dix ans. Une bande d'oiseaux noir et blanc planaient au-dessus du sommet de la tour. Axel remarqua qu'il n'y avait plus de lampe derrière les vitres. De l'autre côté de la porte, on lisait le mot « Bibliothèque » peint en gros caractères sur une simple pancarte. Axel entra rapidement. Des rangées de livres couvraient les murs de la pièce faiblement éclairée. Axel comprit immédiatement qu'il était seul. Il pénétra dans une autre pièce. Un étroit lit de camp était installé contre un mur. Du linoléum couvrait le sol, sur la moitié de la pièce opposée au lit. Selon toute vraisemblance, il s'agissait de la cuisine.

Axel retourna dans la pièce principale. Il ne découvrit aucun catalogue. Poursuivant ses recherches, il s'aperçut que les livres rangés sur les étagères ne portaient aucun numéro d'identification. Il avait l'impression d'être entré en fraude chez quelqu'un. Il entendit un grincement métallique au-dessus de sa tête. Dans un coin de la pièce, Axel remarqua la présence d'un escalier métallique circulaire. Quelqu'un descendait.

« Excusez-moi d'être entré sans frapper », dit Axel.

« Aucune importance. Je vous ai aperçu d'en haut. Je donnais à manger à mes mouettes. Vous les avez déjà vues attraper leur pitance en plein vol ? Mais peu importe, la bibliothèque est publique. » L'homme approchait la trentaine. Ses cheveux décoiffés par le vent étaient blonds, et sa barbe plus blonde encore.

« Eh bien, je suis content que vous soyez ouvert. »

« Je ne suis pas ouvert. Jamais le week-end. »

« Oh. » Axel regarda vers la porte. « Pourtant, ce n'était pas fermé... »

« Ça ne l'est jamais. Je vis ici. »

« Hum... » Axel hésitait. « Je viens d'Ann Arbor, j'ai conduit toute la nuit... »

« Ne vous faites pas de bile. Mes horaires n'ont rien de fixe.

En fait, je suis ouvert chaque fois que quelqu'un a besoin d'un de mes livres. »

« Vous devez avoir beaucoup de travail. »

« Pas vraiment. Ici les hivers sont longs et la plupart des gens ont déjà lu tout ce que je possède. »

Sa barbe était clairsemée. Axel voyait la peau de l'homme à travers les poils entremêlés. « Voilà. Je cherche un ouvrage bien précis. Avez-vous un catalogue ? »

« Non. »

« Vous devez en avoir un. Autrement, comment savoir où se trouve tel ou tel livre ? »

« J'ai une bonne mémoire. »

« Vous vivez seul ici ? »

« Oui. »

« Oh, je croyais que la Société d'Histoire du Nord-Michigan avait son siège ici. »

« Je suis la Société d'Histoire. »

« Elle ne compte pas d'autre membre ? »

« Oh, que si », affirma-t-il en hochant la tête, « mais il est mort. »

« Qui ça, *il ?* »

« Mon père. Pour ne rien vous cacher, à une certaine époque, la Société comptait trois membres, mais mon grand-père mourut quand j'avais quatre ans. Mon père est mort il y a huit ans, si bien que le nombre des adhérents est tombé à un. »

« Pourquoi maintenez-vous la Société en vie ? »

« La force de l'habitude, j'imagine. Et puis j'en tire un certain prestige. Un universitaire vient consulter mes livres assez souvent pour faire croire à mes concitoyens que la bibliothèque est une institution de première importance. »

« Ce n'est pas le cas ? »

« Oh si. Moi et mes livres avons une certaine importance. Vous savez, le gouvernement fédéral me confie quelques-uns de ses rapports. »

« Je sais », rétorqua Axel. « C'est d'ailleurs la raison de ma visite. Je désire consulter la section Histoire du *Works Progress Administration.* »

« Oh, vous êtes sans doute également professeur », dit-il joyeusement.

« Non, simplement étudiant d'histoire », corrigea Axel en souriant. « Où pourrai-je trouver " Ogochin Atisken " par Chigishig ? Volume 5, Article ... »

« Une seconde, une seconde. Je ne suis pas un magnétophone. Bon, de quoi s'agit-il ? »

« Volume 5, Article 37. »

Il réfléchit un moment. « Aux trois quarts de l'escalier, côté lac. »

« Je monte par là ? » demanda Axel en tendant la main vers l'escalier circulaire.

« Oui. Il n'y a pas beaucoup de demandes pour ce genre d'ouvrage. Vous pouvez vous installer dans la pièce supérieure. Vous y verrez mieux. »

Les marches de fer s'enroulaient à l'intérieur de l'étroite tour. Axel voyait le rez-de-chaussée s'éloigner de lui à travers le grillage métallique de l'escalier. Les murs circulaires étaient couverts de livres et de papiers poussiéreux soigneusement rangés. Le soleil brillait au-dessus de deux étages de rayonnages circulaires. C'était vertigineux, comme un cauchemar de veille d'examen, avec tous les livres qu'il n'avait pas lus tourbillonnant devant ses yeux.

Aux trois quarts de l'escalier, côté nord, il aperçut une série de grandes chemises en papier bulle. Les doigts d'Axel précédaient ses yeux sur le dos des chemises. V5 121-37. Sa respiration s'arrêta. Il avait trouvé ce qu'il cherchait !

La chemise s'ouvrit en craquant. Il feuilleta rapidement les liasses de pages jaunies. La dernière liasse portait ce titre : « " Ogochin Atisken ", par Andrew Chigishig. » Et au bas de la page : « Projet de recherche indépendant, en vue de l'obtention de la Maîtrise d'Histoire de l'Art, Université du Michigan, diplôme soutenu le 6 juin 1885. » La date le stupéfia. A cette époque, il y avait sûrement des Indiens vivants dont les souvenirs remontaient jusqu'aux années 1700 ! Et ils se rappelaient probablement les enseignements de leurs pères et grands-pères. Le dix-huitième siècle ! Avant l'arrivée massive des Blancs dans le Nord ! Axel ferma vivement la chemise et monta les dernières marches quatre à quatre.

La lumière éblouissante du soleil l'aveugla, quand il émergea au-dessus du plancher de la pièce supérieure. Il se trouvait au sommet de la tour, sous une sorte de verrière. L'appareillage optique avait disparu et son socle servait maintenant de table. Axel s'assit dans un fauteuil. A l'extérieur, une bande de mouettes criailleuses s'élevèrent à son arrivée.

Axel lisait avidement. Le mémoire, soigneusement écrit à la main, était d'un homme déterminé, rompu au style académique. Il expliquait d'abord le contexte et le but de la Fête des Morts. L'article insistait sur la profondeur et la largeur de la fosse, la construction et la hauteur de l'échafaud. Chaque pelletée de terre remuée, chaque planche de bois clouée représentait un acte religieux. Axel apprit que chaque geste devait être correctement exécuté. La description de Chigishig était on ne peut plus détaillée.

De nombreux mots Ottawa étaient cités dans l'article. Pourtant, les yeux d'Axel se déplaçaient rapidement, son esprit s'imprégnait de chaque détail, son cœur ressentait la force de chaque partie du rite. Chigishig passait ensuite au rôle du Midewiwin, à l'allumage du bûcher, au rassemblement des Indiens. Le style académique disparaissait lentement. Bientôt, le ton n'était plus celui d'une étude impersonnelle, mais d'une tentative désespérée pour survivre. L'écriture régulière se mettait à trembler sous le coup de l'émotion :

Alors arrivait le moment décisif d'Ogochin Atisken, le centre même de cette fête complexe. L'heure était venue de libérer les esprits de leur existence terrestre. Une fois la fosse préparée et l'assistance recueillie, le shaman, paré du masque funéraire, hurlait au-dessus des murmures grandissants. Sa voix donnait le signal des lamentations : « Aïee — ee Aïee ». Ces syllabes étaient sans cesse répétées, un peu plus fort à chaque fois. Ils hurlaient pour réveiller les âmes, que la mort avait endormies. Leurs voix se transformaient en cris, leurs cris en chants. Ils disaient à leurs morts de s'éveiller, ils les suppliaient de répondre à leur appel, de se mettre en route. Tour à tour, pénétrés d'une profonde ferveur, ils criaient, et leurs cris contraignaient les âmes à se séparer des os :

Atish kawin ketaw gawshketose tchigaw anawgid.
Pangishin! Nossinaw waukwing ebeyew aupegwish keen anawgid.

Keen anawgid gawya tebish Newobe, en Newobe ezhepone-geday.
Mezhee shenong augawknin Newobe menik endawso gweshe-nomaw.

Anawgid gawya dansh etaw maweshenong mawkedawon ogewan.
Keen dagwetaw wemon ogwisson tebay nemenong keen Newobe.

Keen pemosay wowkwing ke ezhaw osse me-medjin.
Gawya Kawning zemaw nitton mezoday kezo naytauweto kautolic.

Ami anawgid gawya pemosay, anawgid gawya pemosay, anawgid gawya pemosay...

Axel s'enfonça dans le fauteuil, regardant sans voir les oiseaux impatients qui volaient à quelques mètres de la verrière. Il flottait dans ses pensées, qui ne se tournaient ni vers Chigishig, ni vers la Fête des Morts, mais vers Janis.

Sur une partie du trajet entre Mackinaw et Wabanakisi, la route de comté 621 longeait dangereusement le rebord d'une falaise qui surplombait le lac Michigan. Sur sa droite, à huit cents mètres en contrebas, Axel voyait la cime des arbres plonger vers le rivage. Le soleil de la fin de l'après-midi se réfléchissait sur la surface sombre du lac et formait des taches argentées et scintillantes sur les vagues moutonnantes. Les plaisanciers du week-end revenaient vers la terre ; certains retournaient de l'île du Castor, à trente kilomètres du rivage.

Depuis qu'Axel avait quitté Supérieur, une seule pensée avait obnubilé son esprit : l'emplacement de la tombe de Shawonabe. « Une prison pour son âme. » Axel avait beau retourner ces mots dans tous les sens, rien n'en sortait. « Une prison pour son âme. » Il avait besoin d'un élément supplémentaire. D'inspiration. D'une étincelle. D'une idée. Axel avait besoin d'autre chose pour résoudre l'énigme.

Le village Ottawa semblait étrangement calme pour un dimanche après-midi. La voiture de Larry était garée devant sa maison, mais celle-ci paraissait vide. Axel frappa à la porte. Au bout de quelques secondes, il entendit des pas approcher. Charley Wolf.

« Bonjour. J'avais peur qu'il n'y ait personne. »

« J'avais fermé pour rester au frais. » Tenant la porte pour laisser entrer Axel, Charley Wolf remarqua l'expression soucieuse de Michelson. « Janis n'est pas revenue. Larry a vérifié. »

Un éclair de douleur traversa le regard d'Axel. « J'ai quelque chose à vous montrer. » Il tira une feuille de papier jaune hors de sa poche et la déplia sur la table de la salle à manger, tandis que Leon Moozganse sortait de la cuisine.

Charley Wolf se pencha au-dessus de l'écriture d'Axel ; sa tête dodelinait pendant qu'il lisait.

« Savez-vous ce que signifient ces mots ? »

Charley Wolf poussa la feuille vers Moozganse. « Leon est meilleur que moi pour ce genre de chose », déclara-t-il.

Larry sortit de sa chambre. « Qu'est-ce que c'est ? »

« Les chants sacrés d'Ogochin Atisken », dit Charley Wolf.

Larry ouvrit la bouche et émit un léger sifflement. « Les... »

« On leur ordonne de se réveiller », paraphrasa Moozganse. « Ils doivent commencer leur voyage. Un voyage vers un endroit nouveau. Leurs âmes doivent quitter la terre avec les autres. On leur demande de partir vers leur village céleste et, en nous contemplant, leur bonheur illuminera l'obscurité de la nuit. »

« Les chants d'Ogochin Atisken viennent d'être retrouvés », dit Charley Wolf. « Je n'aurais jamais cru cela possible. »

Une brève satisfaction passa sur le visage d'Axel. « Maintenant, nous devons retrouver la tombe. »

« Axel, ce que nous vous avons déjà dit reste vrai. Je crains que nous ne puissions vous aider à retrouver cette tombe. Tout simplement parce que nous ne savons rien. »

« Mais ce n'est pas possible », insista Axel. « Votre mémoire conserve sûrement la trace d'une allusion qui, sur le moment, vous a paru sans importance. »

« J'ai bien peur que non. Personne n'aimait évoquer le nom de Shawonabe, même quand j'étais enfant. Certes, tout le monde connaissait — et mon père a fait en sorte que, moi aussi, je connaisse la légende. Mais comme vous le comprendrez sans peine, ce n'est pas un sujet dont on aimait parler. »

« Racontez-moi la légende une nouvelle fois, monsieur Wolf. Shawonabe fut adopté par les Ottawas... »

« ... après le massacre des Mush Qua Tah », continua-t-il pour obliger Axel. « Ils ne comprirent que beaucoup plus tard que c'était lui le responsable du massacre. Finalement, comme on vous l'a déjà raconté, il fut exécuté et enterré au fin fond des bois, loin du village, dans une prison pour son âme. »

« Quoi d'autre à propos de cette prison ? »

« Il n'y a rien d'autre. »

« De quoi pouvait-il s'agir ? Un cercueil spécial ? »

« Peut-être », intervint Larry. « Mais cela ne t'avancerait à rien, car si c'est le cas, il a été enterré avec lui. »

« Une stèle au-dessus de la tombe, alors ? Une pile de bûches peut-être ? »

« C'est possible, mais le bois doit avoir pourri depuis longtemps. »

« Peut-on avoir placé le corps au-dessus du sol ? » demanda Axel.

« Non. Ils auraient eu trop peur qu'un animal ne ramène sa carcasse près du village », dit Moozganse.

« Ils ont donc dû faire en sorte que personne ne puisse s'approcher du corps de Shawonabe. » Suivant le rythme de ses pensées, Axel parlait rapidement. « Ils l'ont enterré au loin parce qu'ils craignaient que son esprit quitte sa tombe et s'empare d'un Ottawa imprudent. »

« Exactement », approuva Charley Wolf.

« S'ils savaient que Shawonabe pouvait s'emparer de quiconque passait à proximité de sa tombe, alors la prison devait avoir une autre fonction ; elle devait dissuader les voyageurs et les chasseurs d'approcher. »

« Dans ce cas, elle devait être visible de loin », fit Larry.

« Et de façon permanente. Un signe susceptible, pendant des dizaines d'années, d'avertir les gens que Shawonabe est enterré ici. »

Tout cela semblait si logique, si simple. Mais où ? Un lourd silence s'abattit sur la pièce, tandis que tous cherchaient dans leurs souvenirs un signe particulier qu'ils auraient remarqué dans la forêt. Une formation rocheuse, par exemple, un bloc. N'importe quoi d'anormal. Axel scruta mentalement les environs de sa maison. Sans rien noter de spécial. Mais plus loin dans les bois, il était moins sûr. Car il n'avait jamais exploré systématiquement la forêt inviolée qui s'étendait à perte de vue derrière leur propriété. « Si seulement nous pouvions y voir clair », dit-il en désespoir de cause. « Si seulement nous avions un indice. »

« Je pense à quelque chose », dit soudain Charley Wolf. « Il y a une réunion ce soir dans la forêt, une assemblée rituelle. »

« Mishoo ! »

« Quel genre d'assemblée ? » demanda vivement Axel.

« Les Ottawas ont construit un wigwam de feu, et cette nuit, ils vont invoquer les manitous pour leur demander conseil et protection. »

« Un wigwam de feu ? La cérémonie pendant laquelle les jeunes Ottawas reçoivent les visions qui doivent les guider toute leur vie ? »

« Oui. Cela pourrait peut-être vous éclairer, vous aussi ? »

« Non », s'écria Larry. « C'est Tabasash qui organise. Tu ne peux pas y aller. »

« Larry ! » ordonna Charley Wolf d'une voix forte. « Il a bien fait. »

« Mais il a tout perverti. »

« Apprendre est douloureux. Beaucoup de choses ont été oubliées. Il nous aide au moins à nous souvenir des anciennes coutumes. »

Leurs voix étaient pressantes et leurs conceptions diamétralement opposées. Pendant qu'ils discutaient âprement, l'idée faisait son chemin dans l'esprit d'Axel. Le wigwam de feu ne serait l'occasion d'aucune intervention surnaturelle. Il ne s'attendait pas à la moindre vision ; il n'y avait pas de miracle. Mais peut-être, songeait-il, peut-être fournirait-il l'étincelle dont il avait besoin. Peut-être entendrait-il une parole, peut-être un souvenir depuis longtemps enfoui émergerait-il de l'inconscient d'un Indien, qui fournirait la réponse. « Larry », interrompit Axel, « je veux y aller. »

Il le fixa des yeux. « Tu ne peux pas », dit-il d'une voix ferme.

« Pourquoi ? »

Larry détourna les yeux. « Parce que tu n'es pas Ottawa. »

Charley Wolf, qui n'en croyait pas ses oreilles, regarda son petit-fils. « Mais tu peux l'emmener là-bas, Gusan. Tu peux choisir d'être son parrain. »

« Je sais, mais je ne veux pas. » Son grand-père ne pouvait comprendre cela, se dit Larry. Axel ne doit y aller sous aucun prétexte. Il se retourna et sortit de la maison.

Charley Wolf prit la parole pour dissimuler sa honte. « Vous connaissez Tabasash. Allez le voir. Il vous acceptera au wigwam, j'en suis certain. »

« Et vous ? » interrogea Axel.

« Le wigwam est conçu pour les jeunes. Je me porte aussi bien que possible pour mon âge, mais je crois que mon vieux cœur risque de mal supporter cette cérémonie. La chaleur ne me réussit pas du tout. »

« Que dois-je dire à Tabasash ? »

« Axel », déclara Charley Wolf avec autorité. « Il est au courant pour Janis. Tous les Ottawas sont au courant. Va voir Tabasash. Il comprendra. »

Il irait. Axel savait qu'il n'avait pas le choix.

Tabasah était parti le dernier. Il était resté seul, assis par terre, pour examiner la hutte terminée. La bosse ronde formée par les bouleaux blancs tachés de noir évoquait un monstrueux champignon parasite. L'écorce couvrait une couche de feuilles et d'herbe qui servaient à l'isolation. Une étroite porte, haute d'un mètre cinquante, constituait la seule ouverture. Dans quelques heures, les Indiens se presseraient de nouveau autour de la hutte. Tabasash se sentait content de lui quand il pénétra dans les bois.

La femme marchait lentement autour des herbes piétinées. Elle était affamée, épuisée. Mais il restait beaucoup à faire. Soudain, elle s'accroupit.

Les neuf corps couverts de fourrure noire s'immobilisèrent. Ils sentaient le dernier animal s'éloigner de la clairière. Leur désir se fit plus pressant, mais les ours restaient figés sur place. Ils comprirent qu'ils n'auraient plus longtemps à attendre.

Tabasash se détendait dans le fauteuil de son salon. Paul dormait dans sa chambre pour être reposé le moment venu. On frappa légèrement à la porte et Tabasash se leva immédiatement. C'était Axel Michelson.

« Entrez », dit-il en bredouillant de surprise.

« J'espère que je ne vous dérange pas. »

« Non, je me reposais un peu. »

« Tant mieux. Je viens vous parler du wigwam de feu. »

« Oui ? »

« J'aimerais y assister. Cela pourrait m'aider. »

Tabasash se détourna. Il n'avait pas confiance en Michelson. « Il paraît que vous avez fait des recherches dernièrement ? »

« Oui », dit-il sans réussir à cacher son étonnement.

« Sur la Fête des Morts ? »

« Oui », grogna Axel.

« Vous avez trouvé quelque chose ? »

« J'ai eu de la chance. J'ai trouvé ce que je cherchais. Maintenant, il faut que je réunisse toutes les pièces du puzzle. Et je compte beaucoup sur la cérémonie de ce soir. »

« Je vois », fit Tabasash sans s'engager. « Vous avez besoin que quelqu'un intercède en votre faveur auprès des manitous. Vous en avez parlé à Larry ? »

« Oui, mais il a refusé. »

« Vraiment ? Pourquoi ? »

« Il a prétexté que je n'étais pas Ottawa. »

« Quoi ? »

« Il ne veut pas me parrainer, sous prétexte que je n'appartiens pas à la tribu. »

Tabasash plissa les yeux. « Rien d'autre ? Il n'a rien dit d'autre ? »

« Non. Que voulez-vous qu'il ait dit d'autre ? »

« Je ne sais pas. Ça semble tellement bizarre... »

« C'est aussi ce que je me suis dit. »

« Il n'a rien dit d'autre. »

« Rien. »

Les traits de Tabasash se détendirent. Puis il reprit la parole. « Revenez ici pour huit heures ; vous pourrez venir avec moi. » Alors qu'Axel se préparait à partir, Tabasash ajouta : « J'oubliais, Axel. Ne dites à personne où vous allez. »

De nouveau seul, Tabasash s'installa dans le fauteuil du salon. Sa somnolence avait disparu pour faire place au soulagement, mais aussi à l'anxiété. Il comprit brusquement qu'il devait faire d'autres préparatifs. Il décrocha le téléphone posé sur la table.

31.

Au crépuscule, toute forêt connaît un moment de calme particulier, un apaisement où le temps semble s'arrêter pour respecter la trêve fragile conclue entre deux adversaires sans pitié. Semblable à des bataillons qui perdent, puis gagnent de nouveau les tranchées du front, le crépuscule est un *no man's land*. C'est un instant de paix précaire, dont le masque laiteux couvre, sans les dissimuler, les ombres grandissantes. Tout en étouffant progressivement la fébrilité des activités du grand jour, il pactise silencieusement avec les puissances du sommeil et de la nuit. Dans les bois, Axel pressentait un malheur lié aux ténèbres muettes qui montaient.

La plupart des hommes allaient et venaient nerveusement en attendant que la hutte fût prête. Quand des yeux rencontraient les siens, ils se détournaient. Axel faisait de son mieux pour cacher son malaise. C'était la même chose pour tout le monde, se dit-il. Tous éprouvaient la même angoisse.

Deux corps en sueur s'agitaient autour d'un feu rugissant. Armés de longs bâtons, ils poussaient des blocs de pierre, parfois gros comme des pastèques, vers le foyer. Autour du trou, la chaleur était à peine supportable. Axel observait la scène à distance. Les deux hommes se serraient l'un contre l'autre, gesticulaient vers le feu, mais les crépitements des flammes et du bois étouffaient leurs voix. Axel regardait attentivement comment ils s'y prenaient, car plus tard viendrait son tour.

L'un d'eux glissa l'extrémité de son bâton entre deux blocs de pierre et en tira un à l'écart. Il cracha sur la pierre et la tache de salive disparut instantanément dans un jet de vapeur. Il hocha la tête à l'intention de l'autre Indien et fit rouler la pierre loin du feu. Puis il jeta son long bâton à l'extrémité noircie, pour en prendre un moins long, mais plus épais.

Axel les regarda hisser la pierre sur deux grosses bûches. Les muscles de leurs épaules tressaillaient sous l'effort ; ils avancèrent d'un pas vacillant vers l'ouverture basse de la hutte, puis disparurent derrière le tissu accroché en guise de porte. Quelques instants plus tard, ils ressortirent et choisirent une deuxième pierre.

Axel connaissait tous les hommes de vue, mais était incapable de se souvenir de leurs noms. Bizarre, pensa-t-il. D'autant qu'aucun des amis de Janis n'était présent.

Son grand-père avait raison. Tabasash était un homme estimable. Il croyait sincèrement qu'Axel représentait un danger mortel pour sa tribu. Il était donc compréhensible, admirable même, qu'il fît l'impossible pour empêcher ce qu'il craignait. Dans une situation comparable, toute personne sensée agirait de même. L'erreur de Tabasash ne résidait pas dans ses motivations, mais dans ses conceptions. Comme Larry descendait lentement la pente douce, ses idées se faisaient plus claires. Sa longue promenade sur la plage l'avait calmé. Il ne lui restait plus qu'à expliquer son point de vue à Axel.

Le moment était venu. L'agitation des ours fit place à l'immobilité. Jamais aucun des dix-sept ours n'avait senti aussi fortement l'odeur du danger. Pourtant, ils n'avaient pas peur.

La femme se dressait sur une souche pourrie ; ses yeux fixes et étincelants scrutaient la colline. Un filet de salive dégoulinait de la commissure de ses lèvres ; sa poitrine se soulevait et retombait régulièrement. Comme les ours, elle sentait l'imminence de l'attaque.

Quand Larry entra dans la maison, Charley Wolf lui adressa un regard dénué de toute expression.

« Excuse-moi, Mishoo, mais je n'avais pas le choix. Tu n'as pas vu Tabasash dernièrement. Et si j'avais essayé d'expliquer cela à Axel, il ne m'aurait pas cru. Il aurait voulu y aller, quoi qu'il arrive. »

Le grand-père de Larry restait impassible. Enfin, ses traits se détendirent. « Tu dois avoir tes raisons ; je les accepte donc. »

« Merci. Ta confiance me touche. » Larry se dirigea vers le téléphone. « Maintenant, je peux appeler Axel pour essayer de lui expliquer. »

« Il n'est pas chez lui. Il est allé au wigwam avec Tabasash. »

Larry se figea d'horreur en comprenant les conséquences des paroles de son grand-père. « Mais c'est impossible ! »

Le visage ridé du vieillard s'inclina plusieurs fois. « Si. »

« Ils vont le tuer ! »

Axel estima le nombre des Indiens présents à une trentaine, dont la plupart avaient assisté à la réunion sur l'injonction, le samedi précédent. La semaine écoulée depuis cette réunion lui semblait une éternité. Car son univers avait été bouleversé depuis. De même, la présente assemblée s'était réunie dans des buts bien différents. Cette fois-ci, c'étaient eux qui allaient lui apprendre quelque chose.

Le tas de pierres chauffées avait diminué, mais il en restait encore beaucoup autour du feu. Deux Indiens sortirent de derrière le rideau en tissu et posèrent à terre les deux bûches de bois, maintenant profondément entamées en leur milieu. « C'est prêt », dit l'un d'eux.

Les hommes commencèrent à se déshabiller. Tabasash donna un léger coup de coude à Axel. Comme les autres, il enleva ses vêtements, qu'il empila sur le sol. Un par un, les hommes se pliaient en deux pour entrer dans le wigwam par la petite ouverture. Au moment de franchir la porte, Axel jeta un coup d'œil anxieux derrière lui : Larry n'était pas là. Pourquoi ? Il sentit alors qu'on le poussait fermement et entra.

Il eut l'impression de recevoir une gifle brûlante qui lui coupa le souffle. Il trébucha vers le centre de la hutte et s'écroula, plus qu'il ne s'assit, à côté de Tabasash. Devant lui se trouvait une deuxième fosse, plus petite que celle située à l'extérieur du wigwam. Empilées sur deux rangées, les pierres l'emplissaient entièrement. Au centre, un brasier éblouissant envoyait une lumière tremblotante sur la voûte du plafond. Axel remarqua qu'on ne pouvait se tenir debout qu'au centre de la construction.

La lueur de la fournaise se réfléchissait sur les corps, dont la peau brillait déjà de sueur. Bientôt, Axel se sentit lui aussi transpirer. Quand le dernier Indien entra en rampant, la hutte était presque pleine. Assis en tailleur, chaque corps nu touchait les corps qui l'environnaient, et participait à une seule et unique masse de chair.

A cause de la pénombre et des gouttes de sueur qui lui tombaient dans les yeux, Axel était incapable de distinguer les visages situés en face de lui, au-delà de la deuxième rangée. A ses côtés, Tabasash respira profondément et retint l'air dans ses poumons pendant un temps qui parut extrêmement long. Axel regarda son visage. Ses yeux étaient fermés, ses traits immobiles. Allez, respire ! se dit Axel en son for intérieur. Enfin, Tabasash exhala bruyamment.

Axel sentit la masse humaine se mettre à osciller. Il regarda autour de lui. Un par un, les hommes commencèrent à respirer profondément. Axel aspira à son tour une longue bouffée d'air brûlant qui lui dessécha la gorge. Le bruit d'un étrange halètement plana au-dessus de l'assemblée dans l'atmosphère suffocante. Le corps composite se convulsait à chaque expiration, se balançait d'avant en arrière. De plus en plus vite. Axel respirait plus rapidement. Plus profondément. Un puissant vertige s'empara soudain de son esprit. Au même instant, le roulement de tonnerre d'un tambour explosa dans la hutte.

« Ah — eee ! » Le hurlement éclata dans l'air lourd, comme une giclée de métal fondu. Axel sentit ses cheveux se dresser sur sa nuque. Un autre cri jaillit de l'autre côté de l'édifice. Le tambour tonna de nouveau, puis son roulement prit un rythme lancinant.

Axel jeta un coup d'œil de côté vers Tabasash. Les yeux de l'Indien étaient ouverts, mais son regard dépourvu de la moindre expression. Son corps se mit à se balancer de gauche à droite. Celui d'Axel également. Puis le corps de son voisin. La vague se propagea rapidement dans la hutte.

Tabasash cria ; sa voix montait et descendait au rythme du tambour. L'air sembla s'opacifier au point de devenir presque brumeux. La vision d'Axel se brouilla. Un éclair lumineux illumina brusquement la pièce. Deux hommes sortaient en rampant. Dans un état second, Axel entendit le rugissement du brasier, à l'extérieur. D'autres Indiens accompagnaient maintenant le chant vibrant de Tabasash. Un grognement déchira la gorge d'Axel, pour finalement se muer en gémissement. Le rideau s'ouvrit de nouveau pour laisser passer les deux hommes qui revenaient en portant une pierre fumante. Hypnotisé par la tension qui montait dans la hutte, Axel entendit sa propre voix exploser dans ses oreilles. Il hurla en levant le visage vers le plafond. Des syllabes incohérentes jaillissaient de sa gorge et tout à coup le wigwam résonna de la cacophonie assourdissante de trente voix masculines.

Le tumulte impie se faisait entendre jusque dans la forêt. Sur la colline, les ours s'étaient rassemblés en un silence tendu pour regarder le brasier rugissant en contrebas. Ils se jetaient des regards nerveux. Jamais ils n'avaient entendu pareil tapage. Ils observaient la femme, comme s'ils attendaient d'elle une réponse. Mais elle était impuissante à calmer leur anxiété, car les cris rauques l'effrayaient également.

La vieille Ford s'arrêta en dérapant sur le bas-côté. Larry venait de manquer le virage. Il fit marche arrière et lança la voiture à toute vitesse sur la piste à peine visible en priant le ciel qu'Axel fût toujours en vie.

La route serpentait entre les arbres ; le faisceau des phares bondissait follement à chaque cahot et balayait des nappes de végétation à chaque virage. En plein jour et en première, la piste était à peine praticable, mais maintenant c'était de la folie pure.

La route plongea brusquement à gauche, trop vite pour donner à Larry le temps de réagir. Sa voiture escalada un monticule de terre et pénétra dans les bois en arrachant l'écorce d'un sapin. Le bruit du bois fendu fit place au grincement de la boîte de vitesses quand Larry enclencha la marche arrière pour regagner la route.

Un arbre apparut dans le cône des phares ; la route le rasait. Larry donna un violent coup de volant, mais les roues dérapèrent sur le sol sablonneux. Un bruit de tôle froissée éclata dans ses oreilles. L'aile de la voiture rebondit sur le tronc massif et la Ford continua sa course à tombeau ouvert sur la piste en terre.

Il devait quasiment être rendu. Ce n'était qu'à deux kilomètres de la grande route. Larry scruta les bois tout en gardant le pied au plancher. Impossible de reconnaître quoi que ce soit dans l'obscurité. Ses yeux se posèrent sur la piste juste à temps pour négocier un virage. Ses phares se reflétaient sur un obstacle ! Il enfonça la pédale des freins, mais la voiture heurta de plein fouet un camion en stationnement. Un bruit de tôle tordue et de verre brisé explosa dans la nuit. Larry fut projeté en avant, son crâne percuta le pare-brise.

Il se redressa lentement sur son siège, tandis que le moteur toussotait ; puis il cala définitivement. Son crâne lui faisait mal. Dehors. Sortir. A travers bois. Ce n'était plus loin.

« Exprime ta volonté, Gitche Manitou, exprime ta volonté à tes serviteurs terrestres », cria une voix derrière Axel.

« Délivre-nous du magicien noir du Sud », cria une autre voix.

« Dispense tes lumières à nos cousins, ô puissant Manitou, dispense-leur ta force... »

Des expressions Ottawas se mêlaient à l'anglais. Axel avait beau écouter, il ne comprenait pas grand-chose. Et puis il faisait si chaud. Son corps lui semblait étranger. Ecoute ! se tança-t-il. Mais en vain. Les hurlements, le tambour, la chaleur ! « Janis ! » cria-t-il. « Je vous en supplie, Seigneur, aidez-la. Janis ! »

La femme plaqua ses mains sur ses oreilles. Son visage se tordit sous une souffrance abominable. En avant ! Cet ordre impérieux et soudain mit fin à son attente. Les ours aussi l'avaient entendu ! Ils s'ébranlèrent et descendirent la pente.

Les arbres semblaient frissonner comme un mirage ou un paysage pris dans une brume de chaleur. Larry trébucha, tomba sur un genou, puis passa la main sur son front pour tenter de dominer son vertige. Son estomac se contracta, comme s'il voulait se débarrasser d'un poids insupportable. Une contraction plus violente et Larry ouvrit largement la bouche pour vomir. Plié en deux, le visage au ras du sol, il vomit plusieurs fois. Puis son corps se calma lentement ; il retrouva le contrôle de lui-même, son esprit s'éclaircit. Il s'obligea à se relever et regarda les bois. De quel côté aller ? Larry ne distinguait aucun point de repère.

Les pattes raides, les ours descendaient précautionneusement la colline. Ils étaient sur leurs gardes, car les rugissements insolites imposaient le respect. Derrière eux, une silhouette verticale se glissait entre les arbres ; sa peau bronzée prenait des reflets dorés sous les rougeoiements du feu. Un sac pendait au bout de son bras. Le bruit retentissait toujours aussi fortement dans ses oreilles, mais ce n'était plus qu'un son amorphe, un bourdonnement collectif, d'où ne surgissait plus aucune voix individuelle.

Les ours firent halte à dix mètres de la clairière. Le rideau s'ouvrit soudain et un animal, puis un autre apparurent, qui portaient quelque chose dans leurs bras. Les ours observèrent les créatures laisser tomber une grosse pierre dans les flammes au milieu d'un jaillissement d'étincelles orange. Restant à la même distance de la clairière, les ours se mirent à encercler la protubérance couverte d'écorce.

Larry se hâtait à travers les ténèbres de la forêt. Des brindilles invisibles égratignaient son visage. Il se dit qu'il avait pris la bonne direction, car une lueur jaunâtre illuminait le ciel. Le feu ! Peu après, il entendit les voix, les cris, les hurlements et les chants. Jamais il n'avait entendu pareil tumulte. Axel doit être vivant, pria-t-il intérieurement.

Les ours étaient maintenant de chaque côté du tertre ; leur mouvement d'encerclement se terminait. Ils se tenaient toujours à l'abri de la forêt. Entendant soudain quelque chose, le premier ours s'arrêta et se dressa.

L'air lui brûlait la gorge, mais Larry filait droit vers le monticule couvert d'écorce de bouleau. Il gardait les yeux rivés sur lui ; il ne remarqua pas un mouvement à sa droite.

Les flammes étaient plus hautes. A l'aide de bâtons, les deux hommes poussèrent la pierre, puis luttèrent pour la soulever du sol. Une forme émergea tout à coup de l'obscurité. Ils comprirent rapidement qu'il s'agissait d'un jeune homme de la tribu.

« Dépêche-toi, tu es en retard. »

« Je sais », dit Larry en essayant de reprendre son souffle. Il remarqua les vêtements épars et se déshabilla sans perdre une seconde. Le sang martelait son front et l'envie de vomir revenait. Il lui semblait que son estomac venait d'encaisser un coup de barre à mine. Il s'appuya un moment contre le mur incliné, puis écarta le rideau pour entrer. Accroupi dans l'ouverture, il distinguait seulement des formes sombres qui se balançaient dans l'obscurité. Petit à petit, sa vision se fit plus nette, mais les visages demeuraient anonymes. Des filets de sueur sale sillonnaient leurs joues ; leurs bouches se tordaient en des hurlements sauvages.

Une voix dominait les autres : « Au moment du sacrifice, aide-nous à faire ce que nous devons accomplir. » Larry reconnut la voix de Tabasash. Assis à côté de lui, il vit Axel. Il n'entend donc pas ? Il ne comprend pas ? Le moment du sacrifice !

« *Muhguh ogiwena ogasawan midash Ogiwenigan...* »

Larry se rendit compte qu'aucun des Indiens en transe ne l'avait découvert. Malgré la sueur salée qui lui piquait les yeux, il examina le wigwam. Axel se trouvait en face de la porte, de l'autre côté de la fosse ; une masse compacte de corps le séparait de lui. Indécis, il s'accroupit à l'entrée ; une pensée interrompit soudain ses réflexions : il n'avait pas beaucoup de temps.

« Protège-nous du sorcier du Sud », s'écria une voix.

« Annule les pouvoirs magiques de Shawonabe. »

Les paupières de Tabasash tombèrent. Sortant du plus profond de sa gorge, sa voix tonna dans la pièce basse « Grand Muhquh, l'homme du Sud vole tes serviteurs, il trompe notre générosité, il abat sa malédiction sur nous. Protège-nous. Venge-toi implacablement de celui qui t'insulte et te menace. Sinon, son pouvoir croîtra jusqu'au moment où tu n'auras plus le moindre serviteur terrestre. Nos cousins ne seront plus nos cousins. Ils perdront leur esprit rusé et leur corps puissant. Ils ne t'appartiendront plus ! Empare-toi de leurs âmes ! Saisis leurs âmes avant qu'il ne soit trop tard ! »

Le grondement des voix s'était fait murmure. Mais dès que Tabasash eut terminé, elles s'élevèrent de nouveau, vibrantes de la foi retrouvée. L'étroit pourtour de la fosse était pour Larry le seul moyen de rejoindre Axel. Il avança un pied en hésitant. Les nausées revenaient ; il sentit le goût âcre de la bile dans sa gorge. Un accès de faiblesse s'empara de son corps et ses jambes flageolantes se mirent à trembler. Il lutta pour maintenir son équilibre précaire entre les pierres brûlantes et la rangée de genoux ; mais la tête lui tourna et il s'écroula.

Les pierres ! L'exclamation accompagna la douleur fulgurante. De la fumée noire apparut à l'endroit où son bras venait de toucher la pierre chauffée comme un fer rouge, et il respira l'odeur de sa propre chair carbonisée.

Une main puissante agrippa son épaule, mais d'abord il ne sentit rien. Pourtant, quand la poigne le tira loin de la fosse, il comprit ce qui lui arrivait. « Ne bouge pas ! Ou tu vas te faire mal. » C'était Shigwam, le fermier. Incapable de répondre, Larry ferma les yeux. Il resta quelque temps allongé sur le corps massif de l'homme ; il essayait de retrouver le contrôle de ses muscles. A grand-peine, il réussit à se mettre à genoux et, grimaçant de douleur, il regarda en direction d'Axel. Son ami semblait en transe. Sa tête ballottait de droite et de gauche ; de sa bouche sortaient des sons incohérents. Il ne comprenait manifestement pas ce qui se passait.

Axel sentait dans son corps, plus qu'il n'entendait, le rythme lancinant du tambour. Ses yeux n'étaient plus que deux fentes ; l'air étouffant montait en volutes au-dessus des pierres. De l'autre côté de la fosse, les visages se déformaient sans cesse davantage. Axel tenta d'accommoder, mais leur monstruosité s'accentuait. Des animaux. Visages grotesques. Hallucinations ! cria-t-il intérieurement. A cause de la chaleur. Le contrôle de ses pensées lui échappait. Des ours ! Ils avaient des visages d'ours.

La chaleur rendait la douleur de Larry encore plus insupportable. Penché derrière Shigwam, il regardait la rangée de corps. Comprenant que c'était sa seule chance, Larry commença à ramper à quatre pattes sur les jambes qui dépassaient. Les corps qui oscillaient s'aperçurent à peine de son passage sur leur peau moite ; il s'approcha de Michelson, tandis que Tabasash chantait toujours de l'autre côté. « Axel », fit-il d'une voix pressante en lui saisissant le bras. « Axel, écoute-moi... »

Axel essaya de réagir contre la somnolence qui embrumait son cerveau. Des images flottaient devant ses yeux, comme au ralenti. « Janis », parvint-il à chuchoter. Il déglutit, puis répéta le nom de sa femme. Il tenta de se concentrer sur elle, mais bon Dieu ! quelque chose l'en empêchait. Il sentait une voix près de lui. Son corps eut un sursaut. On le secouait. On appelait son nom. Il fit face à la personne assise à côté de lui. Il essaya de la reconnaître.

« Axel. M'entends-tu ? » murmura Larry.

C'était Larry Wolf ! Mais il n'avait pas participé au début de la cérémonie. Pourquoi ? demandait silencieusement Axel.

« Peux-tu m'entendre ? »

Axel fit effort pour prononcer le mot ; enfin, un faible « oui » sortit de sa bouche.

« Il faut que tu partes. Tu dois absolument sortir d'ici. » Les mots se bousculaient, le sang battait à ses tempes.

Partir ? « Non », dit Axel. Janis avait besoin de lui. Si seulement il réussissait à s'éclaircir les idées !

La chaleur et la douleur entamaient la lucidité de Larry. Il fallait qu'il comprenne. Avant de s'évanouir, il devait obliger Axel à partir. « Tire-toi d'ici ! »

« Non. Je suis ici grâce à quelqu'un d'autre. »

« Je sais. Je sais. Mais écoute-moi. Ils vont te tuer ! »

« Quoi ? »

« Ils vont te tuer ! »

Axel regarda le visage ruisselant de sueur. « C'est faux. »

« Tabasash ne t'a pas fait venir ici pour t'aider. Au contraire, il t'a fait venir pour t'empêcher de célébrer la Fête des Morts. Il va te tuer. » La tête de Larry s'affaissa. La faible lumière émanant du plafond tourbillonnait devant ses yeux. « Crois-moi », eut-il encore la force de dire.

Cela semblait trop invraisemblable. « C'est impossible », dit Axel. « Il n'a aucune raison d'essayer de me tuer. »

« Tu ne comprends donc pas ? Ils ne veulent pas que l'esprit de Shawonabe parte au village des âmes. Ils croient que sa magie noire serait alors mille fois plus puissante qu'ici-bas. »

Avec une horreur croissante, Axel regarda les petites flammes à ses pieds. Peu à peu, il comprit que le raisonnement de Larry tenait debout. Bien sûr. C'était la raison de la prison construite pour enfermer l'âme du sorcier. Pourquoi n'y avait-il pas pensé plus tôt ? Mais pourquoi Charley Wolf ne l'avait-il pas prévenu ? « Larry, pourquoi ton grand-père n'a-t-il pas craint la même chose ? »

Le souffle court, Larry expliqua. Puis, sachant qu'Axel était maintenant averti, il s'autorisa à fuir le martèlement du sang qui cognait dans sa tête et la souffrance occasionnée par la brûlure de son bras. Ses yeux se fermèrent ; Larry sombra dans l'inconscience.

Le regard d'Axel se fixa sur l'entrée de la hutte. Les corps serrés l'un contre l'autre lui bloquaient le passage. La chaleur ! Elle engourdissait son cerveau ! Mais il y avait pire : il sentait ses jambes en feu. Il mit d'abord cette sensation au compte du poids du corps de Larry. Pourtant, il sentait la chaleur des pierres de plus en plus vivement. Il était maintenant plus près de la fosse ! On le poussait vers la fournaise. Axel sentait une légère pression dans son dos : la masse humaine le forçait à avancer régulièrement vers le feu.

Il devait agir rapidement ! Son attention fut attirée par les deux gros bâtons. Il en saisit un et tendit l'autre à son voisin. A tour de rôle, les occupants du wigwam sortaient chercher des pierres chaudes. Et maintenant, c'était son tour. Du coin de l'œil, Axel vit Tabasash se lever à moitié. La bûche pesait lourdement dans la main de Michelson. Il pourrait assommer Tabasash d'un seul coup, mais les autres étaient trop nombreux.

Axel plongea son bâton dans les pierres et en fit rouler une hors de la fosse, tout en continuant à se balancer au rythme des battements de tambour. Tabasash se laissa lentement retomber à terre. L'autre Indien se leva à contrecœur pour aider Axel au bord de la fosse. Ils hissèrent la pierre ensemble et trébuchèrent avec leur chargement sur les corps fumants allongés côte à côte. La porte n'était plus qu'à quelques pas. Son compagnon se courba en deux pour se faufiler dans l'étroite ouverture. Puis Axel sortit à son tour et l'air frais éclaboussa son corps. Il se rua dans ses poumons. Sa sueur brûlante devint glacée.

« Je vais m'occuper du feu », dit l'homme. « Toi, ramasse une autre pierre. »

Axel fit rouler hors du feu le plus gros bloc de rocher qu'il put trouver, puis le plaça entre les deux bûches calcinées qui servaient au transport. Quand les flammes s'élevèrent de nouveau, Axel saisit les extrémités des bûches opposées à la hutte. La silhouette de bronze jeta encore quelques branches dans le feu, puis rejoignit Axel ; l'Indien hésita une seconde avant de tourner le dos au Blanc et prit les bûches.

Ils eurent beaucoup de mal à soulever la pierre brûlante. Axel marcha au pas avec son compagnon jusqu'à la hutte. L'homme disparut derrière le rideau. Axel comprit que, s'il entrait de nouveau dans le wigwam, il n'en ressortirait jamais vivant. La pierre était dans l'ouverture. Maintenant ! Axel écarta brutalement les bûches. La pierre tomba avec un bruit sourd en plein milieu de l'entrée, tandis qu'Axel contournait la hutte en courant.

Le tambour s'arrêta et un concert de cris frénétiques éclata dans l'air nocturne. Fonce ! hurlait son esprit. La pierre ne les retiendrait pas longtemps enfermés.

Les ours regardèrent la créature s'éloigner brusquement du monticule. Il leur semblait que leur patience allait enfin être récompensée.

Axel n'entendit pas les grognements. Il se concentrait exclusivement sur les Ottawas qui avaient franchi l'obstacle formé par la pierre et se lançaient à sa poursuite. Les ours se figèrent avant de bondir, mais ils hésitaient car les odeurs multiples rendaient leurs pensées confuses.

Axel ne remarqua pas la forme basse et noire. Mais il sentit le contact de la fourrure soyeuse contre ses jambes, quand il culbuta par-dessus la bête et heurta violemment le sol. Sans se préoccuper de l'homme, l'ours gardait les yeux rivés sur le monticule et se dressa sur ses pattes arrière. Les autres ours firent de même. C'est alors qu'Axel aperçut les innombrables formes noires. Il bondit sur ses pieds ; une sorte de décharge d'énergie et de frayeur le propulsa dans les bois, alors que des cris terrifiés éclataient derrière lui. Le bruit devint assourdissant quand les ours, pris de folie destructrice, chargèrent vers la clairière.

Cédant autant à la peur qu'à une poussée latérale, Tabasash interrompit sa course pour se jeter à terre. Paralysé par l'horreur, il vit les bêtes furieuses qui l'entouraient. Il parvint pourtant à ramper sur quelques mètres pour échapper au carnage.

Derrière lui, il entendit un cri : « Retournez à la hutte ! » Mais il ne pouvait plus. Sa retraite était coupée par les ours. Il se remit sur pied et commença à courir. Le vacarme de la tuerie diminua peu à peu.

Axel courait dans l'obscurité presque complète. Les obstacles cachés dans les ténèbres jaillissaient soudain devant ses yeux. Mais il ne ralentit pas sa course zigzaguante ; ses muscles se contractaient sous sa peau tendue. Ses poumons aspiraient l'air froid dans sa poitrine oppressée. Une sensation de fraîcheur réveilla son cœur, puis ses membres. Enfin libéré de l'atmosphère suffocante de la hutte, son esprit commençait à s'éclaircir. Mais il n'avait secoué la chaude somnolence du wigwam que pour connaître la terreur d'une poursuite ; car on le poursuivait ! Axel entendait la forêt exploser derrière lui.

Les hurlements incohérents et paniqués emplissaient les oreilles de Tabasash. Pourtant le vacarme s'estompait ! Il avait réussi à s'échapper. Puis il comprit qu'Axel s'était, lui aussi, échappé. Il courait dans la même direction. Vers les voitures.

Tabasash distinguait la silhouette du fuyard. Il chassa de ses pensées le carnage aux abords de la hutte. Il ne craignait plus pour sa vie. S'il devait se sacrifier, il n'hésiterait pas. Car c'était pour la tribu !

Les pieds nus d'Axel tambourinaient sur le sol de la forêt. La peur insensibilisait la plante de ses pieds. Il ne sentait pas les arêtes aiguës des branches mortes et des brindilles. Sans qu'il s'en aperçût, le sang ruisselait le long de ses jambes.

A travers la douleur, la frayeur et le bruit de ses pas, une pensée se fraya un chemin jusqu'à la conscience d'Axel. Maintenant que la chaleur moite n'oppressait plus son cerveau, cette pensée prenait lentement forme dans son esprit. De quoi s'agissait-il ? La hutte. Une parole entendue dans la hutte. L'ours gagnait du terrain. Il vit les voitures devant lui. Mais l'ours n'était plus qu'à quelques mètres.

Un coup violent s'abattit sur les jambes d'Axel. Il tomba à terre en pivotant vivement pour faire face à son adversaire. Tabasash ! Et non un ours ! Axel tenta de se relever, mais Tabasash fut plus rapide et bondit sur lui. Axel rassembla tout ce qui lui restait de forces et décocha un coup de pied, qui atteignit Tabasash aux testicules. L'Indien hurla et tomba lourdement au sol, les mains serrées sur son entrejambe.

Axel se releva et regarda alentour. Les voitures étaient garées exactement en face de lui. Voyant la Ford de Larry, il courut vers elle et sauta sur le siège du conducteur. C'était sa seule chance. Il fallait absolument que la clef de contact fût sur la direction. Il tâtonna sous le volant. Elle y était ! Au moment où le moteur se mettait lentement en marche, Tabasash ouvrit violemment la portière avant droite. Axel enclencha la marche arrière et enfonça l'accélérateur au plancher. Le moteur rugit, mais la voiture demeura immobile, car son capot était encastré dans le véhicule garé devant elle. Tabasash en profita pour bondir la tête la première sur Axel, au moment où la voiture s'arrachait du pare-choc du camion. Elle fonça en arrière et frotta contre un chêne. Le visage de Tabasash se tordit de douleur ; l'arbre écrasa les jambes de l'Indien et le tira violemment hors de la voiture.

La voiture roulait en marche arrière ; Axel faisait de son mieux pour la guider sur l'étroite piste sinueuse. Il n'y avait aucun emplacement où faire demi-tour et Axel avait mal à la nuque à force de regarder par la vitre arrière. Au sommet d'un monticule, la route obliquait sèchement. Axel tourna brus-quement le volant et, tel un remorqueur faisant machine arrière, la voiture pénétra dans les bois en soulevant des vagues d'écume verte de chaque côté. Refusant de lever le pied, Axel dirigeait la Ford entre les plus gros arbres. L'auto filait à travers les sous-bois ; le pare-choc sectionnait des arbrisseaux qui montaient ensuite sur le capot et le toit. Le temps d'un battement de cœur, les quatre roues de la voiture quittèrent le sol quand elle franchit un talus avant d'atterrir lourdement sur la route, le dessous de la Ford râclant la bosse de terre centrale entre les deux ornières parallèles.

Dans une éclaircie entre les arbres, Axel distingua la lueur fugitive de phares. La grande route n'était plus loin. La forêt se termina abruptement, les pneus crissèrent sur l'as-phalte et il traversa la route de comté 621 avant de s'arrêter sur le gravillon du bas-côté, en face de la piste forestière. Axel passa en première et l'automobile bondit en avant.

L'air froid qui se ruait par la fenêtre glaçait son corps nu. La voiture, dont les phares étaient hors d'usage, semblait avancer dans un tunnel noir. Axel se penchait contre le tableau de bord pour se guider sur la tranchée sombre de la cime des arbres, au-dessus de la route.

Volant à la même vitesse que la Ford, se profilant contre le ciel étoilé, l'angle obtus de la tête d'une lourde chouette fendait l'air. Ses ailes puissantes la propulsaient sans peine. Ses serres crochues pendaient sous elle. Ses yeux écarquillés regardaient vers le sol.

La pensée revint, comme pour le narguer. Que disaient-ils donc ? Quelque chose qu'il avait déjà entendu. *Le magicien noir du Sud.* Les Indiens n'avaient cessé de répéter ces mots. Ils signifiaient sûrement quelque chose, mais quoi ? Il avait besoin de se détendre et de mettre un peu d'ordre dans son esprit.

Tandis que l'auto aveugle roulait sur la grande route vers la maison en forme de L, les mots « *du sud* » s'attardaient dans la tête d'Axel.

32.

La chaleur semblait redoubler d'intensité. Le sang coulait à flots. Les gémissements des mourants avaient remplacé les incantations frénétiques adressées au manitou de l'ours noir. Les rescapés du carnage soignaient les blessés, tandis que Larry restait recroquevillé près de la fosse, inconscient.

« Nous sommes en sécurité à l'intérieur, il n'y a pas de danger ; ils n'entreront pas », dit John Shigwam.

« Ils peuvent très bien venir jusqu'ici. Les murs sont fins comme du papier. » Oliver Reedwhistle[1] avait d'abord refusé catégoriquement d'aller au wigwam de feu, mais son frère avait fini par le convaincre. Et maintenant, son frère gisait, mort, dans la clairière.

« Je te dis qu'ils n'entreront pas. Tant que Gitche Muhquh sera avec nous. Shawonabe craint de perdre son contrôle sur les ours. »

« Mais il est sûrement plus puissant que les manitous ! »

« Non. Sinon ils auraient attaqué plus tôt, quand nous étions tous à l'intérieur. Ç'aurait été beaucoup plus facile pour eux. »

Surmontant une paire de pommettes saillantes, deux yeux écarquillés regardaient Shigwam. Reedwhistle ne dit rien. La peur le paralysait.

« Maintenant, comptons-nous », fit Shigwam en tournant le dos à l'Indien qui se blottissait à terre.

« Père ? Père ? Tu es là ? » Paul Tabasash se dressa sur ses coudes. Du sang coulait de sa joue et maculait sa poitrine. « Ils ont eu mon père ! Il est dehors ! » s'écria-t-il en se levant péniblement.

Shigwam arrêta Tabasash et l'obligea doucement à s'asseoir sur la terre meuble. « Ton père est parti, Paul », lui dit-il calmement. « Il est mort. Nous ne pouvons rien pour lui, maintenant. Tu dois penser à ton propre salut. »

---

1. Littéralement : Sifflet en jonc. (*N.D.T.*)

« Non... » gémit-il.

« J'en compte vingt-six », dit un homme.

Shigwam se leva lentement. « Bien. Il y a moins de victimes que je ne pensais. Tout ira bien tant que nous resterons dans le wigwam. »

Comme pour exprimer son désaccord, un rugissement guttural explosa aux abords de la hutte. Les hommes se figèrent, toutes les têtes se tournèrent vers la petite ouverture de la porte.

L'ours observait le trou noir. Ses dents brillèrent à la lueur du feu quand il ouvrit largement sa gueule caverneuse. L'épaisse fourrure qui couvrait son museau était poisseuse de sang. Il poussa un grognement furieux. Les autres formes noires et trapues s'approchèrent alors du monticule couvert d'écorce qui se dressait au centre de la clairière.

Un peu en retrait, la femme allait et venait entre les cadavres. Elle s'arrêtait quelques instants auprès de chacun, le temps de se pencher au-dessus de sa tête. Comme elle allait de l'un à l'autre, sa respiration parut s'accélérer ; les visages lui étaient familiers. Son cœur battit plus vite. Elle se pencha sur un cadavre. Les mâchoires s'ouvrirent facilement et les doigts de la femme saisirent l'appendice de chair molle. La lame aiguisée fit une entaille nette et la langue se détacha. Mais la femme recula soudain, l'esprit en déroute. Au plus profond d'elle-même, quelque chose lui criait d'arrêter. Le couteau glissa à terre. Elle fut prise de faiblesse, faillit s'évanouir. Des humeurs visqueuses humectaient ses doigts. Celles que perdaient les langues. « Oohh », se lamenta-t-elle.

Puis son corps se calma lentement. Ses muscles retrouvèrent leur énergie, son souffle se fit plus régulier ; son visage s'apaisa. Elle ouvrit le sac en daim et y glissa la langue. Ensuite, elle ramassa le couteau tombé à terre. L'intuition terrifiante avait disparu ; le souvenir évanescent était retourné à l'oubli.

Axel se laissa tomber dans les coussins moelleux du divan. Des contractions nerveuses faisaient palpiter les muscles douloureux de ses jambes. Il avait une migraine épouvantable, mais il savait qu'il devait résister au sommeil. Il fallait faire quelque chose pour Larry, pour tous les hommes enfermés dans le wigwam. Et il se sentait capable de découvrir l'emplacement de la tombe de Shawonabe.

Le magicien noir du Sud. Pourquoi les Ottawas lui avaient-ils donné ce nom ? C'était un Mush Qua Tah et les membres de cette tribu avaient côtoyé les Ottawas. Le nom véhiculait sûrement une autre signification, mais son esprit ne décelait aucune logique en toute cette affaire. Peut-être les autres avaient-ils raison, après tout. Peut-être était-ce impossible. Quand il recherchait les chants sacrés dans la bibliothèque, il était en terrain connu. Mais maintenant il se trouvait confronté à un problème quasiment insoluble. Il avait un handicap majeur : il n'était pas Ottawa ! Comment pourrait-il, lui, un Blanc, décrypter le sens du surnom de Shawonabe ? Il comprit qu'il avait besoin d'aide, de l'aide d'un homme élevé dans la tradition Ottawa. Et Larry avait besoin de son aide.

Il tendit le bras vers le téléphone et composa fébrilement un numéro. Le récepteur sonna tranquillement à l'oreille d'Axel. Entre deux sonneries, le silence s'éternisait. Axel ne pouvait entendre le vieillard s'approcher lentement du combiné. Il ne pouvait le voir trébucher sur le tabouret dans la pièce plongée dans les ténèbres. Il ne pouvait le voir tâtonner à la recherche du récepteur. A la huitième sonnerie, il sentit la défaite s'abattre sur lui. Ses doigts se desserrèrent sur la bakélite noire.

« Allô ? »

« Enfin ! »

« Axel ? Que se passe-t-il ? » demanda Charley Wolf.

« Il y a eu un drame à la hutte », dit-il d'une voix hachée. « Les ours ont attaqué. »

Charley Wolf écouta silencieusement les explications d'Axel. Quand il eut terminé, le vieil Indien dit simplement : « Mais avez-vous appris quelque chose ? »

« Je vous répète que Larry est toujours là-bas. Nous devons rassembler des hommes et y retourner. Peut-être le shérif... »

« Non », trancha Charley Wolf d'une voix ferme. « Ça ne fera qu'envenimer les choses. Vous devez célébrer la Fête des

Morts. C'est le seul moyen d'aider ceux qui sont dans la forêt, le seul moyen de sauver Larry, s'il est... »

Axel comprit. « Le magicien noir du Sud. Plusieurs fois, ils ont donné ce nom à Shawonabe. Que signifie-t-il ? »

« Pourquoi ? Vous croyez que c'est important ? »

« J'ai l'impression, bien que je ne sache encore pas pourquoi. »

« Je suis désolé, Axel, mais je ne crois pas pouvoir vous aider beaucoup. C'est simplement son nom. »

« Son nom ? Je ne comprends pas. »

« Shawon — abe », dit-il en séparant nettement le nom en deux. « En Ottawa, cela signifie " l'homme du Sud ". »

Aussitôt, Axel se sentit parcouru d'un frisson d'excitation. « Pourtant, il était Mush Qua Tah, n'est-ce pas ? »

« Il était Mush Qua Tah de la même façon qu'un peu plus tard, il devint Ottawa. Leur tribu l'avait adopté, exactement comme la nôtre l'adopta ensuite. »

« Mais d'où venait-il ? »

« Je ne sais rien de plus que ceci : un jour, il est apparu au village des Mush Qua Tah, après un long voyage solitaire. Il venait du Sud. Sachant cela, quand les Ottawas l'adoptèrent dans leur tribu en tant que seul survivant du massacre des Mush Qua Tah, ils le nommèrent Shawonabe. »

Axel sentait ses idées s'organiser lentement. Sa mémoire était à la recherche d'une piste.

« Mais de quelle tribu était-il originaire ? La légende en parle-t-elle ? »

« Peut-être, mais je n'en sais rien. Je ne pense pas que quiconque y ait jamais attaché beaucoup d'importance. A mon avis, il est probablement Potawatomi. C'est la seule tribu vivant au sud des Ottawas et au bord du lac Michigan. »

Le puzzle prit soudain forme : c'était quelque chose qu'il avait lu. « Aurait-il pu venir d'encore plus au sud ? D'une région située sous le territoire des Potawatomi ? »

Charley Wolf réfléchit. « C'est possible, mais cela aurait représenté un très long voyage à pied. »

« Mais c'est possible ? Il aurait pu accomplir ce voyage ? »

« Oui. »

« Il aurait pu monter des terres boisées du nord de l'Indiana et de l'Illinois ? »

« Tout à fait. Ou même de plus loin encore. Qui sait par combien de tribus il fut adopté. »

Un motif se dégageait peu à peu. Axel avait besoin de penser, d'organiser tous ces éléments disparates.

« Une minute », fit Charley Wolf. « Quelles conclusions en tirez-vous ? »

« Je ne sais pas encore. Peut-être aucune. Je vous rappellerai plus tard. »

Les ours s'approchaient au fur et à mesure que les flammes diminuaient. Mais ils n'osaient pas pénétrer dans le monticule, d'où sortaient continuellement des geignements et des cris plaintifs. Les gémissements des blessés constituaient pour eux une menace pleine de tristesse. « Nous devons nous débarrasser de ces pierres », haleta Reedwhistle. Ses yeux étaient mi-clos et son corps ruisselait d'une sueur grisâtre.

« Non, il ne faut pas », objecta une voix. « Le Muhquh Manitou constitue notre seule protection maintenant. Si nous cherchons notre confort avant tout, le grand esprit renoncera à nous sauver. »

« Regarde le sort que nous a réservé ton grand esprit. Tu crois vraiment qu'il se soucie de nous ? Songe à Tabasash et à mon frère, qui gisent dehors, déchiquetés par les ours. Tu trouves qu'il les a protégés efficacement ? »

A l'exception des cris des mourants, la hutte resta silencieuse. Les grondements des animaux autour de la hutte tendaient l'atmosphère. Comme ses questions demeuraient sans réponse, Reedwhistle rampa vers la fosse et saisit un des bâtons calcinés, qu'il souleva.

Shigwam sortit aussitôt de sa somnolence. Il bondit sur ses pieds et sauta sur le bâton, qui retomba à terre en coinçant les doigts frêles de Reedwhistle.

« Moi, je ne prétends pas connaître tout ce que connaissaient nos ancêtres », déclara Shigwam en maintenant Reedwhistle à terre. « Tout ce que je sais, c'est que les ours restent dehors. Ils n'osent pas entrer. Par conséquent, je ne vois aucune raison de modifier un élément de la situation. »

« Mais cette chaleur... » plaida Reedwhistle.

L'argument n'entama en rien la détermination de Shigwam. Peu à peu, les hommes sombrèrent de nouveau. Le temps d'une confrontation, ils avaient oublié la chaleur suffocante, mais maintenant, ils payaient le prix de ce court répit. Ils sentaient la chaleur envelopper leur corps et étreindre comme dans un étau leurs poumons défaillants.

De l'autre côté de la paroi isolante, la femme se tourna brusquement vers la forêt. Un décor jadis familier jaillit tout à coup devant ses yeux. Son territoire. Une créature se déplaçait dans l'ombre. Elle sentit une impulsion irrésistible s'emparer de ses muscles. Elle commença à s'éloigner de la clairière, en direction du sud.

Quatre formes noires s'ébranlèrent à sa suite. Il y avait une autre proie dans l'Arbre Crochu.

Axel arpentait la pièce en se concentrant sur les pièces du puzzle. Il désirait y croire, sans trop comprendre comment cela avait pu être possible. D'un autre côté, son hypothèse se tenait. Une prison, qui durerait aussi longtemps que durerait la terre. Conçue selon les coutumes de son peuple. Un édifice bien visible — servant d'avertissement à tous les imprudents.

Les tribus étaient cependant tellement éloignées l'une de l'autre. Elles vivaient dans des univers totalement différents. Comment les Ottawas avaient-ils bien pu entendre parler de cette coutume et — plus improbable encore — maîtriser les techniques nécessaires ? Cette question demeurant sans réponse, Axel se concentra pour se souvenir du reste du passage, mais en vain. Durant ses recherches, il avait parcouru de nombreux livres, lu d'innombrables pages.

D'innombrables pages. D'autres livres. Une pensée prit lentement forme dans son esprit. Axel s'immobilisa. Qu'avait-il donc lu ? Ailleurs. A l'Université du Michigan. De même que les rites funéraires des tribus habitant les forêts de l'Indiana et de l'Illinois, cela lui avait semblé dépourvu d'intérêt. Pourtant, cet élément fournissait la clef de l'énigme : le pan-indianisme ! Il eut une soudaine illumination. Les Trois Feux ! C'était une époque d'intense brassage culturel, les tribus nouaient d'étroits contacts. Les marchands de fourrures permettaient aux Indiens de confronter leurs rites, leurs croyances et leurs légendes. Les Ottawas avaient peut-être connu — non, ils *devaient* avoir connu — les coutumes essentielles de leurs voisins. *Ils devaient avoir eu vent du rite pratiqué par les tribus de l'intérieur, consistant à élever un tertre portant une effigie, au-dessus du cadavre.*

Cela tombait sous le sens. On avait enterré Shawonabe, l'homme du Sud, selon les rites de sa tribu, sous un tertre ayant forme animale. Telle avait dû être sa prison, la prison renfermant son âme. Qui devenait du même coup un signe bien visible destiné à éloigner les Indiens.

Mais la joie de la découverte disparut bientôt ; Axel n'était pas au bout de ses peines : il fallait maintenant retrouver la tombe, l'effigie du tertre.

Reedwhistle s'appuyait inconfortablement contre la paroi incurvée. Il avait espéré trouver un peu de fraîcheur à côté de l'étroite ouverture, mais l'air moite formait une barrière infranchissable et la sueur continuait de dégouliner sur sa peau.

La chaleur pénétrait sous son crâne et dissolvait ses pensées en un magma informe. La terreur des ours disparut de sa conscience ; il cessa d'entendre leurs grognements. La chaleur étouffante devint sa seule obsession. Il lui semblait voir l'intérieur de la hutte à travers une pellicule vaguement translucide. Dehors, il faisait frais. Il était si près de la porte. Elle était ouverte. Il pourrait la franchir en rampant. Ce serait tellement bon. Les membres engourdis, Reedwhistle roula sur le ventre et commença à se traîner vers l'ouverture.

La femme marchait à grandes enjambées dans l'obscurité. Comme si un instinct la guidait, elle évitait les obstacles invisibles. Devant elle, les quatre ours, conscients de sa faiblesse, réglaient leur allure sur celle de la femme.

Les quatre bêtes et leur compagne s'engagèrent en file indienne dans la forêt ; la lueur provenant de la clairière s'estompa. Les cinq créatures avançaient avec détermination. L'un des animaux s'était échappé. Mais il n'était pas encore hors de portée.

Axel s'était assis dans la cuisine ; ses doigts tambourinaient sur la table. Les yeux fixés sur la liturgie sacrée d'Ogochin Atisken écrite sur la feuille jaune dépliée devant lui, il réfléchissait à la dernière énigme, peut-être insoluble, de la tombe de Shawonabe.

Le fac-similé en terre et horizontal d'un animal devrait être immédiatement visible. L'effigie du tertre — *pour autant qu'elle existait* — avait dû être découverte voici des années. Lui-même avait dû la voir, se dit Axel, si elle était dans les environs.

Conscient d'un doute, Axel se leva vivement et marcha de long en large dans la pièce commune. Les morceaux du puzzle ne s'imbriquaient que si le tertre existait. Du Sud. Les tribus de l'intérieur. Le pan-indianisme. Une prison. Un signe bien visible. Le tertre devait exister ! La conclusion semblait on ne peut plus logique. Mais où ? La question hantait chacune de ses pensées. Ses pas l'avaient conduit dans la pièce de devant. Calme-toi. Détends-toi, se dit-il.

Axel se tenait debout, immobile, au centre du salon. Il étudiait d'un air absent les motifs du tapis. Le monticule a certainement été usé, songea-t-il. Les années ont dû le cacher sous la végétation. Ou l'éroder au point de le ramener au niveau du sol. Mais peut-être était-ce l'énormité de sa taille qui le dissimulait aux regards ? Peut-être sa forme générale était-elle indiscernable, précisément à cause de ses dimensions gigantesques ! Un frisson inexplicable fit trembler Axel de la tête aux pieds. Comme une masse monstrueuse dégringolant au bas d'un escalier, le doute s'empara de son esprit. Mais à chaque rebond, il se sentait plus près de toucher au but.

Vu d'un certain angle, un tertre en forme d'animal devait ressembler à une formation géologique ordinaire. Impossible d'en reconnaître le motif général. Axel essaya de se le représenter. Un léger ressaut de terrain. Une plate-forme de terre s'enfonçant dans les bois. Mon Dieu ! La plate-forme ?

Axel se précipita vers la fenêtre donnant sur l'avant de la maison. Dans l'obscurité, baignée dans la faible lueur venant des fenêtres, il voyait l'ombre du ressaut, une bande noire qui occupait tout son champ de vision. Pétrifié, en proie à une terreur sans nom, il la regardait. Cela paraissait trop invraisemblable. Impossible, se dit-il. Mais le rebord de la plate-forme était sous ses yeux ; le chemin privé de la villa le gravissait sans heurt avant d'aboutir au garage. Trois marches on ne peut plus banales permettaient de franchir la déclivité. Axel se vit soudain en train de creuser au flanc de la plate-forme pour construire les trois marches. Cette tâche lui avait alors paru tellement futile...

Reprenant ses esprits, Axel se rua vers la porte, puis sur la plate-forme. Il tomba à genoux sur le rebord du ressaut de terrain. Puis il caressa avec respect les fragiles touffes d'herbe qui poussaient dessus. Un travail colossal, réfléchit-il. Mais le but justifiait tous les efforts. Saisi par la fraîcheur de la nuit ou en proie à l'excitation de sa découverte, Axel se mit à trembler. Maintenant, il savait ce qu'il devait faire. Il approchait de la dernière étape, de l'accomplissement du rite. Celui-ci libérerait Janis de l'univers où elle avait pénétré, il la lui rendrait. Pourtant, il avait peur. Il avait peur de ce qu'il allait trouver quand il commencerait à creuser. Axel se releva, puis suivit des yeux le rebord de la plate-forme qui s'enfonçait dans les bois et se perdait dans les ténèbres. Elle doit être énorme, se dit-il, couvrir d'innombrables mètres carrés. Il se souvint clairement du passage. Il trouverait le cadavre de Shawonabe à l'emplacement du cœur, le centre vital de l'effigie.

Il fit un pas en avant, mais s'immobilisa en touchant la marche. Il regarda sa maison, fièrement dressée au sommet du monticule. Son apparence s'était modifiée ; Axel y vit un présage de mauvais augure. Elle n'était plus maintenant qu'une greffe sur le passé, un affront inconscient aux croyances ingénues d'un peuple. Axel dut faire appel à toute sa volonté pour gravir cette plate-forme qu'il avait auparavant si souvent foulée sans la moindre hésitation. Voilà presque un an qu'ils vivaient au-dessus de la tombe de Shawonabe ! C'était à peine croyable.

Une fois dans la maison, Axel alla droit vers son bureau, fourragea sur sa table, pour finalement s'emparer d'un bloc de papier quadrillé et d'un crayon. Puis, après avoir pris une lampe-torche dans la cuisine, il ressortit. En quelques longues enjambées, il fut à la base de la plate-forme. Ensuite, il fit deux pas en regardant la maison. Près du rebord gauche de la feuille, il traça un court trait vertical au milieu d'un carreau. Puis il fit deux autres pas et s'arrêta pour prolonger le trait d'un autre carreau. Quelques minutes plus tard, il pénétra dans les fourrés qui entouraient la cour. Le trait couvrait maintenant plusieurs carreaux. Axel se retourna pour diriger le puissant faisceau de lumière le long de la plate-forme, vers l'escalier. Le ressaut de terrain était uniformément éclairé par la torche. Il dessinait une ligne droite. Axel n'avait manqué aucune courbe, aussi légère fût-elle. Se retournant vers les bois, il fit deux autres pas.

Reedwhistle rampait vers la porte. Il savait que la chaleur allait le tuer. Il devait sortir à tout prix, aspirer de l'air frais. Mais il était à bout de forces, ses muscles refusaient de bouger. Son cou ne parvenait même plus à soutenir sa tête. Son visage tomba dans la poussière. Son corps se convulsa, anéanti.

L'air brûlant emplissait ses poumons comme du métal fondu. Sa poitrine se soulevait péniblement à chaque inspiration. La chaleur! Il avait l'impression de rôtir vivant. Tremblant de tous ses membres, il s'éleva à quelques centimètres du sol. Au bord de l'évanouissement, il réussit pourtant à avancer légèrement. Dehors, il voyait les fougères, les arbres. Ils oscillaient doucement dans la brise. La brise! Son seul espoir. Ses yeux ne voyaient que la fin de son martyr. Ils ne distinguaient pas les formes noires, les yeux brillants, les dents éclatantes. Sa tête était à l'extérieur. Encore un petit effort. L'air gifla sa peau nue. Il allait y arriver! Ses oreilles étaient sourdes, mais il sentait ses forces revenir. Ses tortures étaient terminées.

« Arrêtez-le! » La voix de Shigwam tonna dans la hutte. Mais personne ne bougea. Shigwam vacilla jusqu'à la porte et saisit les chevilles de Reedwhistle. Il sentit d'abord une faible résistance. Puis un grognement explosa et Shigwam vit les pieds de Reedwhistle lui sauter des mains avant de disparaître par l'ouverture. Shigwam s'écarta vivement de la porte, les yeux écarquillés d'horreur. Il entendit le bruit sourd d'un déchirement, comme d'un torchon humide fendu en deux.

Puis un craquement sinistre l'obligea à porter les mains à ses oreilles. Mais il entendait toujours. Il entendait les bêtes déchiqueter le cadavre de l'Indien. Il saisit sa tête à deux mains, mais le bruit s'infiltrait encore dans son crâne. C'en était trop. Shigwam s'écroula.

Les pattes des ours martelaient le sol de la forêt. La femme se trouvait isolée de plus en plus loin derrière. Mais elle approchait de son territoire. Elle ne risquait pas de se perdre. Et les ours comprenaient qu'ils devaient se hâter. Ils ne pouvaient pas sentir l'animal ; pourtant, ils savaient qu'il avait quitté son abri. Le tuer serait tâche facile.

De deux pas en deux pas, Axel progressait lentement dans la végétation touffue. Tous les dix pas, il faisait halte pour diriger le faisceau de sa lampe derrière lui, afin de s'assurer de l'exactitude de son relevé.

En haut et à gauche du quadrillage de la feuille de papier, une ligne prenait forme, s'incurvant graduellement jusqu'à faire un angle droit avec sa direction initiale. A partir du milieu de la page, la ligne s'étendait sur trente carreaux, et obliquait vers l'est pour les dix derniers. Axel suivit la plate-forme, dont le rebord se courbait doucement avant de faire un angle abrupt vers le sud. Sur le papier quadrillé, la ligne verticale correspondante se trouvait en haut et à droite de la feuille. Axel s'arrêta pour compter les carreaux de gauche à droite. Il y en avait trente-cinq. Cent soixante-quinze pas environ. Un instant il regarda la forme qui commençait à se dessiner, puis dirigea le faisceau de sa lampe devant lui. Il anticipait un prochain virage vers l'ouest. Mais sous les fougères, les contours du sol étaient difficilement visibles.

Après huit autres carreaux seulement — treize mètres environ — le ressaut obliqua vers la droite. Axel reporta soigneusement sur la feuille le changement de direction. En haut de la page, sur onze autres carreaux, la ligne revint en arrière, avant que le ressaut ne modifie une nouvelle fois sa course, vers le sud. Axel observa la feuille. Les pattes arrière étaient terminées.

Un peu plus loin, à travers une entaille de fougères brisées, on distinguait les contours du tertre. On comprenait aisément pourquoi il n'avait jamais remarqué la forme du monticule, dissimulé sous la végétation pendant deux siècles. A de rares exceptions près, les sous-bois le camouflaient intégralement. Mais il était là ! Avec une effigie au moins aussi grande que celles construites dans le Sud.

Comme il se dirigeait de nouveau vers l'est pour suivre l'intérieur des pattes avant, une excitation soudaine s'empara de lui et il dut se contraindre à ne pas marcher plus vite. Il fallait que le diagramme fût aussi précis que possible. A cette échelle, le cœur risquait fort de couvrir plusieurs pieds carrés.

Devant lui, il brisait les fougères à coups de pied, quand il se sentit soudain tomber en avant dans une dépression. Il retrouva son équilibre à temps et dirigea sa lampe vers le trou. Une fondrière bourbeuse traversait la plate-forme. Des empreintes de pieds, identiques à celles qu'il avait vues avec Snyder et Orson, cinq jours auparavant. L'ornière avait sûrement été creusée par plusieurs siècles d'érosion due à la pluie. Il poursuivit sa progression.

Il sentit quelque chose dans ses cheveux. Des fougères séchées liées ensemble pendaient d'une branche. Axel examina les environs avec sa torche. Le piège était fermé ! Les ours étaient donc revenus dans les parages. Secouant une terreur grandissante, Axel continua. Alors qu'il approchait de la poitrine de l'effigie, le ululement d'une chouette déchira le silence au-dessus de sa tête.

Un hurlement s'échappa de leurs têtes massives. Les ours ne sentaient rien, ne voyaient rien, mais pressentaient l'imminence d'un danger mortel, une menace de défaite implacable. Pourtant, aucun signe extérieur tangible de cette menace ne se manifestait. Mais elle était réelle et les obligeait à accélérer leur allure. La forêt résonnait de leur charge désespérée.

La femme ne pouvait plus entendre les ours devant elle. Mais elle ressentait la même urgence, la même peur. Elle savait qu'en dehors des ours, il n'y avait qu'un seul animal devant elle. Ils ne couraient donc aucun risque ; pourtant elle aussi se sentait menacée. Ses pieds nus marchèrent plus vite. Elle ne remarquait pas les branches tranchantes et les pierres qui entamaient la plante de ses pieds. Son corps vacillait au bord d'un complet épuisement, mais une force sans merci fouettait ce qui lui restait d'énergie. Le sentiment d'un danger inconnu la propulsait derrière les ours.

La plate-forme émergeait des bois. Puis elle s'inclinait légèrement, aplanie par le chemin privé de la villa. Axel traversa la cour d'un pas rapide, sans plus faire attention aux sinuosités du ressaut de terrain. Car il savait où le diagramme se terminerait : devant sa maison, à côté des marches, à l'endroit précis où il avait commencé son relevé. Il acheva son dessin et la forme de l'effigie apparut clairement.

Le faisceau éblouissant de la lampe jaillit sur la feuille de papier blanc. Axel eut le souffle coupé. Depuis quelques minutes déjà, il savait à quoi s'attendre, mais les contours du dessin l'emplirent de terreur. Reportée sur le papier quadrillé, il voyait l'exacte reproduction du tumulus de terre qui entourait sa maison. On ne pouvait s'y tromper, le tumulus avait la forme d'un ours noir. La tombe de Shawonabe. Une effigie qui, depuis plus de deux siècles, avait enfermé ses maléfices dans son cadavre putrescent. Jamais l'ingéniosité humaine n'avait conçu prison plus sûre. Mais le tertre avait perdu son pouvoir protecteur quand Janis était venue s'installer à côté de la tombe du magicien noir, et qu'à son corps défendant, elle avait fourni à Shawonabe le moyen de s'évader de sa prison.

Axel scruta les ténèbres. Il devait se hâter, car les ours s'approchaient peut-être de la maison. Il se rua par la porte d'entrée et se mit à fouiller dans les manuels de zoologie de Janis. Il sortit un gros volume d'une étagère. *Anatomie des Mammifères.* Il en fit tourner les pages jusqu'à rencontrer une série de dessins d'animaux, chacun recouvert de plusieurs plastiques transparents. Chaque planche plastique ajoutait aux précédentes de nouveaux organes internes. Le coyote. Le cerf. L'élan. L'ours ! Il fit pivoter le livre de quatre-vingt-dix degrés, puis le posa sur la table. Il plaça à côté de lui le diagramme de l'effigie du tertre. Le cœur se situait au même niveau que le bas du cou de l'ours, à la verticale des pattes avant, protégé entre ses puissantes épaules. Axel détermina soigneusement l'emplacement exact du cœur sur son diagramme, puis dessina la forme d'un cœur. Il creuserait au centre. Il tomberait immanquablement sur les ossements de Shawonabe !

Axel se précipita ensuite au garage et prit une pelle à long manche sur un ratelier fixé au mur. Sa hache était juste en dessous, appuyée contre le bois nu. Il traversa la cuisine en trombe avec les outils, attrapa la feuille de papier jaune sur la table et la glissa dans le bloc de papier quadrillé.

La baie vitrée donnant sur l'arrière glissa sur ses rails avec un grincement sourd. Une fois dehors, Axel se dirigea vers le cœur de l'ours. Il ne pensait qu'au rituel qu'il allait célébrer et ne perçut rien du tumulte grandissant qui secouait la forêt.

Les ours distinguaient une lueur à travers les arbres. Ils se ruaient vers elle, écrasant les sous-bois sous leurs pattes puissantes. Une odeur se précisa sans leurs narines, l'odeur de l'animal solitaire. Ses effluves trahissaient son éloignement de la structure géométrique.

L'excitation rendait Axel sourd et aveugle. Il traversa le jardin oublié. Mais leur approche ne pouvait plus passer inaperçue. Mon Dieu ! Axel se tourna brusquement vers la gauche. Les bruits de buissons et de fougères piétinés signalaient l'approche des bêtes. Lâchant la pelle, il courut vers la maison. Elle n'était qu'à quelques mètres de lui. Mais les ours franchissaient déjà la ligne de fougères qui délimitait son terrain au nord. Une forme noire sortit à découvert. Puis une autre. Axel trébucha sur une marche et s'écroula sur le linoléum ; sa hache tomba lourdement à côté de lui. La bête de tête monta sur la dalle de ciment. Axel se rua sur la porte, qu'il claqua, mais ce n'était que du verre. Les griffes effilées comme des dagues la feraient voler en éclats en un rien de temps. Axel se releva et fut glacé d'horreur : sous ses yeux, au seuil même de la maison, un tueur à la tête grimaçante bavait de rage.

33.

L'orage s'était formé au-dessus du Canada et avait amassé de l'humidité en traversant le lac Supérieur, puis le lac Michigan. Le front nuageux venait de toucher la côte ; le vent pénétrait par rafales dans les terres.

La tempête monte progressivement à l'assaut d'une forêt. Les cimes des pins qui émergent des frondaisons s'inclinent comme pour échapper à son approche. Puis les branches maîtresses des chênes commencent à se balancer par vagues sans cesse grossissantes. Au sol, le vent s'infiltre peu à peu à travers la voûte des arbres et fait ployer de façon inélégante les élégantes fougères.

Alors que les premiers coups de vent filaient loin en avant, la brise enveloppa le corps nu de la femme. L'épuisement physique avait couvert sa peau de traînées moites. Le vent la glaça. Mais elle touchait quasiment au but.

La forêt touffue s'arrêtait brusquement. Sans ralentir son allure, elle avança dans la clairière située derrière la structure géométrique. Elle vit les ours charger en direction de la maison, puis s'arrêter et battre en retraite, dressés sur leurs pattes arrière, rugissant de rage. La femme s'approcha à pas lents. Pour la première fois depuis le début de leur association, les animaux lui semblèrent étrangers. Et cette maison. Elle la connaissait. Elle était sur son territoire.

Les mains d'Axel se crispèrent sur le manche de la lourde hache, tandis que son regard traversait la barrière transparente qui le séparait des ours. La table de la cuisine, retournée, était coincée contre la porte vitrée. Ils auraient du mal à passer par là, ce qui lui accordait quelques instants de répit.

L'un des ours chargea et percuta la paroi vitrée. Le verre se déforma légèrement vers l'intérieur. Axel brandit la hache à hauteur d'épaule, mais l'ours recula en poussant un grognement assourdissant. Fasciné, Axel plongea le regard dans sa gueule caverneuse et vit ses crocs semblables à des poignards d'acier. La lumière se réfléchissait dans les yeux de la bête sauvage. Ils brillaient comme des braises rougeoyantes parmi la cendre grise. Incapable d'en supporter la vue, il se détourna. Mais ces yeux ! L'image du regard mortel de l'animal resterait à jamais gravée dans sa mémoire.

Il entendait un bruissement contre la vitre. Les ours se calmaient. Ils entraient dans la maison ! Les dents serrées, il leva sa hache. Janis ! Son visage était à quelques centimètres du panneau de verre. « Janis ! » hurla-t-il. Etonnée, elle regarda dans la maison.

C'était sa femme. Sans être vraiment elle. Son regard était vide, son expression à peine humaine. Ses lèvres gercées étaient retroussées en un grondement silencieux. Emacié par la vie sauvage et couvert de piqûres d'insectes, son corps nu semblait demander grâce. Une longue plaie zébrait son épaule gauche. Ses cheveux emmêlés ressemblaient à la fourrure hirsute des ours noirs.

Axel s'approcha de la porte. Il vit les ours tranquillement assemblés à quelques pas derrière Janis. Il savait qu'elle agissait de concert avec eux, mais jamais il n'aurait imaginé la voir à la tête des tueurs.

Il suivit la courbe du bras de sa femme jusqu'à la hanche. Le sac en peau de daim pendait dans sa main. Axel sursauta. Juste en dessous du sac se trouvait le bloc de papier quadrillé qui contenait le diagramme de l'effigie du tumulus. Et en son centre, un liquide brûnatre s'écoulait du sac taché.

Réprimant une grimace de dégoût, il tourna les yeux vers ceux de Janis. Ce n'était pas elle qui accomplissait tous ces actes macabres. Elle aussi était une victime, au même titre que les gens tués par les ours ; sans son aide, elle ne pourrait survivre longtemps. L'éclair d'un souvenir passa dans les yeux de la femme. Axel observa les ours. Quelques secondes lui suffiraient pour la tirer à l'intérieur.

Le fer de la hache tinta doucement sur le linoléum. Du pied, Axel repoussa la table loin de la porte. Les ours ahanaient bruyamment. Axel saisit le loquet, tandis que les yeux de Janis suivaient son geste. Elle serait bientôt à ses côtés. Le loquet claqua.

Tout à coup, l'expression de Janis se modifia. La fureur des ours gagna son regard, comme elle se jetait sur la porte, qui glissa de quelques centimètres sur ses rails. Axel sentit un souffle brûlant passer par l'étroite fente, alors qu'il s'arc-boutait pour refermer le lourd panneau de verre. Il le sentit bouger. Encore un effort. Ça y est ! Le loquet claqua de nouveau.

Janis poussa un hurlement inhumain et dressa les bras vers le ciel noir, en proie à la colère et à la frustration. Elle pivota soudain et fit un pas de côté. Les ours ! Axel s'empara du manche en bois de la hache. Un ours chargea ; ses griffes acérées traversèrent la vitre en son milieu. Le verre trembla et des éclats furent pulvérisés dans toute la pièce. La bête entrait !

Axel fit volte-face et se rua dans la chambre à coucher, dont il claqua la porte. Il entendait l'ours remuer dans la cuisine et savait que la porte n'offrait qu'une résistance dérisoire. Elle allait éclater comme un vulgaire panneau de contreplaqué. Gémissant sous l'effort, il cala la lourde commode contre la porte.

Alors qu'il l'adossait à la porte, une patte d'ours s'écrasa contre le bois, qui se fendit et repoussa la commode. Axel s'appuya contre elle de tout son poids. Il avait besoin de la commode de Janis pour caler l'ensemble. La porte résonnait sous les coups furieux de l'ours, tandis qu'Axel se ruait à travers la pièce et traînait l'autre commode vers la porte. Quand elle fut parfaitement ajointée à la première, il ramassa la hache et se mit en devoir de défoncer le plancher sous les pieds de la commode de Janis. Le fer tranchant pénétrait facilement dans les lattes du parquet. Celles-ci craquèrent finalement et le fond de la commode descendit de quatre ou cinq centimètres avant de toucher les lattes brisées. Il était maintenant en sécurité. L'ours comprit rapidement qu'il ne pourrait entrer par la porte et poussa un hurlement de protestation.

Axel s'assit sur le lit pour réfléchir au blocus auquel il était soumis. La lumière du plafonnier jetait des ombres étranges sur la chambre bouleversée. Il entendait des bruits sourds à travers les murs. La maison était remplie d'ours ! Les bêtes allaient de nouveau monter à l'assaut. Les fenêtres avaient beau être loin du sol, les ours étaient peut-être capables de les atteindre. Axel se leva d'un bond. Une forme sombre se déplaçait à la lisière de la lueur émanant de la maison. Un ours. Debout, immobile, Axel tendait l'oreille à mesure que les bruits diminuaient. Il pivota soudain ; ses yeux scrutèrent les recoins de la pièce, inspectèrent les murs, cherchèrent à percer l'obscurité qui régnait au-dehors. Ils étaient là, il en était certain. Venez donc, finissons-en ! criait son esprit. Ses mains tremblaient en se resserrant sur le manche lisse de la hache.

Des bruits de mouvements dans la pièce commune. Une chaise qui tombe. Une lampe électrique qui éclate. C'est alors que le mur parut exploser de fureur. Axel entendit le bois craquer. Son corps frissonna. Il imagina les mâchoires béantes, les crocs effilés. Le plus puissant de tous les animaux vivants ! Le lambris se fendit avec un bruit de tonnerre et le mur s'enfonça vers l'intérieur de la chambre. A chaque coup de boutoir, des ondes de peur parcouraient son cerveau. Il brandit la hache au-dessus de sa tête au moment où le plâtre éclata dans un nuage poudreux. Une patte noire apparut dans un petit trou et il se prépara à frapper. Mais l'ours et le mur disparurent soudain ! Il n'y avait plus de lumière ! On avait coupé le courant. Aveugle, Axel entendait la bête se démener pour élargir le trou. Il balança la hache au jugé ; elle s'écrasa sur le mur en fendant le placoplâtre. Les pupilles d'Axel se dilataient lentement. Une ombre. Il abattit de nouveau sa hache ; cette fois-ci, l'ours hurla de douleur et disparut du trou.

Derrière lui, les vitres explosèrent. Des morceaux de verre éclaboussèrent la pièce et de minuscules fragments piquèrent sa nuque. Un ours agrandissait le trou béant au moment où Axel se précipitait à travers la chambre. Emporté par la vitesse, il frappa de tout son poids la patte avec le tranchant de la hache. L'ours poussa un cri perçant et tomba lourdement sur le sol à l'extérieur. Un morceau de patte gisait sur le plancher de la chambre. Ensuite, Axel essaya de toutes ses forces de libérer la hache encastrée dans le rebord de la fenêtre, quand un bruit ressemblant à des sanglots humains déchira le silence. Son registre suraigu insuffla une terreur mortelle dans l'esprit d'Axel. La hache jaillit soudain du bois et Axel culbuta en arrière sur le lit. Il resta immobile, pour écouter les gémissements plaintifs des animaux. A mesure qu'ils faisaient retraite afin de lécher leurs blessures, les sanglots diminuaient. Mais il y en avait d'autres. Ceux de Janis.

Axel tendait désespérément l'oreille. Il tâchait de repérer des bruits de respiration, des mouvements, n'importe quoi. Mais il n'entendait que le martèlement du sang qui battait à ses tempes et le rendait sourd aux sons qui auraient pu lui parvenir par le trou du mur. Il mit plusieurs minutes à l'entendre, à comprendre l'origine du bruit.

Il s'approcha du trou béant et regarda en direction du son. Celui-ci s'amplifia, seulement interrompu par des sanglots haletants. C'était Janis.

« Axel. » La voix était douce. Innocente. « Axel, aide-moi, je t'en prie... »

Axel regarda par le trou. Il ne distinguait pas le moindre mouvement. Aucune forme trapue. Les sanglots de sa femme allaient droit à son cœur, flottaient dans son cerveau à la manière d'une drogue.

« Axel, je t'en supplie. » Sa voix devenait hystérique. « Ils vont me tuer. Il faut que tu m'aides ! »

« Viens donc me chercher, espèce de salope ! » hurla-t-il. Tout son corps tremblait de rage. « Putain ! Ordure ! »

La voix de velours de Janis se durcit ; elle éclata d'un rire rauque dont les échos résonnèrent à travers la maison.

« Seigneur, rendez-la-moi ! » s'écria-t-il.

« Endors-toi, mon chéri », dit Janis. « Endors-toi, et elle te reviendra. »

Il s'assit lourdement sur le lit en essayant de résister à la voix, mais une force invincible le contraignit à s'allonger. Les yeux grands ouverts, il regardait le plafond blanc.

Allongé sur le lit, ses pieds ballants au-dessus du sol, il ne put empêcher la fatigue de s'abattre sur lui. Alors que les derniers échos du rire sarcastique s'évanouissaient, Axel sentit ses forces l'abandonner.

Debout à côté de la porte fracassée qui donnait sur l'arrière de la maison, Janis courbait l'échine sous le poids de la fatigue. Des éclats de verre avaient déchiré ses pieds nus. Elle avait passé trop de jours et de nuits dans la forêt, sans jamais manger à sa faim. Elle avait besoin de sommeil, mais savait qu'ici, on risquait de la découvrir. Il fallait qu'elle retournât dans les bois ; elle y serait en sécurité.

En boitant, Janis traversa la porte brisée et s'éloigna de la maison. Les deux ours qui montaient la garde sentirent qu'ils devaient la suivre et s'enfoncèrent à sa suite dans les bois.

L'orage éclata au-dessus de la Forêt d'Etat de l'Arbre Crochu. La pluie se déversa en vagues successives, interrompues par des ondées régulières mais modérées. Des rafales de vent intermittentes couchaient la pluie à l'horizontal. Elles s'engouffraient par la fenêtre brisée et répandaient de l'eau dans toute la maison.

Son esprit se calmait au contact de pensées rassurantes. Ses yeux se posaient sur les lèvres de Janis. L'Ours Dormant en toile de fond. Bien qu'il n'entendît pas les paroles de sa femme, leur sens ne lui échappait pas. Le soleil décrivait une courbe régulière dans le ciel bleu. L'eau léchait leurs pieds. Mais sous la couverture protectrice, l'inconfort apparut. Quelque chose piquait son visage. Des moustiques ? Il fit un geste pour les éloigner, mais les picotements persistaient. Des cicatrices irrégulières apparurent sur l'ondulation des dunes. Comme la copie d'un vieux film striée de rayures blanches, le paysage tranquille s'obscurcit. Les rayures occupèrent bientôt toute l'image, qui disparut dans un éclair livide.

Axel ouvrit brusquement les yeux. Une pluie battante tombait sur son front. Il se dressa dans la pièce plongée dans les ténèbres et tâtonna fébrilement autour de lui sur le lit. La hache était à ses côtés. Il la saisit et trébucha dans l'obscurité vers la table de chevet. Le réveil électrique pendait au bout de son fil accroché à la table. Il s'était arrêté à 12 h 30. Il estima avoir dormi quelques heures. A travers le trou, il regarda dans la pièce commune, mais ne vit ni n'entendit quoi que ce soit. Si les ours étaient bel et bien partis, il devait agir rapidement. Il était le seul à pouvoir arrêter Shawonabe.

Il laissa tomber la hache dans la pièce contiguë, avant de se glisser à travers l'étroite ouverture jusqu'à toucher le sol des mains. Il s'accroupit en silence, écouta, mais ne décela aucun mouvement.

Il rampa lentement vers la cuisine, dont il explora le sol jusqu'à ce qu'il eût retrouvé la lampe-torche cabossée. La lentille était fendue, mais la lampe s'alluma immédiatement. Il dirigea son faisceau vers la fenêtre. Aucune forme mouvante n'était en vue, mais il savait qu'il disposait de fort peu de temps.

Il poussa la table retournée hors de son chemin et se faufila par le trou béant de la baie vitrée. Dehors, il retrouva en quelques secondes la carte du monument funéraire. Le dessin exécuté au crayon noir avait beaucoup pâli, mais était encore visible. Il ramassa la pelle au long manche et se hâta en direction de la forêt.

Les feuillages épais le protégeaient de la pluie. Axel arriva à l'endroit où le tumulus s'inclinait et suivit la légère déclivité jusqu'à un coude. Il était arrivé au poitrail de l'animal. Il dirigea le faisceau de sa lampe vers le dessin délavé et compta les carreaux qui le séparaient des contours du cœur. Cinq et demi. Il posa la lampe à terre, orientée plein nord. Il fit onze pas dans la direction du faisceau, puis s'arrêta pour observer le sol devant lui. La terre noire retint longuement son regard, avant qu'il n'enfonçât la pelle dans le sol, à ses pieds.

Axel récupéra la lampe-torche avant de traverser la végétation touffue en direction des pattes avant de l'effigie, légèrement sous le cœur. A l'intersection du faisceau lumineux avec la ligne imaginaire qui le reliait à la pelle, Axel enfonça profondément la hache dans le sol noir. Le centre du cœur de la bête. La tombe de Shawonabe.

Axel courut vers la lampe et l'éteignit. Les ours ne pouvaient être bien loin. Peut-être la pluie les empêchait-elle d'utiliser leur odorat... Alors qu'il déblayait les premières pelletées de terre, il remarqua qu'il transpirait malgré la pluie froide. Il craignait d'affronter un maléfice encore plus terrifiant que les ours.

Une masse spongieuse de feuilles et de brindilles à demi pourries recouvrait le sol proprement dit. Le tranchant de la pelle s'y enfonçait difficilement. Un terreau noir et lourd de pluie constituait les quinze centimètres suivants. Il ne savait pas jusqu'à quelle profondeur il devrait creuser. Sous la mince couche de terreau noir, le sol devenait sablonneux. Des millénaires de glaciations successives avaient broyé le roc. Cette couche était plus légère que la boue épaisse rencontrée en surface, mais elle risquait de s'effondrer. Il devait déjà agrandir le trou. Axel s'immobilisa soudain, la pelle coincée sous son pied. Le sable impliquait encore autre chose. Un bon écoulement des eaux. Cette pensée le fit frissonner. Idéal pour conserver des tissus organiques. Il chassa cette pensée de son esprit, puis se remit à creuser.

Quand il fut enfoncé dans le trou jusqu'à la ceinture, Axel fit une pause. Au-dessus de sa tête, les branches feuillues s'inclinaient à chaque rafale. Grinçant à deux ou trois mètres de lui, un pin à l'écorce écailleuse perdait de petits fragments de bois. Ses branches dépourvues d'aiguilles oscillaient, tels des poignards acérés dirigés vers la peau vulnérable d'Axel. La pelle mordit dans la terre.

A cinq kilomètres de là, Janis poussa un cri. Ses yeux s'agrandirent et sa poitrine se souleva, tandis que l'air s'échappait de ses poumons comme une vapeur brûlante. L'animal était dehors ! Elle sentit l'imminence d'un danger déchirant et se débattit dans les branches entremêlées pour se libérer. Dès qu'elle fut sortie de la minuscule tanière, elle s'élança vers la maison, entraînant les ours à sa suite.

La pelle buta bruyamment contre un obstacle invisible. Axel se laissa tomber à genoux. A quelques centimètres sous le sol sablonneux, il sentit un objet en forme de tube. Il comprit qu'il s'agissait d'une racine et se releva. Comme il était maintenant enfoncé jusqu'au cou dans la fosse, il dut se dresser sur la pointe des pieds pour atteindre la hache. Au fur et à mesure qu'il entaillait le bois, des vibrations se propageaient à travers le sable ; les murs fragiles s'effritèrent davantage.

Au niveau du sol, la fosse faisait deux mètres quarante de long sur un de large. Ses murs s'inclinaient presque imperceptiblement jusqu'à ses pieds, si bien que les dimensions du fond étaient légèrement moindres. Quand il arracha le morceau de racine hors du sol, ses mains sentirent de la boue noire. Comme à la surface. Il s'accroupit au ras du sol ; les parois escarpées le surplombaient de toute leur hauteur. Il se releva brusquement pour mettre la racine de côté, en essayant de ne pas penser à un effondrement possible des murs de la fosse. Mais cette idée était trop terrifiante pour qu'il pût la chasser de son esprit. Au moins, avec les ours, la mort viendrait rapidement. Mais enterré vivant, c'était une mort lente qui l'attendait ; sa bouche ouverte ne chercherait une bouffée d'air que pour s'emplir de terre.

Les ours fonçaient dans la forêt trempée de pluie avec rage et détermination. Leur fourrure luisait, à cause de l'eau qui s'écoulait sur les huiles naturelles sécrétées par leurs corps. Ils étaient encore trop loin pour sentir l'animal, mais ils savaient exactement où il était. Et dans leurs esprits, ce savoir éveillait tantôt la terreur, tantôt la colère et une folie meurtrière. Il fallait l'arrêter coûte que coûte. Les sous-bois craquaient et bruissaient sous leurs pattes puissantes.

La terre alourdie par la pluie s'affaissait. Au fond du trou, Axel s'acharnait avec l'énergie du désespoir. Plus il creusait, plus il pensait qu'il avait peut-être choisi un mauvais emplacement. Son diagramme n'étant qu'approximatif, il pouvait parfaitement passer à quelques dizaines de centimètres de la chambre mortuaire sans s'en apercevoir. D'un autre côté, les dépôts accumulés pendant deux siècles devaient avoir enfoui le cadavre plus profond encore. C'est du moins ce qu'il espérait. Axel peinait ; le terre volait plus haut, plus vite.

Le mur s'effondra, glissa telle une avalanche miniature, s'amoncela en silence autour des pieds d'Axel. L'odeur âcre et suffocante de la terre humide monta vers ses narines. La terre cessa de glisser, mais il ne pouvait plus bouger les pieds ! Axel se courba et griffa frénétiquement le fond de la fosse. Un pied émergea. Puis l'autre. Mais ses doigts déblayaient toujours le sol meuble. Il tomba à genoux, attaquant la terre avec une énergie redoublée. L'image d'un glissement simultané de tous les murs, qui l'ensevelirait et le tuerait certainement, lui passa devant les yeux. Il devait le prendre de vitesse. Plus vite !

Ses ongles rencontrèrent soudain une surface dure. Ses doigts sentaient qu'elle n'était pas plate. C'était comme un visage, mais d'une taille double de la normale. Saisi d'horreur, Axel retira vivement ses mains et saisit la lampe. Un visage grotesque l'observait à travers les vapeurs qui sortaient de la terre. Les orbites des yeux étaient deux trous vides. La bouche dépassait du masque comme le groin d'un animal. Les dents ciselées étaient dénudées en un rictus sinistre. Sans ciller sous la lumière crue, le masque funéraire privé de vie semblait observer Axel d'un air de défi.

Les ongles noirs de terre, la peau couverte de plaques de boue, Axel restait médusé. Une terreur inconnue s'empara de son esprit. Traversant ses genoux, puis tout son corps, un grondement montait du sol ; il le sentait sans en comprendre l'origine.

Tel un champignon iridescent, une lueur étrange entourait la fosse. Les ours martelaient le sol moussu de la forêt en courant vers la lumière qui planait dans l'air lourd. La pluie rabattait toutes les odeurs portées par le vent, mais les ours savaient qu'il était là-bas. Seul. Vulnérable.

Leurs muscles douloureux ne sentaient plus la fatigue. La perspective de la tuerie les transportait. Ils atteignirent le trou creusé dans le sol. L'animal se blottissait au fond. Leur fureur se déchaîna dans un rugissement de tonnerre.

Le tumulte explosa dans ses oreilles. Axel fut brutalement tiré de la contemplation du regard mort et tourna la tête pour découvrir deux ours grondant penchés au-dessus de la fosse. Son visage fut éclaboussé de terre, quand leurs pattes avant s'approchèrent du rebord. Ils se préparaient à bondir sur lui ! Axel saisit la pelle, la lança vers les ours. D'un coup de patte puissant, l'un d'eux attrapa la tôle entre ses griffes acérées. La pelle se brisa avec un claquement sinistre et un morceau vint se ficher dans la paroi de la fosse. Axel tomba en arrière. Ses mains tremblantes rencontrèrent le masque rigide. Ses doigts se glissèrent sous les larges bords, mais la terre semblait vouloir retenir son trésor. Pourtant, après quelques secousses, Axel réussit à dégager le masque ; il bondit sur ses pieds et le brandit à bout de bras. Il l'agita devant les ours, qui hurlèrent en signe de révolte.

Ils reculaient ! Axel s'avança vers leurs gueules pour les contraindre à reculer loin du bord de la fosse. Leur fureur avait fait place à la peur. Puis il lança le masque vers eux ; ils firent un bond en arrière au moment où le visage parcheminé tombait à leurs pieds.

Axel surveillait les mastodontes, qui le regardaient. Leurs langues saillaient entre leurs crocs. Leurs yeux luisaient, comme hypnotisés. Mais ce n'était pas vers lui qu'ils se tournaient ! Ils regardaient au fond de la fosse, à ses pieds. Suivant la direction de leur regard, Axel vit ce qu'ils voyaient, ce qui les empêchait de se ruer sur lui. A la place du masque gisait le visage momifié, moucheté de sable, d'un cadavre enterré depuis plus de deux siècles. Fasciné, Axel détailla la forme immobile. Elle gisait dans un linceul de terre et de racines torves. Le cuir tanné de la peau brun sombre s'ajustait exactement sur les os du crâne. La dépression des joues faisait ressortir les os de la mâchoire et de la face. Les paupières se fermaient sur les orbites vides. Les lèvres retroussées en un rictus sardonique découvraient des dents noires. Axel voulut détourner les yeux, sortir de cette tombe, mais il était pris au piège. Car les ours l'attendaient. Il n'avait d'autre choix que de terminer ce qu'il avait commencé.

Réprimant un haut-le-cœur, il s'agenouilla à côté du visage hideux. Ses doigts creusèrent la terre autour du crâne. Par inadvertance, son pouce s'enfonça à travers la peau parcheminée du menton ; il l'enleva vivement, comme s'il avait touché un animal venimeux. Au-dessus de lui, il entendait les ours s'avancer de nouveau vers le rebord de la fosse ; à chaque pas, leur poids envoyait des ondes de choc à travers le sol. Une motte de terre s'écrasa à côté de la tête du cadavre. Axel dégagea le visage une fois de plus.

Le diamètre du cou ne dépassait pas celui de la moelle épinière. Les vertèbres saillaient sous la peau. Axel creusait soigneusement ; des grognements profonds emplissaient ses oreilles. La gueule d'un ours lâcha un paquet de salive et d'écume, gluant comme de la colle. Le liquide brûlant dégoulina sur le cou d'Axel, puis le long de son dos.

A mesure qu'il travaillait, un sentiment d'irréalité s'empara de son esprit et de son corps. La malédiction enfouie à ses pieds semblait contaminer ses jambes, les engourdir en remontant vers ses cuisses, les anesthésier progressivement. Une main glacée parut s'abattre sur sa poitrine et son cœur ;

Axel se sentit flotter dans un univers inconnu. Puis le maléfice s'insinua dans son crâne, ralentit le cours de ses pensées. Ses paupières tombèrent. Il fit appel à toute sa volonté pour ouvrir les yeux. Non! hurla-t-il en son for intérieur. Il ne pouvait échouer si près du but. Grinçant des dents, il écarta les dernières mottes de terre du torse du cadavre.

La cage thoracique saillait nettement sous le cuir tanné. La peau soulignait la dépression du ventre et de l'abdomen, adhérait au pelvis et aux os du bassin comme un drap tendu. Les bras étaient croisés sur la poitrine. Les doigts osseux se refermaient sur un carré recroquevillé de peau de daim tannée, légèrement bombé en son centre. Les yeux rivés sur le sac, Axel se remit lentement sur pieds. Il n'y avait pas d'erreur possible. C'était bien Shawonabe.

Axel se dressa et extirpa de la poche de sa chemise une feuille de papier détrempée. Il dirigea le faisceau de sa lampe sur l'écriture délavée.

« Aye'e', Aye' », s'écria-t-il d'une voix forte. « Aye'e, Aye' », hurla-t-il encore, comme transporté par des forces primitives, dont jamais il n'avait soupçonné l'existence. Il cria, cria sans relâche les mots destinés à envelopper le squelette du cadavre, à le soumettre et le réduire à merci.

Les cris s'enfonçaient dans les crânes des ours. Ils se dressèrent ensemble, guidés par le même instinct, et, debout sur leurs pattes arrière, rugirent avec une telle force que des gouttes d'eau tombèrent des feuillages. Puis ils se remirent à quatre pattes en faisant vibrer sourdement la terre meuble et humide. Leurs coups de boutoir rendaient plus précaire encore l'équilibre des parois du trou. Un pan de terre glissa silencieusement aux pieds d'Axel.

Atish kawin ketaw gawshketose tchigaw anawgid.
Pangishin! Nossinaw wahkwing ebeyew aupegwish keen anawgid.

Les mots coulaient hors de sa bouche. Une exaltation quasiment religieuse s'empara de lui. Pour la première fois depuis plusieurs décades, voire des siècles, quelqu'un récitait les chants sacrés d'Ogochin Atisken.

Keen anawgid gawya tebish Newobe, en Newobe ezhepone-
geday.
Mezhee shenong augawknin Newobe menik endowso gweshe-
nomaw.

Sa voix s'éleva, retomba, puis s'éleva plus haut encore dans l'atmosphère saturée d'humidité. Sa poitrine se soulevait sous l'effort. L'énergie des années oubliées et des peuples sacrifiés courait dans ses veines.

Anawgid gawya dansh etaw maweshenong mawkedawon
ogewan.
Keen dagwetaw wemon ogwisson tebay nemenong keen
Newobe.

Avec des accents de défi dans la voix, Axel criait en direction du Midewiwin. Il avait retrouvé toute sa force. Ses tendons saillaient vigoureusement sur son cou.

Keen pemosay wawkwing ke ezhaw osse me-medjin,
Gawya kawning zemaw nitton mezoday kezo naytauweto
kautolic.

« Ee — ah ! » Un hurlement strident interrompit son chant. Axel fit volte-face. C'était elle ! La servante de Shawonabe ! Le cri de la femme enleva toute confiance au célébrant, dont les yeux s'agrandirent d'horreur.

Janis se dressait de toute sa taille au-dessus de la tombe ; les bras tendus, elle brandissait une grosse pierre, qui oscillait au-dessus de sa tête, tandis qu'une écume blanchâtre semblait bouillonner à la commissure de ses lèvres. Ses yeux brillaient comme des brasiers ardents.

Axel se figea, en proie à une terreur inconnue. Les bras de Janis bougeaient ! Il sauta de côté. La pierre passa à quelques centimètres de sa tête et atterrit lourdement à la base du mur opposé. Furieuse, la femme se mit à genoux et lança ses doigts recourbés comme des serres vers les yeux de son mari Ses ongles s'enfoncèrent dans les joues d'Axel, qui saisit les bras de Janis, tandis qu'une douleur cuisante zébrait son visage.

Janis tomba de tout son long dans la tombe, entraînant une coulée de terre à sa suite. Elle se tortilla au fond de la fosse et décocha un coup de talon vers Axel, qui l'atteignit à la rotule et écrasa le cartilage de l'os. Sa jambe se plia horriblement en arrière ; il hurla et s'écroula sur elle.

Janis essayait de se dégager, mais les bras d'Axel enserraient sa poitrine et l'immobilisaient. La cérémonie était presque terminée. Leurs visages se pressaient l'un contre l'autre ; soudain, elle plongea les dents dans le muscle mince situé entre l'omoplate d'Axel et son cou. Il hurla de douleur et roula sur le côté pour la repousser. Mais les dents de Janis s'enfoncèrent davantage sous la peau.

L'homme porta les mains vers la gorge de la femme et serra. Les yeux de braise semblèrent jaillir de leurs orbites ; elle ouvrit la bouche, au bord de l'asphyxie. Axel se releva lentement sans lâcher le cou de Janis. Puis il la projeta contre le mur opposé de la fosse, qui la soutint un moment, avant qu'elle ne s'écroule à terre, évanouie.

Son corps nu et couvert de blessures se recroquevilla sur le sol. Du sang, *le sang d'Axel,* s'écoulait de la bouche de la femme. Il s'obligea à détourner les yeux. La Fête des Morts n'était pas terminée. Les piétinements des bêtes noires le ramenèrent à la réalité. Son genou déchiré se tordit et il s'effondra sur le sol de la fosse. Regardant les gueules grondantes, Axel pivota et se dressa sur un genou. Tenant le papier dans sa main, il poursuivit la cérémonie.

Atish kawin ketaw gawshketose tchigaw anawgid.
Ami anawgid gawya pemosay, anawgid gawya pemosay.

Sa voix était faible, il bredouillait. Mais peu à peu, il retrouva son assurance.

Ami anawgid gawya pemosay, anawgid gawya pemosay, anawgid gawya pemosay...

Axel criait de plus en plus fort. Sa gorge le brûlait. Le sang jaillissait de sa blessure. De son genou montait une douleur cuisante. Sa voix prit des accents frénétiques et sauvages. Les rugissements des ours montaient parallèlement. Leurs grognements éclataient dans la forêt, résonnaient dans la fosse. Mais la voix de l'homme s'enflait toujours davantage. Les rugissements diminuèrent. Enfin, les grondements démoniaques cessèrent.

En proie à la panique, les ours reculèrent de la fosse. L'imminence du danger explosa dans leurs cerveaux. Ils firent demi-tour et se ruèrent dans les bois. Leur fuite effrénée les faisait partir dans tous les sens. Les fougères, les buissons et les arbrisseaux se brisaient sous leur poids. Une peur oubliée guidait leur fuite.

Axel entendit le tumulte décroître. Ils étaient partis ! C'était terminé ! Shawonabe était vaincu. Oubliant sa douleur, il se retourna vers Janis et s'appuya contre le mur de terre. Le sol bougeait. Il leva immédiatement les yeux. Le mur s'écroulait ! Il tenta de se tenir debout, mais son genou blessé était incapable de le soutenir. De la boue tomba lourdement sur ses épaules. Il s'effondra, incapable de résister à la pression. La terre s'amassa autour de son corps comme du ciment frais.

Il retint la dernière bouffée d'air dans ses poumons le plus longtemps possible. Mais en vain. Le poids de la boue écrasa sa poitrine. Il voulut inspirer une autre bouffée d'air, mais seule de la terre pénétra dans sa bouche.

Tout à coup, un objet tranchant déchira ses lèvres. La pression augmentait. C'étaient *ses* dents, dénudées en un indestructible rictus ! La mâchoire desséchée de Shawonabe mordit Axel au visage. En proie à une indicible horreur, Axel comprit que, même dans la défaite, le cadavre sans âme prenait sa revanche et ricanait.

Larry regardait à travers l'étroite ouverture. A l'intérieur, la chaleur avait diminué ; pourtant, la sueur continuait de ruisseler sur son corps. Derrière lui, les gémissements et les plaintes avaient cessé depuis longtemps. Du brasier extérieur, il ne restait plus que des braises. Près d'elles gisait le cadavre déchiqueté de Reedwhistle, dont la peau rougeoyait à la lueur des dernières flammes.

Les yeux de Larry quittèrent le corps recroquevillé près de la fosse pour se fixer sur les bois sombres. Les grognements rageurs et continus des ours cessèrent soudain. Larry distingua des mouvements précipités dans les ténèbres. Il se raidit, prêt à affronter l'assaut des bêtes sauvages. Enfin tout allait être terminé. Il ferma les yeux. Les sous-bois bruissèrent longuement, mais les bruits s'éloignaient. Ils se dispersaient. Les ours s'enfuyaient dans la forêt !

Sa poitrine ne se soulevait presque plus. Ses pensées se faisaient plus confuses. La pression n'augmentait que légèrement. Le phénomène passa d'abord inaperçu. Mais peu à peu, la conscience défaillante d'Axel l'enregistra. Puis ses oreilles remarquèrent un grattement rythmé, juste au-dessus de lui. Les grattements s'amplifièrent. Le poids de la terre diminua. Soudain, il les sentit.

Des mains griffaient frénétiquement la terre sur son dos. Elles plongèrent dans le sol. Il les sentit autour de sa tête. Sur ses joues. Elles le hissaient à l'extérieur. De l'air ! Une vague de fraîcheur s'abattit sur lui.

Ses poumons sifflèrent, sa gorge lui parut se déchirer. Entre deux quintes de toux, Axel crachait du sable humide. Il luttait pour retrouver son souffle. L'air s'engouffrait dans sa poitrine. Des mains attentionnées nettoyaient son visage couvert de boue. Tambourinant sur la peau d'Axel, la pluie lui insufflait sa fraîcheur revigorante. Des doigts enlevèrent doucement la terre qui maculait ses paupières. De longues mèches de cheveux caressaient ses épaules.

Il remua les bras avec difficulté. Alors que ses doigts gourds parcouraient une peau nue, il sentit des lèvres humides frôler les siennes. Un léger baiser, un baiser dont sa mémoire gardait le souvenir. Il lui sembla qu'une éternité s'était écoulée depuis qu'il l'avait goûté pour la dernière fois. Maintenant, il se souvenait.

Elle se dressa, puis l'aida à se relever. Après quoi ils se hissèrent hors de la tombe.

Comme un fouet fatigué maintes fois abattu sur un éperon rocheux, le vent qui soufflait du lac faiblit, avant d'abandonner la forêt dans l'état où il l'avait trouvée. Les arbres ne se balançaient plus qu'imperceptiblement, comme pour défier l'orage finissant. Une fine averse scella le calme retrouvé de la forêt. Tels des doigts tapotant doucement sur une toile de tente, la pluie égrenait un refrain sautillant sur les branches supérieures des arbres. De minuscules cascades d'eau dégringolaient de feuille en feuille avant de frapper doucement le sol.

ÉPILOGUE

Les couleurs s'entrelaçaient en traits irréguliers, comme des coups de pinceau sur une toile impressionniste. Le violet sombre et l'or éblouissant des érables conférait au tableau une touche d'élégance baroque. Les feuilles des trembles en forme de cœur brillaient de l'éclat du soleil. Les pins dessinaient des nappes vertes uniformes, tandis qu'une force imposante émanait du reflet cuivré des feuilles de chêne.

Le soleil de l'après-midi traversait la lente gyration des arbres et marbrait le sol de taches frémissantes. Mais l'ours noir était aveugle à cette lueur pleine d'ombres et de couleurs. Pourtant, il était soumis aux mêmes forces qui agissaient sur les arbres. Sa tanière était profonde, cachée sous des buissons plus épais que ceux fréquentés par l'animal durant ces derniers mois. La végétation naissante tapissait ses parois.

Alors qu'il marchait maladroitement sur le sol aux brindilles craquantes, une odeur frappa soudain ses narines, puis sa conscience. L'ours s'arrêta aussitôt. La peur submergea son esprit et lui fit oublier sa faim. L'odeur dérivait paresseusement au fil de la brise venant de l'ouest. L'odeur du danger. L'ours n'attendit pas qu'elle se renforçât. Il fit demi-tour et, terrifié, se rua à grandes enjambées au plus profond des bois. Comme la bête s'enfonçait dans la forêt, un œil averti aurait pu remarquer qu'elle boitait légèrement. Mais l'ours n'en éprouvait aucune gêne.

Axel jeta un bref coup d'œil à Janis, qui lui adressa à son tour un regard où se lisait la nervosité. La voiture noir et blanc s'arrêta dans un grincement de freins sur leur chemin privé. Luke Snyder était seul. Son visage semblait épuisé quand, à grand-peine, le shérif sortit du véhicule. Axel s'appuya sur son râteau. Quant à Janis, elle se releva lentement, derrière un sac plastique à moitié plein.

« Tu en as pour des années, avec ce râteau », dit Snyder.

« Je sais. C'est stupide, n'est-ce pas ? » Axel esquissa un sourire.

« Comment allez-vous, tous les deux ? »

« Fort bien. Quand es-tu rentré ? »

« Hier soir. Sacré voyage. J'ai mis plus de temps entre Detroit et ici, qu'entre la Floride et Detroit. Ce vieux zinc ressemblait à un omnibus ; il s'arrêtait à tous les aéroports qu'il pouvait trouver. »

« Comment allait Marcy ? » demanda Janis.

« Oh, bien. Vraiment bien. J'ai rencontré sa nouvelle famille. Des braves gens. Ils m'ont affirmé qu'elle ne parlait plus jamais du Michigan. Les psychiatres du coin appellent ça de l'anxiété refoulée. »

« C'est aussi bien comme ça », dit Axel. « Il vaut mieux qu'elle ne se souvienne de rien. »

« Je suis de ton avis », dit Luke. « Enfin, tout cela est du passé. »

« Oui. Pour nous tous. »

Snyder hocha la tête, les lèvres serrées. Puis il tourna le dos à Janis et Axel pour regarder dans les bois. « Si vous le voulez bien, je vais vérifier que le piège n'a pas bougé. »

« Bien sûr, vas-y, Luke. Voilà plus de deux mois qu'aucun animal n'y a touché. »

« Tu peux m'accompagner, Axel ? »

« Vas-y. Je te rejoins dans une minute. »

Alors que le bruit des pas du shérif s'estompait, Janis dit calmement : « Ne lui mens pas, Axel. Je ne veux pas que nous vivions en dissimulant la vérité. »

Axel ne broncha pas. « Attendons de savoir ce qu'il veut. »

« Nous sommes en paix avec nous-mêmes. C'est la seule chose qui compte. »

Axel partit sur les traces de Snyder, derrière la maison, puis dans les bois. Quand il atteignit le piège, le shérif était accroupi et regardait la viande séchée au fond du tube. « John Orson viendra bientôt reprendre ses pièges », déclara Snyder.

« Avant le mois prochain et les premières chutes de neige, en tout cas. »

« Tant mieux. Autrement, il risquerait de retrouver toutes ses charnières rouillées, au dégel du printemps prochain. »

« C'est drôle, mais j'ai l'impression qu'il aurait pu les retirer dès le mois de juillet. »

« Peut-être, mais comment aurait-il pu savoir qu'il n'y aurait plus la moindre attaque d'ours ? » Axel était sur ses gardes.

« Tu as raison, Axel. Comment aurait-il pu le savoir ? Mais peu importe », dit Snyder en se relevant. « Tout est rentré dans l'ordre maintenant. »

Michelson demeura silencieux. Snyder le regarda pour la première fois. « Tout est rentré dans l'ordre, n'est-ce pas, Axel ? »

« Oui, shérif. Tous est rentré dans l'ordre. »

Un sourire imperceptible passa sur le visage de Snyder. Il se retourna vers la maison, puis demanda : « Comment va Janis ? »

« Bien », répondit Axel. « Le chenil marche de nouveau sans problème et Janis est en pleine forme. » Les deux hommes restèrent silencieux. On n'entendait que le craquement des feuilles mortes sous leurs pas. Alors qu'ils approchaient de la maison, Axel s'arrêta et saisit le bras de Snyder. « Luke, Janis est en pleine forme. Mais elle désire... »

« Tu sais », le coupa-t-il en dégageant doucement son bras, « la loi est parfois impuissante à trancher certains litiges. Bon, je sais que tu es avocat et que tu ne seras peut-être pas d'accord. Mais demande donc à un vieux shérif, tu verras ce qu'il te répondra. Parfois, les témoignages sont tellement invraisemblables qu'il devient inutile de porter une affaire en justice. Et parfois c'est mieux ainsi. Surtout quand il n'y a pas de coupable. »

Une porte claqua sur le devant de la maison. Tandis qu'Axel et le shérif entraient dans la cuisine par la porte de derrière, Janis accueillait Larry Wolf sur le devant. Dans une main, il portait une cruche de cidre et dans l'autre une grande enveloppe en papier bulle.

« Je reviens de week-end et je me suis dit que tu ne pourrais pas attendre que cela t'arrive par la poste », dit Larry en montrant l'enveloppe.

« De Bay City ? »

« Oui. L'ordonnance d'interdiction définitive. »

« Parfait. J'avais tout de suite soupçonné un coup fourré, quand *Sunrise Land* et *Home* ont déclaré qu'ils abandonnaient leurs plans de développement. Mais l'ordonnance officialise les choses. »

Snyder sourit. « Après ce qui s'est passé l'été dernier, on ne peut pas leur reprocher de ne plus vouloir construire dans les parages. » Snyder glissa la main dans la poche de sa chemise et en sortit un carnet de tickets. « Tu seras chez toi le jour des élections, Larry ? »

« Bien sûr, je serai au village pour la fête du Jour des Saints. »

« Tant mieux. Te voilà de nouveau étudiant ; je t'offre donc un ticket gratuit pour la tombola, dont le tirage aura lieu la veille du scrutin. »

« Tu ne te feras jamais réélire, si tu les distribues tous gratuitement », dit Larry.

« Je sais, mais ton patron ici présent aura peut-être la générosité de soutenir ma campagne. »

Axel éclata de rire. « Je n'y manquerai pas. »

« Tu devrais assister à la fête, shérif », dit Larry. « On ne sait jamais, cela t'aidera peut-être à remporter la victoire. »

« J'y serai, Larry. Et d'après ce que j'ai entendu dire, beaucoup de gens de la ville veulent y assister. »

« Ils seront les bienvenus. »

« Tu as amené cette cruche de cidre pour te faire les muscles ou pour nous désaltérer ? » dit Janis en sortant quatre verres d'un placard. Larry sourit et posa la cruche sur la table. Puis ils s'assirent.

Axel et Janis raccompagnèrent leurs visiteurs à leurs voitures, et regardèrent celles-ci disparaître entre les arbres. Les moteurs ronflèrent doucement. Puis leur ronronnement cessa.

Un bras passé autour des épaules de sa femme, Axel la serra contre lui. Janis tourna la tête et regarda son mari. Son visage était apaisé, son sourire détendu. Silencieux, ils sentaient le bien-être les envahir.

Ils se dirigèrent à pas lents vers la maison. Au moment de gravir le léger ressaut de terrain dont la bordure longeait l'avant de la villa, Axel sentit sa poitrine frémir de soulagement. L'effigie du tumulus était bien gardée.

A quelques dizaines de mètres, sous un épais tapis de feuilles mortes, la tombe de Shawonabe était aussi bien dissimulée aux regards que durant les deux siècles derniers. A ses côtés, dans la terre dense du cœur de l'ours, reposait un deuxième Ottawa.

La dépouille d'Oliver Reedwhistle, portée au tumulus la nuit du wigwam de feu, gisait épaule contre épaule, à côté du magicien noir. C'était une autre victime de la marche de l'ours, mais une victime dont le Midewiwin n'avait pu écarter la vengeance, une victime à qui Shawonabe n'avait pu arracher son talisman protecteur. Et les mains de Reedwhistle serraient étroitement un sac en peau de daim taché, moderne sac de shaman.

Achevé d'imprimer sur les presses de
L'IMPRIMERIE ELECTRA*

*Division de l'A.D.P. Inc.

Imprimé au Canada/Printed in Canada